Para Luiz Matheus,
meu afilhado carioca.
Com todo o amor do mundo.

Marcelo Cezar

Em 1979 eu era um garoto cheio de dúvidas, temores, curiosidades e também com alguns problemas de ordem espiritual por não saber lidar com a minha mediunidade. Foi nesse cenário conturbado que iniciei minha jornada no meio espírita.

Acolhido com carinho no Centro Espírita Os Caminheiros, fundado por Aldo Luiz e Zibia Gasparetto, trabalhei primeiramente na recepção, como atendente, depois como conselheiro, passista, doutrinador e médium de incorporação, colocando em prática tudo o que lia e aprendia nos cursos oferecidos pelo próprio centro, nas obras de Allan Kardec e, posteriormente, nos livros do espírito André Luiz, psicografados por Chico Xavier. Dentro desse ambiente repleto de paz e harmonia, aprendi a ter valor, a ser útil, criativo e me tornei um homem de bem.

Com o passar dos anos, comecei a compreender e aceitar outras verdades espirituais; afinal, temos muito que estudar e aprender em relação aos mistérios e verdades da vida e, por que não, da morte.

Meu real desejo é levar às pessoas, sempre orientado pelos queridos amigos espirituais, histórias nas quais a espiritualidade é mostrada de maneira natural, enfatizando em cada um de nós os verdadeiros valores do espírito, para que possamos viver melhor conosco e com as pessoas ao nosso redor.

Sucessos de Marcelo Cezar

A vida sempre vence – nova edição

Uma tragédia muda o rumo do destino de uma família. O que poderia explicar a atitude tão surpreendente e radical de uma mãe? Este lindo romance, agora em edição revisada e atualizada, leva-nos a compreender como o livre-arbítrio influencia nosso destino.

O amor é para os fortes

Muitos de nós buscam a relação afetiva perfeita. Este romance nos mostra que não existe a relação perfeita, e sim a possível. E é nessa relação possível que a alma vive as experiências mais sublimes, fazendo-nos entender que o amor é destinado somente para os fortes.

Um sopro de ternura

Uma família passa por transformações espirituais reveladoras. Lilian, a personagem central, é abandonada e sofre inúmeras humilhações. A trama mostra que os laços construídos pelo amor são eternos e não há vazio que a ternura não preencha.

A última chance

Uma emocionante história que tem como cenário as transformações comportamentais provocadas pelo surgimento da aids. A leveza da narrativa propõe a quebra dos tabus e preconceitos contra os portadores do vírus HIV.

Para sempre comigo

Caio é acusado e preso por um crime que não cometeu. Em seu desespero, quer apenas provar que é inocente. Será que ele conseguirá ajuda divina? Neste romance, você terá a oportunidade de entender os segredos que movem os destinos dos homens.

O preço da paz

Quando nada sai como queremos, a frustração e a raiva nos levam à depressão. Buscamos soluções nas drogas, nas fugas viciosas do desequilíbrio destruidor. É quando percebemos que o que queremos é tão somente a paz para voltarmos a ter gosto de viver.

Você faz o amanhã

O poder de conquistar a felicidade está em suas mãos. Se deseja progredir sem sofrer, assuma seu desejo de permanecer no bem, jogue fora as ilusões e não tenha medo do futuro, pois você faz o amanhã.

Medo de amar

Neste romance surpreendente, que se passa no início da década de 1970, Maria Lúcia deseja, a todo custo, a riqueza, o luxo e o poder, acreditando na ilusão de se sentir preenchida por tudo isso. Mas o resultado vai se mostrar desastroso...

Nunca estamos sós

Conheça a vida de Heitor que, em sua última encarnação, viveu na cidade do Rio de Janeiro e desencarnou na tragédia do *Bateau Mouche*. Sua trajetória demonstra como a sabedoria da vida trama nosso reencontro com a verdade interior.

Nada é como parece

É a história de três amigas que, depois de anos, voltam a se encontrar, trazendo à tona o passado, em meio a conflitos e desentendimentos, e mostrando com clareza que em sociedade nem sempre as pessoas são como parecem.

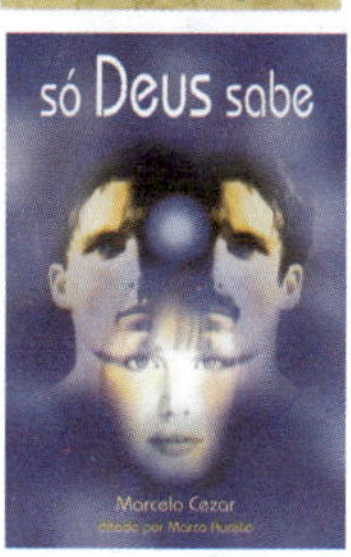

Só Deus sabe

Dois irmãos jovens e bonitos. Gêmeos, porém com temperamentos completamente diferentes. Um deles morre em trágico acidente. Por quê? Neste romance encontramos muitas respostas que nos ajudam a entender como a vida funciona.

Marco Aurélio

Marco Aurélio, espírito amigo, tem me acompanhado desde que iniciei meus estudos no espiritismo. Ele me revelou que, em sua última encarnação, fora investigador de polícia, nascido e criado na cidade do Rio de Janeiro, em fins do século dezenove. Ajudou a polícia de São Paulo nas investigações e na solução do famoso crime da mala, ocorrido em 1928.

Depois de seu desencarne, ocorrido por volta de 1931, Marco Aurélio uniu-se a uma colônia destinada a trabalhar com médiuns no nosso planeta por meio da psicografia, trazendo ao público histórias reais, sempre respeitando o nome dos verdadeiros envolvidos, pois muitos ainda encontram-se encarnados.

Esse grupo do qual Marco Aurélio faz parte trabalha no desenvolvimento do ser humano, fazendo com que, ao ler nossas histórias, você possa conscientizar-se do seu grau de responsabilidade diante da vida e acionar a chave interior para viver melhor consigo e com os outros, tornando o nosso planeta um lugar bem mais interessante e prazeroso de se viver.

Capa e Projeto Gráfico: Priscila Noberto
Diagramação: Andreza Bernardes
Revisão: Melina Marin e Juliana Rochetto Costa

1ª edição — 2ª impressão
10.000 exemplares — setembro 2011

Dados Internacionais de Catalogação na Publicação (CIP)
(Câmara Brasileira do Livro, SP, Brasil)

Aurélio, Marco (Espírito).
O próximo passo / pelo espírito Marco Aurélio;
[psicografado por] Marcelo Cezar.
São Paulo : Centro de Estudos Vida & Consciência Editora.

ISBN 978-85-7722-156-1

1. Espiritismo 2. Psicografia 3. Romance espírita
I. Cezar, Marcelo. II. Título.

11-01127 CDD-133.93

Índices para catálogo sistemático:
1. Romances espíritas psicografados: Espiritismo 133.93

Este livro adota as regras do novo acordo ortográfico (2009).

Editora Vida & Consciência
Rua Agostinho Gomes, 2.312 - São Paulo - SP - Brasil
CEP 04206-001
editora@vidaeconsciencia.com.br
www.vidaeconsciencia.com.br

Marcelo Cezar
pelo espírito Marco Aurélio

O próximo passo

O próximo passo

A tarde começava a se despedir da colônia astral. O sol tingia o céu, formando uma tela alaranjada de rara beleza. Uma bonita jovem, de cabelos castanhos e sedosos, cujas pontas balançavam suavemente sobre os ombros, sorriu pela primeira vez em anos. Seus olhos esverdeados contemplaram o horizonte e ela agradeceu ao Criador por estar viva e cheia de vontade para recomeçar. Imediatamente sentiu um friozinho na barriga.

— Recomeçar? — perguntou a si mesma, numa voz quase inaudível. — Será que estou pronta?

Ela continuou caminhando. Parou nas imediações de um belo jardim florido e avistou alguns bancos. Decidiu sentar-se, porquanto ainda se sentia cansada. Ajeitou o corpo esguio sobre o banco de madeira, fechou os olhos e aspirou o perfume das flores. À sua frente estava uma fonte esculpida em mármore, cujos lábios entreabertos dos anjinhos despejavam uma água cristalina e energizante.

A jovem espreguiçou-se, levantando as mãos para o alto, e bocejou. Levantou-se, caminhou lentamente até a fonte e abaixou--se até que suas mãos tocassem a água clara e fresca. Juntou as palmas das mãos, formando uma concha. Trouxe o líquido cristalino até os lábios e o sorveu com prazer. Limpou os lábios com as costas das mãos. Fechou novamente os olhos e sorriu.

— Como é bom estar viva! — exclamou.

— Falando sozinha? — indagou uma voz familiar, atrás dela. A jovem virou o rosto e abriu largo sorriso.

— Lolla!

— Como está?

— Muito bem! — tornou, sorridente. — A água está deliciosa. Não quer experimentar?

Lolla era um espírito cuja luminosidade a tornava mais bela. Tinha um rosto angelical, porém seus olhos verdes e cristalinos transmitiam firmeza impressionante. Aproximou-se da fonte, apanhou um pouco da água fresca e bebericou.

— Hum. Concordo com você. Está boa mesmo.

— Estava cansada de ficar no quarto. Uma das enfermeiras deixou-me caminhar até o jardim.

— Faz bem. Seu espírito precisa de movimento. Há muito tempo está parada.

— O tratamento tem me ajudado bastante a relembrar minha última vida na Terra. Passei a enxergar tudo com mais clareza.

— Tem certeza?

— Tenho — respondeu, resoluta. — Descobri quem me matou.

— É mesmo? — Você foi morta?

— Sim, Lolla. É duro perdoar alguém que lhe tirou a vida corpórea, mas, diante da eternidade e entendendo o ciclo da reencarnação, percebo que foi o que tinha de acontecer.

— Você atraiu o tipo de morte que mais se afinizava com seu modo de ser. Deixava-se sufocar pela negatividade dos outros. Não escutava a si própria.

— Sei disso. Era estouvada, tinha um gênio irascível. Sempre fui muito manipuladora e controladora. Era nervosa e não admitia ser contrariada. Nunca quis enxergar a verdade.

— Prender-se na ilusão e não querer ver pode nos acarretar problemas nos olhos. Melhor aprender a não temer o que vemos, mesmo que isso possa vir a nos machucar.

— Meus olhos andam meio embaçados — ela levou a mão à boca e perguntou, aturdida: — Vou retornar cega?

— Não. O seu perispírito não chegou ao ponto de lesionar a visão. Talvez nasça com um probleminha, um pequeno resquício que seu espírito precisa expurgar.

— O que mais me diz?

— Eu creio que você tenha condições de voltar a encontrá-lo.

A jovem sentiu novo frio na barriga.

— Encontrá-lo? Por quê?

— Você mesma disse que compreendeu tudo o que lhe ocorreu na última existência. Inclusive afirmou que foi duro, mas o perdoou. Tem certeza de que sabe mesmo como tudo aconteceu? Enxergou os fatos com os olhos da alma?

— Afirmativo — ela fez sim com a cabeça. — Os técnicos do Departamento de Reencarnação me mostraram tudo o que eu pedi para ver. Não faltou um detalhe.

— Então não vejo motivo para evitar reencontrá-lo.

— Eu sei o que aconteceu, estou ciente e perdoei a todos. Daí eu lhe pergunto: encontrá-lo para quê?

Lolla sorriu e acompanhou-a de volta ao banco. Sentaram-se. Ela tomou as mãos da jovem e a encarou.

— Sei que seria pedir demais para você reencontrá-lo neste momento. Sei também que ficaram muitos anos em zonas inferiores acusando-se mutuamente. Esse período negro passou e foi concedido a ambos o direito de retornar ao planeta.

— Vamos voltar juntos? — perguntou a moça, surpresa.

— Ele está se preparando. Deve renascer no ano que vem.

A jovem abriu e fechou a boca. Em seguida mordiscou os lábios, pensativa. Indagou, curiosa:

— E os demais?

— Alguns já reencarnaram. Outros irão em momento oportuno. O que importa é que você poderá voltar; entretanto, diante do passado, precisará concentrar-se em vencer a rejeição.

— Vai me dizer que minha mãe também vai estar lá?

— Vocês precisam se reconciliar. De nada adianta o perdão aqui no mundo astral se o mesmo não ocorrer numa próxima etapa reencarnatória, com o véu do esquecimento sobre as memórias pretéritas. Passará por algumas experiências para que seu espírito vença esse sentimento.

A jovem abaixou a cabeça. Sabia que vencer a rejeição seria dar um passo significativo em sua jornada evolutiva. Sentia que precisava encarar situações que a fizessem confrontar esse monstro que tanto a machucara em algumas existências. Ela respirou fundo e olhou fixamente para Lolla:

— Estou pronta. Sei que sou forte e tenho amigos aqui no astral que vão me inspirar bons pensamentos. Eu vou vencer.

— Fico feliz que pense dessa forma. Amanhã vamos ao Departamento de Reencarnação para acertar detalhes de sua próxima vida na Terra.

— Devo voltar logo?

— Se tudo der certo, você deverá reencarnar daqui quatro ou cinco anos.

— Ainda vai levar tanto tampo assim, Lolla?

— Agradeça e agarre essa chance. Nem todos têm o privilégio de planejar o retorno à Terra. O tempo aqui passa rápido demais. Quando você se der conta, estará de volta.

— Bom, eu morri em 1915. Segundo meus cálculos, depois de anos presa naquela zona terrível, acredito estarmos em 1940. Estou certa?

— Você tem facilidade para organização, mas não é boa em cálculos — tornou Lolla, num largo sorriso. — Seu espírito tem vocação para administração e para as artes. Sua noção de tempo está bastante equivocada.

— Por quê?

— A Terra acaba de chegar em 1975.

A jovem levou a mão na boca para evitar o grito de espanto.

— O mundo chegou no ano de 1975? Estou morta — ela fez uma conta rápida com os dedos — quer dizer, estou vivendo aqui no astral há sessenta anos? Tudo isso?

— Convenhamos que não é um tempo tão longo assim. É a média que um espírito leva entre uma e outra encarnação, conhecido também como período de erraticidade. Perceba, querida, que tudo depende do grau de lucidez do espírito. Alguns ficam aqui pouquíssimo tempo. Outros, de acordo com a necessidade, ficam um pouco mais. Estou aqui há bastante tempo e ainda não tenho previsão de retorno. Mas você ainda deve fazer mais alguns cursos e se preparar para o novo reencarne. Se tudo correr conforme o planejado — Lolla fez um gesto gracioso com a cabeça — você deverá renascer daqui quatro ou cinco anos, ou seja, por volta de 1980.

— 1980! Nem acredito. O mundo deve estar bem diferente daquele que conheci.

— Em alguns aspectos sim. A tecnologia evoluiu bastante, contudo os indivíduos continuam sofrendo e vencendo os mesmos medos, traumas e preconceitos. A mente do homem ainda avança a passos lentos. Diante da eternidade, para que pressa?

Ambas sorriram e a bela jovem descansou suas mãos sobre as da amiga espiritual.

— Eu vou voltar e vou vencer.

— Estarei torcendo por você. Agora é hora de voltar ao seu quarto. Vamos?

A jovem assentiu com a cabeça. Segurou a mão da amiga e seguiram pelo pátio de volta ao edifício. Ela se despediu de Lolla, entrou no quarto e olhou ao redor. Sorriu. Fez pequena prece de agradecimento e voltou a se deitar. Em breve voltaria à Terra. Sentia-se pronta para vencer a rejeição que tanto a incomodava, dando o próximo passo para o progresso do seu espírito.

A história dos pais

1975 - 1980

capítulo um

Uma tempestade tinha acabado de cair naquele finzinho de tarde, amenizando o calor forte que teimava instalar-se na cidade havia alguns dias. A chuva espantou as pessoas do cortejo fúnebre. Muitos foram embora sem se despedir da família. As irmãs Alzira e Arlete, com dezessete e dezoito anos respectivamente, estavam inconsoláveis. As lágrimas rolavam sem parar e foi com muito custo que Alzira controlou o choro. Assoou o nariz e abriu a bolsa. Apanhou rapidamente o livro amassado e com a capa gasta.

— Preciso ficar bem — disse para si.

Arlete apertou a mão da irmã e tentou um sorriso:

— Esse livro que lemos e relemos tantas vezes... será que é coincidência?

Alzira abriu numa página marcada e bem gasta de *Olhai os lírios do campo*. Leu novamente algumas linhas de grande emoção: a carta que a personagem Olívia deixava para seu amado antes de morrer. Nova lágrima rolou pela sua face avermelhada.

— Não sei se é coincidência, Arlete. Mas mamãe ter morrido justamente no mesmo dia que o escritor Érico Veríssimo[1] faz

1 Érico Lopes Veríssimo nasceu em Cruz Alta, interior do Rio Grande do Sul, em 17 de dezembro de 1905, e morreu em Porto Alegre no dia 28 de novembro de 1975. Foi um dos escritores brasileiros mais populares do século vinte. O romance *Olhai os lírios do campo* foi originalmente publicado em 1938.

eu me sentir mais próxima dele e de seus personagens. É como se esse choro fosse por mamãe e por ele.

Elas escutaram uma voz logo atrás, censurando-as:

— Mas será o diabo? Não respeitam nem mesmo enquanto o padre fala? Cadê o respeito pela mãe de vocês?

Alzira precisou respirar e soltar o ar algumas vezes. Arlete apertou sua mão, num gesto de solidariedade. Disse entre dentes:

— Olha quem fala! Ele mal ajudou a cuidar dela, está de olho naquela sirigaita da Gisele e ainda por cima tenta dar bronca na gente?

— O que será de nossa vida quando voltarmos para casa? — indagou Alzira, nervosa.

— Não sei...

Arlete ia falar, mas o padre alteou a voz e solicitou aos poucos presentes que dessem as mãos e proferissem o Pai-Nosso enquanto o caixão de Josefa descia até o fundo da cova.

As meninas pegaram uma rosa branca que estava espetada na única coroa que haviam mandado para o velório e depositaram suavemente sobre o caixão.

— Vá com Deus, mãezinha — disse Arlete.

— Rezaremos por sua alma — emendou Alzira.

Olair nada falou. Resmungou alguma coisa e apressou o passo. Gisele surgiu do nada, de trás de uma árvore, e aproximou-se de Olair. Vestia um conjunto preto, como mandava o protocolo, mas extremamente colado ao corpo, mostrando as curvas perfeitas. Olair abriu um sorriso e aproximou-se da jovem. Ela cochichou alguma coisa em seu ouvido, ele meneou a cabeça para os lados e sorriu novamente. Em seguida ofereceu o braço para ela e saíram.

Alzira olhou para a irmã e falou num tom de total reprovação:

— Aquela cascavel está deixando o cemitério de braços dados com o pai. Acredita nisso?

— Se me contassem, eu custaria a acreditar — replicou Arlete. — Gisele está de olho no pai desde que mamãe adoeceu. Aposto que agora ela vai dar o bote.

— O pai pode fazer o que quiser da vida dele, contanto que respeite a memória de nossa mãe.

Uma senhora se aproximou e veio se despedir das meninas. Na sequência, outra mulher, na faixa dos quarenta anos, transmitindo simpatia e solidariedade, cumprimentou-as.

— Meu nome é Célia e gostava muito de sua mãe — disse para Alzira.

— Nunca a vimos em casa — tornou Arlete.

— Olair não deixava que eu visitasse a Josefa. Eu orava pela mãe de vocês na minha casa, desejando um desencarne tranquilo.

As meninas não entenderam o que Célia estava falando. Ela sorriu e, antes de despedir-se, falou, num tom que exalava serenidade:

— A morte não é o fim.

Alzira e Arlete assentiram com a cabeça.

— Será? — indagou Arlete.

— Quando quiserem, venham me visitar. Poderemos conversar sobre qualquer assunto — Célia tirou da bolsa um bloquinho e uma caneta. Anotou o endereço e entregou o papelzinho para Arlete.

— Esse é o endereço do seu Ariovaldo, vigia da escola.

— É meu marido — respondeu Célia.

— Gostamos do seu Ariovaldo — replicou Alzira. — Ele sempre foi muito bacana com a gente.

— Iremos visitá-los — disse Arlete.

— Serão bem-vindas.

Célia despediu-se e partiu. Mais uma meia dúzia de pessoas se despediu delas e, no comecinho da noite, Arlete e Alzira deram-se as mãos e deixaram o cemitério do Chora Menino em direção à casa delas.

Chegando em casa, depois de andarem algumas quadras, não encontraram Olair.

— Vai ver que foi chorar nos braços daquela vadia — vociferou Arlete.

— Não fale assim. Estamos de luto.

— Por que diz isso? Nós estamos de luto, mas e o pai?

— Será mesmo que Gisele é má?

— Alzira, você só vê o lado bom das pessoas.

— Mamãe nos criou assim.

— A realidade é diferente. Há pessoas boas, outras são mais ou menos, algumas são boas e nem tão boas e existem aquelas que nasceram tortas, ruins por natureza. Gisele faz parte desse último grupo.

— Você é diferente de mim — suspirou Alzira, enquanto começava a preparar um caldo de galinha. — Será que ela é tão má como a gente imagina? Ou será que estamos com ciúme porque o pai está interessado nela?

Arlete riu e jogou a cabeça para trás.

— Imagine estarmos com ciúme! O pai mal fala com a gente. Tenho certeza de que logo ele vai se enrabichar e até casar com essa devassa.

— Mamãe acabou de morrer.

— Sei, Alzira, mas o pai é homem e não pensa com a cabeça. Ele sempre teve um fraco por mulheres. Sabemos que ele traía a mamãe. Sempre foi infiel.

— Será que ele vai se casar de novo? Se assim o fizer, vamos para o olho da rua.

— De maneira alguma. Esta casa é tão nossa quanto dele. Metade pertence a mim e a você.

— Sei, Arlete, porém não se esqueça de que o pai sempre atirou em nossa cara que ele tinha de acordar cedo, trabalhar para sustentar três mulheres.

— Eu sou uma boa pessoa, mas tenho limites. O pai que não venha com esse papo de sacrifício para cima de mim. Se ele me colocou no mundo, paciência...

As meninas conversaram, choraram mais um pouco, nem assistiram à novela naquela noite. Estavam muito tristes e, no último ano, haviam se dedicado integralmente a cuidar da saúde precária da mãe. Era noite de sábado e elas queriam e tinham necessidade de descansar. Precisavam dormir e relaxar o corpo, a mente e o espírito.

As duas estavam exaustas física e emocionalmente. Fazia mais de um ano que Josefa padecia de um câncer que lhe tomara todo o corpo. Olair não tinha plano de saúde e Josefa teve de ser internada num hospital público. Naquele tempo o atendimento ainda não era tão precário como nos dias atuais. Os médicos fizeram tudo o que puderam. Quando perceberam que o estado de Josefa só piorava e que o câncer iria vencê-la, atenderam seu pedido e a deixaram voltar e morrer em casa.

As meninas cuidavam de Josefa com extremo carinho. Davam banho, trocavam as roupas, faziam curativos, ministravam os medicamentos, dedicavam-se à mãe com zelo e muito amor. Olair não parava em casa e mal se interessava pela doença da esposa. Comprara um colchonete e preferia dormir na alfaiataria. Sentia enjoo do cheiro de morfina e, com essa desculpa, evitava participar dos cuidados à esposa. Olair era alfaiate e praticava seu ofício numa lojinha alugada de esquina, a algumas quadras de casa.

Alzira e Arlete estudavam em escola pública e não trabalhavam porque Olair alegava não ter condições de pagar uma empregada doméstica. Jogava na cara das filhas que elas tinham vindo ao mundo e custavam caro. Se elas tinham uma cama para dormir e comida à mesa, isso tudo não era de graça; tais regalias não tinham caído do céu.

Por isso, as meninas tinham de dar algo em troca. Acordavam bem cedo, arrumavam as camas, faziam o café e os curativos da mãe. Iam para a escola, voltavam e preparavam o almoço. À tarde, cuidavam da casa, das roupas, do jantar e de Josefa. Era uma vida dura. As meninas mal tinham tempo para assistir a um programa de televisão ou mesmo sair na companhia de amigos. Olair não deixava.

Nesse meio tempo, Arlete fizera um curso de datilografia porque fora premiada num concurso de revista e ganhara bolsa integral. Ela era uma mocinha dedicada e em seis meses concluíra o curso.

Alzira dava aulas de reforço de português e o pouco dinheiro que ganhava usava na compra de remédios que ajudassem a amenizar a dor que a doença causava na mãe.

Arlete havia repetido o primeiro ano da escola e, por isso, ela e Alzira estudaram sempre juntas e tinham acabado de concluir o colegial, equivalente ao ensino médio nos dias de hoje. Alzira adorava literatura e devorava os livros da biblioteca da escola. Era fã de Orígenes Lessa e Érico Veríssimo. Lera inúmeras vezes

O feijão e o sonho, de Lessa, assim como os clássicos *Clarissa* e *Olhai os lírios do campo*, de Veríssimo. Tinha inclinação para Letras e era muito boa de forno e fogão. Alzira cozinhava muito bem. Com a morte da mãe, não sabia o que seria de seu futuro. Talvez elas fossem procurar emprego e cuidar de suas vidas. Sentiam que não poderiam contar com o pai dali adiante.

Os dias correram rápido, e o primeiro, de outros choques, veio na noite de Natal. Alzira e Arlete não queriam fazer nada. Não tinham vontade de comemorar a data naquele ano. Estavam ainda guardando luto. Josefa morrera menos de um mês antes e elas não viam a hora de as festas passarem logo. Queriam entrar rapidamente no ano seguinte e esquecer aquele ano tão difícil.

Olair apareceu em casa pouco depois das seis da tarde. Trazia uma cesta de Natal numa mão e um peru gigantesco na outra.

Arlete meneou o rosto para os lados por várias vezes.

— O que é isso?

— Ganhei de um cliente rico lá do Jardim França. Ele me deu a cesta e o peru.

— Nós explicamos várias vezes para o senhor que não queremos comemorar nada. Mamãe morreu há pouco e...

Olair a cortou violentamente.

— Chega de lamúrias! — vociferou. — Eu sou o dono desta casa, mando aqui e vocês devem me respeitar. Estou farto de vê-las chorando pelos cantos, beijando e chorando sobre o retrato da mãe de vocês.

— É claro que choramos. Sentimos falta da mamãe — disse Alzira.

— É natural — emendou Arlete.

— Natural é deixar isso tudo de lado, porca miséria! Josefa morreu e não vai mais voltar. Será que não podem aceitar a realidade? São moças crescidas. Deveriam estar trabalhando e cuidando melhor desta casa em vez de chorar — Olair passou o dedo sobre o alto da geladeira e mostrou o dedo empoeirado

— Viram? É disso que falo. Vocês nem ao menos limpam a casa direito.

— O senhor não tem o direito de falar assim com a gente — argumentou Alzira. — Respeite a nossa dor.

Olair colocou o peru sobre a mesa e sorriu com desdém.

— Ora, ora. Eu sou o pai e, se derrubarem mais uma lágrima por causa da mãe de vocês, eu puxo a cinta.

Arlete sabia que a conversa ia esquentar. Perguntou com um ar de deboche:

— O que vai fazer com esse peru e com essa cesta?

— A nossa ceia. Vocês vão colocar esse bicho no forno agora.

— Impossível — tornou Alzira. — Um peru desse tamanho leva horas para ser assado. Além do mais, preciso temperá-lo e deixá-lo descansar no molho de um dia para outro.

— Você não é a espertinha que sabe cozinhar? Pois transforme esse bicho em algo que dê para comer. Ainda hoje.

— Mas precisa ser temperado, já disse. Só se for para amanhã — respondeu Alzira, com toda a paciência do mundo.

Olair deu de ombros.

— Sem problemas. Aqui nessa cesta — apontou — tem bastante coisa. Vou na padaria ali da esquina pegar uma maionese, uma farofa e um lombo. Vamos ter ceia de Natal.

— Mas... — Alzira tentou novamente argumentar.

Olair respondeu, seco:

— A Gisele vem cear conosco.

— Ah, agora entendi — interveio Arlete num riso irônico. — Então não precisamos de peru. Teremos *galinha* na ceia.

Alzira riu e mal percebeu quando o braço de Olair voou e sua mão grande e bem aberta atingiu em cheio o rosto de Arlete. Plaft! O tapa foi forte. Ela ficou zonza por instantes.

— Nunca mais se refira a Gisele dessa maneira — falou Olair, num tom ameaçador. — Se voltar a falar mal da moça, além de outros tapas mais fortes, eu vou lhe dar uma surra que vai acabar com a sua raça, além de marcá-la pelo resto da vida, sua desgraçada. Por que fui ter filhos? Por quê?

Olair falou com raiva, rodou nos calcanhares e saiu. Bateu a porta da sala com força. Alzira correu até a irmã.

— Está bem, Arlete?

— Hum, hum.

— Machucou?

— Não está acostumada com esses tapas? Lembra-se de quando éramos pequenas? A gente sempre ganhava um tapa sem saber o porquê.

— Crescemos apanhando. Mamãe bem que tentava ajudar, mas a pobrezinha apanhava ainda mais.

— O pai é um grosso, um estúpido. Não sabe lidar com o ser humano. Ele não gostava da mamãe e não gosta da gente, Alzira.

— Ele nunca nos deu um beijo ou um abraço.

— Espero que ele se dê muito mal.

— Não fale assim — tornou Alzira, enquanto ajudava Arlete a se recompor. — O pai não sabe o que diz.

— Mas sabe o que faz. Adora bater na gente. Estou farta de tudo isso.

— Nossa vida anda muito sem graça. Agora que mamãe morreu, sinto vontade de sumir daqui.

Arlete teve uma ideia.

— Por que não fazemos nossas malas e vamos embora?

— Embora?

— Sim.

— Como? Para onde?

— Podemos procurar um pensionato para moças. A filha do seu Marivaldo, do açougue, depois que engravidou, foi morar num pensionato lá perto do convento.

— Aquele pensionato só recebe moças grávidas. Não é o nosso caso — justificou Alzira.

— Ou podemos tentar encontrar a tia Lurdes.

— Tia Lurdes? Se o pai escuta a gente falar o nome dela...

— Ela é a nossa única parenta viva. É irmã do pai. Mamãe sempre falou da tia Lurdes com carinho.

— Podemos pensar em procurá-la. Entretanto, não temos foto, endereço, nada.

— A gente acha, Alzira.

— Bem, vamos pensar na noite de hoje. Não queremos ficar aqui.

— Ele não pode fazer isso conosco — disse Arlete, meneando a cabeça para os lados. É terrível. Ele está ferindo a memória da nossa mãe. E, pior, não está respeitando a nossa dor.

— Também não acho justo.

— Que tal darmos o fora? — sugeriu Arlete, de maneira desafiadora.

— Passar a noite de Natal onde? Na rua?

— Podemos ir até a escola. O seu Ariovaldo, o vigia, é nosso amigo. A esposa dele foi muito simpática conosco.

— Gostei da dona Célia. Havia tanta doçura em sua voz quando veio nos cumprimentar no cemitério — disse Alzira, sorrindo. — Mas, pensando bem, ir à casa dos outros sem ser convidada? Não é chato?

— É noite de Natal, Alzira. A gente fica só um pouquinho, para não ter de jantar com essa sirigaita da Gisele.

— Não sei...

— Alzira, deixe de ser medrosa. Quer ficar aqui e engolir aquela vadia?

— Não suportaria.

— Não nos resta alternativa. Vamos sair.

— O pai vai ficar fulo.

— Vai nada. Pode ficar nervosinho no começo, mas depois vai dar graças a Deus por estar a sós com a cobra. Ele está mais com vontade de namorar aquela ordinária do que comemorar o Natal em família.

Alzira concordou. Era melhor estarem fora de casa. Não suportaria ver o pai agarrado a uma ordinária feito Gisele e comemorando uma noite em que ela preferia estar trancada no quarto, lendo Érico Veríssimo, tentando absorver a doçura e compreensão de Olívia, a clássica personagem do livro.

— Vamos nos arrumar.

— Qual nada — ajuntou Arlete. — O pai vai retornar logo. Não quero mais ver a cara dele até amanhã.

— Está certa. Vamos.

As duas saíram, contornaram a esquina e foram até a escola. O prédio estava escuro e nem sinal do vigia.

— É noite de Natal — disse Alzira. As ruas estão desertas.

— Eles devem estar em casa. Aqui está o endereço que dona Célia nos deu — tornou Arlete. — Tocamos a campainha e...

Ariovaldo, o vigia, apareceu e as cumprimentou:

— O que fazem aqui? Está escurecendo.

Elas se entreolharam e Arlete disse:

— Seu Ariolvado, por Deus! Viemos aqui à sua procura.

— Mesmo?

— Sim. Gostaríamos de ir até sua casa e...

Alzira protestou:

— Não é que queremos ir até sua casa, mas...

Arlete interrompeu:

— Não queremos passar o Natal em casa.

Ele assentiu com a cabeça.

— Entendo. Aquela casa ficou muito triste depois que Josefa morreu.

— É sim. Nosso pai quer fazer uma ceia e não queremos. Não estamos com vontade de celebrar nada.

— Por que não celebrar? Entendo a dor de vocês. Perder um ente querido sempre nos causa grande sofrimento interior. No entanto, tudo é passageiro, em breve vamos todos nos reencontrar.

— Enterramos nossa mãe — tornou Arlete, triste. — Tudo está acabado.

Ariovaldo pousou delicadamente sua mão sobre a da jovem.

— A morte não é o fim.

— A sua esposa nos falou a mesma coisa no enterro — considerou Arlete.

— Eu e Célia temos outra visão acerca da vida e da morte — respondeu Ariovaldo, num sorriso.

— Houve um tempo — ajuntou Alzira — em que mamãe nos dizia acreditar na continuidade da vida após a morte do corpo. Ela estava doente, acamada, e certo dia afirmou que a mãe dela tinha ido visitá-la no quarto.

Arlete surpreendeu-se:

— Eu nunca soube disso!

Alzira sorriu.

— Mamãe gostava de conversar comigo sobre esses assuntos. Lembra-se dos meus pesadelos?

— E como!

— Mamãe me levou até a dona Augusta e fui benzida. Depois de algumas rezas, eu nunca mais tive aqueles pesadelos. Quando mamãe fora desenganada pelos médicos e voltou para casa, confidenciou-me que via a mãe dela no quarto de vez em quando.

— Isso é impossível. Vovó morreu antes de nascermos. Mamãe devia estar com alucinações. — Arlete mudou o tom de voz e empinou o peito, fazendo pose de adulta e sabichona: — Os médicos disseram que ela poderia perder a razão.

Ariovaldo interveio na conversa:

— Creio que sua mãe deve mesmo ter visto o espírito da avó de vocês.

Alzira arrepiou-se inteira e grudou nos braços da irmã.

— Tenho medo de fantasmas.

— Eu não tenho — replicou Arlete. — O senhor pode falar sobre esses assuntos comigo. Sou crescida e não sou medrosa.

Alzira ia protestar, contudo, Ariovaldo, percebendo que a conversa não teria fim, convidou:

— Venham cear conosco. Vai ser um prazer recebê-las. Célia vai adorar, mas, vou logo avisando, é uma casa muito simples.

— Nós também moramos numa casa muito simples — completou Alzira. — Tem certeza de que não vamos incomodar sua esposa? Não queremos entrar de bico na sua ceia.

Ariovaldo riu.

— Vocês duas não vão entrar de "bico". Eu e Célia não temos parentes em São Paulo. Nossa única filha casou cedo e seu marido foi transferido para a Argentina.

— Adoraria conhecer a Argentina — suspirou Alzira. — Nunca saímos de São Paulo.

— Uma vez, muitos anos atrás, o pai levou a gente, contrariado obviamente, para passar uns dias na Praia Grande — acrescentou Arlete.

— Iara nos mandou algumas fotos dela e do marido em Buenos Aires. Vou mostrar a você, Alzira.

— Oh! Eu adoraria vê-las, seu Ariovaldo. Um dia ainda vou até lá.

— Claro que vai — ele consultou o relógio e prosseguiu — costumamos cear por volta de oito da noite. Estamos quase no horário.

As duas se entreolharam e fizeram "sim" com a cabeça. Ariovaldo sorriu e finalizou:

— Será uma noite muito agradável. Vocês vão adorar.

capítulo dois

Em outro extremo da cidade, na região do Morumbi, os empregados corriam com os últimos preparativos para a grande ceia. Aos poucos, os inúmeros convidados foram chegando ao elegante casarão do empresário Américo Gumercindo Calini. O convite para participar de qualquer evento que fosse na casa dele era disputadíssimo. Artistas, empresários, políticos e toda a nata da sociedade paulistana o adoravam.

Américo era muito simpático, tinha forte carisma. Elegante, alto e dono de olhos verdes e vivos, possuía traços de ascendência europeia. Os cabelos eram fartos e levemente prateados, penteados para trás. As roupas sempre lhe caíam muito bem. Tinha o porte atlético e era muito assediado.

Ele vinha de uma família humilde de imigrantes italianos, que vieram para a capital paulista no início do século vinte. Depois de muito trabalho, seu avô montou uma mercearia que comercializava secos e molhados. A pequena loja cresceu, desdobrou-se em outros três grandes mercados e, alguns anos depois, o pai de Américo criou uma das primeiras redes de supermercados do país.

Américo tinha mais um irmão, Adamo. Este gostava de arquitetura, decidira concluir os estudos na Itália e, de vez em quando, vinha ao país. Mantinha amizade com Américo e trocavam cartas com regularidade. Américo e a filha visitavam Adamo com frequência.

Américo agora administrava a rede e ela crescera sobremaneira, chegando ao interior e também a outras capitais do país.

Em sua juventude, Américo tivera uma namorada. Eles eram muito apaixonados e faziam planos para o casamento, contudo, numa festa regada a muita bebida, o rapaz envolveu-se com uma jovem e a engravidou.

Ciente de seu escorregão, Américo, a contragosto, terminou o namoro e casou-se à força com Amélia Vaz, moça pertencente a uma tradicional família paulistana. O casamento fora destaque nas revistas da época em virtude de um novo rico se casar com uma quatrocentona[2]. Alguns meses depois do casamento, Amélia deu à luz uma menina linda, Valéria. Infelizmente, Amélia morreu devido a uma forte hemorragia alguns dias após o parto.

Diante de fato tão triste, Américo tornou-se o viúvo mais querido, badalado e comentado de seu tempo. Ele foi atrás da antiga namorada, seu grande amor, contudo ela sumira feito pó que desvanece no ar. Américo até pagou um detetive, mas nada. A moça sumira. Desiludido e triste, ele não quis mais saber de relacionar-se seriamente com mulher que fosse e atirou-se de cabeça no trabalho. Seus negócios prosperaram e ele criou a filha sozinho.

Valéria tinha acabado de completar dezoito anos e Américo, cumpridor de todas as vontades da filha, havia lhe comprado um carro último tipo. O automóvel estava escondido na garagem e seria o seu presente de Natal.

A moça era bonita. Puxara ao pai e tinha um corpo esguio, cheio de curvas benfeitas. Valéria também tinha olhos verdes que faziam belo par com seus cabelos avermelhados e naturalmente ondulados. As sardas no rosto alvo lhe conferiam um ar de menina travessa.

---

2 O termo "quatrocentão" surgiu por conta da celebração dos quatrocentos anos de fundação da cidade de São Paulo, em 1954, o chamado "Quarto Centenário". Designa a antiga aristocracia paulistana, descendente dos barões do café — empresários rurais bem-sucedidos na produção do café ou em outros ramos do comércio e da indústria, que descendiam dos bandeirantes e dos colonizadores pioneiros, fundadores de São Paulo e demais vilas paulistas.

Mesmo com excesso de mimo, crescera determinada, amável e dona de seu nariz. Valéria tinha um bom coração. Geralmente o lado mimado aparecia quando desejava que o pai lhe fizesse as vontades. Com os amigos e até com os empregados da casa era cordial e muito simpática. E, talvez por conta de existências pretéritas, tinha pavor de criança. Fugia de criança, ou do contato com uma, assim como o diabo da cruz.

Valéria tinha grande afeição por Américo. Quando ela estava com cerca de dez anos de idade, bem que ele tentou namorar algumas mulheres, mas o namoro nunca engatava. Valéria sempre arrumava uma maneira de estragar os relacionamentos afetivos do pai. Depois, quando entrou na adolescência e começou a sentir atração por rapazes, tornou-se mais maleável, a ponto de mudar suas atitudes e começar a pensar em arrumar alguém para o pai.

— Ainda mais agora — ela disse para si enquanto se ajeitava em frente ao espelho do banheiro.

— Agora o quê? — indagou a doce Natália, amiga de Valéria desde a infância.

Natália era a única pessoa na face da Terra, descontando Américo, por quem Valéria sentia enorme afeição e a quem fazia confidências. Valéria contava absolutamente tudo de sua vida para a amiga. Natália era muito apegada a Valéria, pois tinha um coração de manteiga e muitas vezes entrava numa fria porque não sabia dizer não. Acreditava que precisava resignar-se e aceitar as situações sem fazer força para mudá-las. Se algo inconveniente lhe acontecia, era porque tinha a ver com alguma ação errada em vida passada.

Natália era muito ligada ao espiritismo e tentava converter as pessoas para aceitarem o mundo dos espíritos. Valéria não ligava para esse lado de Natália. Gostava da amiga assim mesmo. Quando Natália vinha com alguma conversa sobre aceitar sem questionar as influências negativas astrais, Valéria se saía com essa: "Nos meus pensamentos mando eu. Ninguém tem poder sobre mim".

Valéria balançou os cabelos e passou um pouco de perfume francês no colo e pescoço.

— Meu pai nunca esteve mais lindo e nunca tivemos tanto dinheiro. Ele foi eleito o empresário do ano e vai chover mulher na horta dele.

— Sempre tem mulher aos pés do seu Américo — emendou Natália, enquanto ajeitava o coque.

— Sei disso.

— Não vai me dizer que está com ciúme de seu pai? Pensei que essa fase tivesse passado.

— Passou. Não faço o tipo da filha que tenta destruir os relacionamentos do pai. Estou em outra. Gostaria muito que meu pai arrumasse uma namorada, uma mulher que gostasse dele para valer. A maioria quer o dinheiro dele.

— Isso é fato.

— Eu não vou permitir que qualquer mulher se aproxime dele por conta de interesses financeiros. Meu pai é bom e merece uma boa mulher para lhe fazer companhia na velhice. Ele tem que ter uma mulher que o ame de verdade. Não esse bando de mulheres falsas que querem joias e vida de luxo. Meu pai não é uma instituição financeira, é um homem com sentimentos.

— Concordo. Não se esqueça de que seu pai sente cheiro de mulher interesseira. Ele sabe se virar.

Apesar de sua visão peculiar em relação à espiritualidade, Natália era uma menina encantadora. Filha de pais que um dia haviam sido ricos, dava-se muito bem com Valéria. A família de Natália perdera toda a fortuna. O pai adorava jogo de cartas e, ao longo dos anos, tudo o que tinham perdeu-se para o pagamento das dívidas, que só aumentavam. Os pais se separaram, ela e a mãe mudaram-se para um bairro mais simples e recomeçaram a vida.

Elenice, mãe de Natália, estudara, passara num concurso e tornara-se professora da rede pública. Mulher de temperamento equilibrado, não deu trela às amigas que a condenaram por se tornar uma mulher desquitada. Nessa época da história, uma mulher separada era vítima dos dedos acusadores da sociedade. As amigas se afastavam com medo de que a *desquitada* se jogasse sobre seus maridos. Esse tormento só acabaria com a aprovação da lei do divórcio, dali dois anos.

Elenice não estava nem aí com a sociedade. Era uma mulher de atitudes firmes, dona de seu nariz. Conhecera Milton, um quarentão aposentado da prefeitura que morava a algumas quadras da sua casa, e casaram-se no Uruguai. Viviam numa casa modesta, mas decorada com excelente bom gosto, devido à primorosa educação e vida de luxo que Elenice um dia tivera.

Natália acabara de prestar vestibular para arquitetura. De estatura mediana e corpo benfeito, a jovem chamava mais a atenção dos rapazes pela meiguice e doçura na voz do que pelo físico.

Ela sorriu para sua imagem refletida no espelho.

— Estamos bonitas.

— Não *estamos* — concluiu Valéria. — Nós *somos* bonitas.

— Mamãe deve estar preocupada. Faz muito tempo que estamos aqui no quarto.

— Tem razão — disse Valéria. — E, a bem da verdade, preciso fazer cara de surpresa. Papai pensa que eu não sei, mas aquele Maverick na garagem vai ser meu presente de Natal.

— Uau! — exclamou Natália. — Um carro muito bonito. A propósito, a sua carteira de motorista ficou pronta?

— Ainda não. O infeliz do despachante entrou em férias e só retorna depois das festas.

— Melhor não usar o carro até...

Valéria cortou a amiga:

— Ei, é louca? Acha que eu não vou andar com meu carro novinho em folha?

— Você sabe dirigir, mas não tem carta. Não vá arrumar encrenca.

— O Dario dirige.

Natália fez um muxoxo. Valéria percebeu e, enquanto ajeitava os brincos de argola nas orelhas, disse:

— Não gosta mesmo dele, não é?

— Sou sua amiga desde sempre. Sabe o que penso de Dario. Você sempre foi mimada...

Valéria a cortou:

— Não exagere.

— Amiga, você sempre quis que seu pai lhe fizesse todas as vontades. Lembro-me que você era menos inconsequente. Começou a se meter em encrencas depois que Tavinho morreu e você emendou namoro com o Dario.

— Que encrencas? Sair para dançar numa boate é arrumar encrenca? Eu gosto de me divertir.

— Tem a carga energética do ambiente. Se eu entrar numa boate, eu pego tudo o que tiver de ruim lá.

— Ora, por que não pega o que tem de bom?

— E por acaso tem coisa boa em boate?

— Tem. Há muitas pessoas que saem à noite para dançar, descontrair, relaxar, encontrar alguém, paquerar... A noite pode ser muito boa, ou muito ruim, depende da sua cabeça e não da "energia" do lugar.

— Pensamos de maneira diferente. Prefiro ficar em casa quieta, lendo.

— Cada um faz o que acha melhor. Prefiro sair.

— Voltando ao Dario. Mesmo que eu seja a amiga esquisitona, que sente as coisas, não gosto dele.

— Ele é bom para mim. Dario me ajudou a segurar a barra quando perdi meu ex-namorado.

— Você não era apaixonada por Tavinho. Era namoro de escola, coisa passageira. Eu a conheço bem e sei que nunca o amou. Aliás, com quinze anos de idade na época, você nem tinha ideia do que era amor.

— Tem razão. Mas o Dario é bom.

— Pode ser até uma boa pessoa, Valéria, entretanto ele gosta de bebida e drogas. Que futuro você espera ao lado de um rapaz que curte drogas?

— Coisa passageira. Quem disse que eu vou me casar com o Dario?

— Mas você... — Natália corou — você... tem intimidades com ele!

— E daí? Não quer dizer que eu vá me casar com ele. Acorde, Natália. Estou aproveitando a vida. Só isso.

Natália virou a cabeça para os lados, numa negativa.

— Você é tão bonita! Tem tanto rapaz mais interessante nos seus pés. O que acha do Lauro Vasconcellos? E o filho daquele ministro do Supremo, o Robertinho?

— Não são para mim.

— Dario também não é para você. Pense e reflita, querida — ponderou Natália. — Reavalie seus sentimentos. Não perca tempo com quem não faz você feliz.

— Vou pensar. Você, às vezes, é capaz de me dizer coisas que mexem comigo.

— Que mexem num bom sentido. Eu gosto verdadeiramente de você.

Natália abraçou-se a Valéria e a beijou no rosto.

— Saiba que sempre estarei ao seu lado, não importa o que aconteça.

Valéria emocionou-se e se afastou, limpando os olhos com as costas das mãos.

— Pare de falar assim. Desse jeito vamos ficar horas refazendo toda a maquiagem.

Elas riram e, ao sair do quarto e passarem pelo corredor, Natália notou que havia um porta-retratos diferente sobre uma cômoda.

— Não me lembro desse porta-retratos — apontou. — Quem é esse homem?

Natália falou e sentiu um calor subir pelo corpo. Valéria riu.

— Gostou?

— Puxa, se gostei. Quem é?

— Meu tio Adamo.

— Está tão diferente. Eu só o conhecia através dessa foto — apontou para um porta-retratos com uma foto amarelada pelo tempo, em que havia um jovem cujo rosto estava virado para o lado.

— Ah, você estava acostumada com essa foto antiga do meu tio. Essa foto em preto e branco tem a nossa idade. Deve ter sido tirada quando ele se mudou para a Itália.

Natália ficou impressionada. E não estava exagerando. Se Américo era um homem bem apessoado, Adamo era um deus grego. Parecia galã de filme. Lembrava um pouco o ator Robert

Redford em sua juventude. Adamo tinha os cabelos louros como trigo, os olhos verdes, grandes e expressivos. A boca era torneada por lábios carnudos e o sorriso era de arrasar.

Valéria sorriu.

— Gamou no meu tio.

Natália corou.

— Ele é casado?

— Solteiro convicto. Que eu saiba, nunca namorou sério.

Natália sentiu novo frêmito de emoção. Desconversou.

— Vamos descer. Estamos atrasadas.

— Olha, não sei o que faz eu ser tão sua amiga e gostar tanto de você. Não temos gostos em comum — tornou Valéria. — Eu nunca me interessaria por um tipo como meu tio. Prefiro os morenos, com cara de mau. Homem com cara de anjinho não me agrada.

— Ainda bem que não gostamos do mesmo tipo. Imagina a confusão que seria?

— É por isso que o Dario me atrai, Natália. Ele tem um porte avantajado, corpo musculoso e cara de cafajeste. Isso sim, me atrai.

— Por que não corresponde aos galanteios do Tomás? Ele tem cara de mau, rosto marcado tipo gângster.

Valéria fechou os olhos e suspirou.

— Tomás é o homem que sonhei para ter pelo resto da vida.

— Não entendo — surpreendeu-se Natália. — O Tomás é louco por você. Por que não namoram?

— É louca, Natália? A Marion é alucinada pelo Tomás.

— E daí?

— Daí que eu não quero confusão para o meu lado. Tomás é um tipo muito interessante, até mais que o Dario. Entretanto, prefiro passar vontade e esquecê-lo do que ter de encarar Marion. Lembra-se de quando Tomás beijou a Lina na minha festa de quinze anos?

Natália sentiu um arrepio percorrer-lhe o corpo.

— Como me lembro! Marion quase acabou com a sua festa. Foi uma gritaria, um bate-boca daqueles.

— Isso não é nada — tornou Valéria. — O mais assustador é que Lina foi atropelada no dia seguinte à festa e quase morreu. Ficou manca, a pobrezinha.

— Acredita que Marion... — Natália não continuou.

— Com toda certeza. Um dos que viram o acidente afirmou que o carro era um Corcel GT vermelho com listras pretas. E as letras da placa eram BT. Quem tem um carro de acordo com essa descrição?

Natália levou a mão à boca. Estava aturdida.

— Nunca soube disso.

— Papai me contou. A família de Marion deu dinheiro a essa testemunha e ela voltou à delegacia e desmentiu tudo. Disse que o carro era amarelo. Quer saber? No fundo, sou apaixonada pelo Tomás, mas não me arrisco. Não quero ser a próxima vítima de Marion.

— Se conversar com o Tomás, de repente...

— O quê? Sei que se eu abrir meu coração ele vai terminar o namoro com ela. Mas vou arrumar uma inimiga pelo resto da vida. Não quero isso para mim. Sou muito jovem e ainda vou encontrar um homem que me atraia da mesma forma que Tomás me encantou.

— Tem razão — concordou Natália. Eu ainda prefiro seu tio.

As duas riram a valer. Valéria pousou suas mãos sobre as da amiga.

— Deixemos os nossos gostos por homens de lado. O que importa é que gostamos sinceramente uma da outra.

— É verdade.

— Talvez seja coisa de vida passada — emendou Valéria.

Natália sorriu.

— Está dizendo isso para tirar sarro da minha cara ou porque eu me interesso pelo assunto?

Valéria passou a mão delicadamente sobre a fronte da amiga.

— Não sei. Às vezes acredito em algo além, mas também tem vezes em que eu acredito que tudo se acaba com a morte. É o fim. Talvez tenhamos medo de admitir que a vida é uma só. É por essa e por outras que eu aproveito a vida.

— Precisa ter um pouco mais de equilíbrio.

— Eu tento, embora não seja fácil.

— Se lesse um pouquinho dos livros espíritas que eu tento fazê-la ler...

— Esse é o problema: você quer me impor algo que ainda não me encontro preparada para entender.

As duas continuaram a conversa e contornaram o corredor. Desceram a escadaria de mármore branco, em forma de caracol, segurando no belíssimo corrimão de bronze, e logo se ouvia o barulho e animação dos convidados lá fora do casarão, já acomodados em mesas circulares ao longo do vasto jardim à beira da piscina.

Américo estava conversando com um banqueiro e sua esposa quando foi abraçado pela filha.

— Estava sentindo a sua falta — disse Valéria, depositando-lhe um beijo no rosto.

Ele beijou a filha de volta e apresentou-a ao casal. Valéria mal os cumprimentou e foi puxando o pai até a mesa deles. Lá estavam Elenice, Milton e, naturalmente, Natália. Américo os cumprimentou e sentou-se. Enquanto o garçom lhe servia um uísque com gelo, ele comentou:

— Bonita noite. Estava com medo de que a chuva fosse nos surpreender.

Milton ajeitou-se na cadeira e falou:

— Sua casa é muito bonita. Parabéns.

— Eu é que mereço os parabéns — tornou Valéria.

— Ora, por quê?

— Eu cuido da decoração da casa. Gosto de trocar e combinar os móveis, interesso-me pela combinação de cores...

Américo sorriu satisfeito:

— Essa menina tem gosto excelente. Desde pequena rabiscava os cômodos em cadernos, usava canetinha colorida para cada ala da casa. Depois desenhava os móveis, cortava-os e fazia a distribuição sobre a folha de papel.

Elenice interveio:

— Eu me lembro de quando nos mudamos e Valéria ficou dois dias ajeitando os móveis.

— A senhora vivia num casarão e de repente mudou-se para uma casa bem modesta. Se não fosse a minha perspicácia e senso de espaço, como aqueles móveis imensos iriam caber no sobradinho? Eu fui um gênio!

Todos riram e Elenice continuou:

— Você tem tino para a decoração, Valéria. Acertou em cheio quando prestou vestibular para arquitetura.

A jovem deu de ombros. Jogou os cabelos para trás e disse:

— Não sou dedicada aos estudos como a Natália. Eu não vou passar no vestibular.

— Ora, o que é isso, garota? Desistir mesmo antes de prestar o concurso?

— O vestibular é coisa séria, só dá certo para gente que estuda, que se dedica de verdade. Eu não sou chegada a estudar horas, como faz Natália. Talvez, mais à frente, eu faça um curso na Itália e, ao retornar, papai me dê de presente um ateliê de decoração.

— Eu faço questão de lhe dar o melhor ponto da cidade. Penso no bairro dos Jardins.

Elenice exclamou:

— Perfeito! Eu vivi muitos anos no Jardim América. Lá há casarões maravilhosos, ideais para abrigarem um belo ateliê de decoração.

Valéria suspirou:

— Não sei ao certo.

— Por quê?

— Às vezes tenho vontade de ir embora daqui. O trânsito de São Paulo está cada dia mais insuportável.

— É o progresso — disse Milton. — Atualmente temos linha de metrô, estamos nos igualando às grandes metrópoles do mundo.

Valéria riu com desdém.

— Milton, não me venha comparar esta cidade de crescimento desordenado com Nova York, Londres ou Paris. Nosso metrô liga nada a lugar nenhum.

— Vai do bairro do Jabaquara até o de Santana.

— E não existe ainda data para a inauguração da estação Sé[3], que é a principal. Isto aqui é um país de quinta categoria.

— Torno a repetir. É o progresso.

— Eu fico irritada com o descaso da sociedade. Milton, você viu quantos imóveis foram derrubados para se fazer essa tal estação da praça da Sé? — indagou Valéria, aflita.

— Valéria se preocupa com a deterioração do patrimônio público. Sempre foi assim, desde pequena — admitiu Américo.

Ela estava empolgada. Bebericou um pouco de champanhe e perguntou ao Milton:

— O que me diz do Palacete Santa Helena?

Ele assobiou.

— Um dos prédios mais belos já construídos na cidade!

— Exato — emendou Valéria. — Um palacete cuja fachada era repleta de esculturas e foi projetado pelo arquiteto italiano Corberi. Ficava na praça da Sé e foi inaugurado em 1922. No seu interior, além de lojas e escritórios, havia também um cinema que era tão luxuoso quanto o Teatro Municipal, o Cineteatro Santa Helena. O palacete foi demolido quatro anos atrás, para a construção da estação central do metrô, que iria se chamar Clóvis Beviláqua. Agora vai receber o nome de estação Sé. A destruição do palacete — Valéria bebericou sua taça de champanhe e prosseguiu — foi totalmente desnecessária, dispensável. É uma grande perda arquitetônica para a cidade.

— Meu Deus! Essa menina é uma enciclopédia de arquitetura.

Américo sorriu orgulhoso.

— É minha filha!

Valéria sorriu e finalizou:

— Entende por que fico triste e raivosa? O nosso patrimônio, a nossa memória, de uma maneira geral, está sendo destruída a cada dia que passa.

A conversa estava animada e interessante, no entanto, uma voz grave os cumprimentou e disse em seguida:

— Valéria está certa. Esta cidade é um lixo.

---

3 Estação Sé, originalmente denominada Estação Central Clóvis Beviláqua, é a estação central e mais movimentada da capital paulista. Situa-se na Praça da Sé, próxima à Catedral. Integra as linhas Azul e Vermelha do metrô. Foi inaugurada em 17 de fevereiro de 1978.

Todos se voltaram para a voz. Era Dario, o grude de Valéria. Eles namoravam havia alguns anos. Américo a princípio não permitira o namoro, contudo, como Dario era filho de um famoso banqueiro paulistano e Américo tinha contraído alguns empréstimos nas instituições daquele banqueiro, fez-se de morto e deixou o namoro seguir adiante, a fim de evitar que problemas pessoais interferissem nos negócios. Américo sabia que mais cedo ou mais tarde a filha poderia se casar com Tomás. O rapaz era de uma ótima família e era bom moço. Américo sonhava com essa união.

Natália cumprimentou-o com frieza.

— Olá.

Dario respondeu a todos com um "tudo bem, pessoal?" e puxou uma cadeira. Juntou-se ao grupo. A conversa tomou outro rumo. Natália e a mãe levantaram-se para dar uma volta ao redor do jardim. Milton e Américo começaram a falar sobre os prognósticos da economia para o ano que viria. Dario puxou Valéria até seu peito.

— E aí, gata? Vamos depois sair desta festa careta e nos divertir para valer?

Valéria sorriu e nada disse. Lembrou-se da conversa com Natália. Por que, afinal de contas, era-lhe tão difícil separar-se de Dario?

Ele era um rapaz atraente, cheio de charme. Alto, bonito e bronzeado, Dario era assediado por muitas mulheres. Mas o jovem tinha uma vida bem vazia. Tinha repetido o terceiro ano do colegial duas vezes e não se interessava por nada. Rico, bem-nascido e mimado pelos pais, Dario era o tipo encrenqueiro, tinha mania de brincadeiras estúpidas e sem graça. Arrumava briga onde quer que estivesse e tinha muitos desafetos. Fazia cerca de três anos que o seu mau comportamento se agravara. Dario passara a ser mais violento e estúpido, e às vezes não tinha consciência do que fazia.

Para ilustrar a situação, certa vez ele brigou com um rapaz, por uma bobeira qualquer. Dario era bom de briga, praticara judô por muitos anos, mas nesse caso, em particular, espancou o rapaz até o pobre coitado ficar sem sentidos. Quase morreu. Dario jurou que não se lembrava de ter batido no rapaz. Só se lembrava de sentir uma raiva muito grande, ficar literalmente cego de ódio e apagar. Quando voltava a si, não se lembrava do que havia praticado.

Os pais o levaram a um renomado psiquiatra e este somente constatara um certo desvio no padrão de comportamento. Depois os pais se separaram. A mãe foi viver nos Estados Unidos. O pai se casou de novo e tinha acabado de ter um filho. Não estava nem aí com o comportamento de Dario. Não ligava a mínima para o filho.

Valéria sentia forte atração pelo rapaz. Ela nunca o amara. Era atração física mesmo, mais nada. Eles haviam se conhecido no colégio. Dario agora estava com vinte e um anos e vivia à base de mesadas, que seu pai depositava regiamente numa conta bancária. Solto e sem perspectivas de construir uma vida sólida e digna, deixava-se levar pelas festas regadas a muita bebida e muita droga.

A cocaína começava a fazer sucesso entre as classes mais favorecidas da sociedade, tornando-se item indispensável nas festas de chiques e famosos, que na época eram conhecidos como grã-finos. Dario era consumidor regular de maconha. Estranhamente, de três anos para cá, tornara-se viciado em cocaína.

Natália já o flagrara montando carreirinhas de pó. Alertara Valéria, mas a amiga dizia que Dario era adulto e responsável por si. Ele que cheirasse ou fumasse o que quisesse. Desde que continuasse sendo um bom amante, Valéria não ligava para esse lado obscuro do namorado. Adoraria apostar as fichas em Tomás, mas ele estava namorando Marion. E Valéria não queria enfrentar a maldade de Marion.

Depois que a ceia foi servida e os convidados foram embora, a madrugada ia alta. Natália despediu-se da amiga e ficaram de se encontrar depois do dia de Natal.

No carro, ela comentou com a mãe e com o padrasto:

— Sinto arrepios quando Dario se aproxima.

— Eu já vi algumas sombras escuras ao redor dele — disse Elenice. — Esse garoto precisa de tratamento espiritual.

— Fico mal ao lado dele. Eu nasci assim, uma esponja. Pego tudo o que é carga dos outros.

— Precisa dar mais atenção aos pensamentos e filtrar melhor o que capta, minha filha. Somos donos de nossa mente e não podemos deixar qualquer pensamento nos invadir.

— Lá vem a senhora me dizer que eu estou errada na minha maneira de pensar. Tenho muita sensibilidade, paciência.

A conversa seguiria na mesma ladainha: Elenice alertando a filha para ser uma pessoa mais firme e menos suscetível às cargas alheias e Natália arrumando desculpas para a sua sensibilidade aguçada, afirmando que nascera assim e que nada podia fazer.

Milton já sabia o rumo da conversa e disparou:

— Esse menino precisa, antes de tudo, de apoio e atenção dos pais. Dario não tem limites, e poderá pagar muito caro pelos excessos que comete.

Natália fechou os olhos e fez uma ligeira prece para sua amiga. Mesmo acreditando que a amiga fosse uma doidivanas, ela gostava sinceramente de Valéria.

— Peço a Deus que proteja minha amiga. Que nada de mal lhe aconteça.

capítulo três

Passava das dez quando Alzira e Arlete despertaram.

— Bom dia — disse Alzira.

— Feliz Natal, minha irmã — Arlete falou e levantou-se. Aproximou-se da cama da irmã e a beijou no rosto.

— A noite ontem foi tão agradável. Seu Ariovaldo e dona Célia são pessoas adoráveis.

— Senti uma paz imensa lá. Mesmo com a morte de mamãe, senti-me bem acolhida com essas pessoas simples e do bem.

— Eu também – concordou Alzira.

— Sabe, eu percebi uma presença durante o jantar.

— Presença? Como assim? — indagou Alzira.

— Como se alguém invisível ali estivesse. Não percebeu o clima de harmonia que reinava naquele abençoado lar?

— Arlete, você está imaginando coisas. A noite foi ótima, mas lá estávamos eu, você, seu Ariovaldo e a mulher dele. Vai ver você ficou impressionada com aquela conversa sobre espíritos.

— Dona Célia é mulher simples, mas muito inteligente. Ela falou sobre o espiritismo de uma maneira tão... tão natural, essa é a palavra!

— De fato, concordo com você. Até eu me interessei pelo assunto. Gostou de ganharmos esse romance, *Entre o amor e a guerra*?

— Nunca li romance espírita, Alzira. Eu já tinha escutado comentários positivos acerca dessa escritora — ela pegou o livro e leu o nome — Zibia Gasparetto.

— Dona Célia disse que o livro acabou de ser lançado. Está fazendo grande sucesso junto ao público.

Alzira abriu e leu em voz alta um trecho qualquer do prólogo:

— *As leis da justiça divina, imutáveis, dão a cada um segundo suas obras. E o tempo, amigo constante, encarrega-se de restaurar a verdade na intimidade do ser.*

— Se Deus dá a cada um segundo suas obras, por que temos de viver assim, órfãs de mãe e com um pai que nos despreza? Será que fomos pessoas ruins em outras vidas?

— Não sei. O assunto é novo e me desperta o interesse. Depois que lermos o livro, talvez possamos refletir melhor sobre tudo o que dona Célia nos disse.

— Tem razão.

Elas se espreguiçaram e Arlete perguntou:

— Quando chegamos, passava da meia-noite e o pai não estava em casa. Onde será que ele se meteu?

— Deve ter terminado a noite nos braços daquela sirigaita. Aposto.

Arlete mordiscou os lábios.

— Estou apreensiva, Alzira.

— O que foi?

— Tenho certeza de que o pai vai mesmo se juntar com essa lambisgoia. Sinto que nossa vida vai se transformar num inferno. Gisele não é pessoa do bem.

— Também tenho a mesma sensação. E se conversarmos com ela? Será que o convívio não poderia ser mais harmonioso?

Arlete mexeu os ombros e sacudiu o rosto para os lados.

— Nunca! Gisele quer ter o papai só para ela e não nos quer por perto.

— O pai poderá nos botar para fora de casa. Ele sempre nos ameaçou. Mamãe é que não permitia. Agora que ela se foi, não sei se...

— Qual nada! Metade desta casa é nossa. Eu não arredo pé daqui. A não ser que o pai venda e nos dê nossa parte.

— Arlete, por que fica tão ligada nesta casa? Não vê que temos uma vida inteira pela frente? Não enxerga que poderemos ter a nossa casa, sem depender do pai?

Arlete nada respondeu. Ficou pensativa por instantes. Alzira tornou, amorosa:

— Terminamos o colegial e você também concluiu o curso de datilografia. Vou fazer dezoito e você completará dezenove anos. Podemos arrumar um emprego e ir viver numa pensão. Ainda há boas pensões para moças aqui na cidade.

— Já disse que só conheço aquela para grávidas, onde foi parar a filha do açougueiro.

— Ontem, enquanto você tirava os pratos da mesa, dona Célia me disse que a filha do seu Tenório, depois que ele morreu, teve de entregar a casa ao proprietário e foi morar numa pensão só para moças, perto da Ponte Pequena.

— Alzira, com você ao meu lado, me apoiando, sou capaz de tudo para manter nossa felicidade.

— Vamos conversar com o pai. Precisamos saber quais são os sentimentos dele em relação a Gisele. Pode ser que seja coisa passageira — disse Alzira, ingenuamente.

— Pois que nada! Conheço nosso pai desde quando ele ficava até tarde na alfaiataria. Quantas vezes eu não o vi de intimidades com outras mulheres? Ele tem um fogo difícil de apagar. Ele é o fósforo e Gisele é como gasolina pura. Juntos entram em combustão. E, de mais a mais, não temos parentes próximos.

— Temos a tia Lurdes — completou Alzira. — Percebi que dona Célia ia falar alguma coisa sobre a tia.

— O que ela poderia falar? Ninguém aqui conheceu a tia Lurdes, que eu saiba.

— Tem razão.

Arlete meneou a cabeça para os lados.

— O pai não suporta escutar o nome dela. Sabemos que é a única irmã e parenta viva que ele tem aqui. O resto da família mora em Jutaí, no Amazonas. Ele não permitiu que pudéssemos tentar localizá-la e avisá-la da morte da cunhada.

— Não sabemos onde ela mora — tornou Alzira. — Só lembro que mamãe falava muito bem da tia Lurdes e, às vezes, pegava uma foto antiga, amarelada pelo tempo, em que aparecia ela e outra moça que aparentava ser um pouco mais velha. Tenho certeza de que era a tia Lurdes naquela foto.

— Podemos procurar nos pertences da mamãe. Quem sabe não encontramos algum documento que informe o paradeiro da tia?

— Pode ser.

— Vou ver se o pai se levantou.

— Não estava em casa quando chegamos. Deve mesmo ter passado a noite fora — arriscou Alzira.

— Deve ter levado ela no *matadouro*, lá nos fundos da alfaiataria.

Arlete disse isso num tom irônico. Vestiu a camisola, calçou as pantufas, abriu a porta do quarto e olhou ao redor. A casa estava num silêncio só. Quis ir para a cozinha. No caminho, ao longo do corredor, encontrou peças íntimas de mulher. Ficou horrorizada. Dirigiu-se ao quarto do pai e empurrou a porta. Não havia ninguém ali, embora a cama estivesse desarrumada e garrafas de bebida espalhadas ao lado da cama.

A jovem meneou negativamente a cabeça para os lados.

— Meu Deus! O que esse homem vai nos aprontar?

Em seguida, foi à cozinha e coou o café. Esquentou um pouco de leite. Abriu o armário e pegou um pote de vidro com biscoitos de água e sal. A pia estava repleta de louça suja, a mesa estava com restos de comida da "ceia" que Olair improvisara.

Alzira chegou em seguida.

— Viu aquela calcinha e sutiã jogados no chão do corredor? Não vimos nada quando chegamos.

— Não prestamos atenção. Mas só podem ser da vagabunda.

— Será, Arlete?

— Tenho certeza. Olhe para esta cozinha emporcalhada — apontou ao redor. — Eles devem ter se divertido à beça e depois foram dormir nos fundos da alfaiataria.

— O pai não tem um pingo de vergonha na cara. Se ele quiser namorar, tudo bem, mas ao menos poderia respeitar a memória da esposa. Estamos em luto.

— Ele nunca nos respeitou, Alzira. Sempre nos tratou com frieza e distância. A gente só ganha tapa na cara. Acaso se lembra da última vez que o pai nos deu um beijo? Ou um abraço?

Alzira levantou os olhos, e pensou por instantes. Em seguida respondeu:

— Não me lembro do pai nos dar um beijo.

— Porque ele nunca teve demonstrações de carinho conosco — ajuntou Arlete. — Você não se lembra porque não há o que lembrar. Nunca houve um contato de carinho entre nós e ele. Nem com a mamãe ele demonstrava carinho.

— Também não me lembro de ele beijá-la ou abraçá-la. Mamãe sempre foi muito obediente, não reclamava.

— Mas com Gisele é diferente. Vive abraçado àquela desclassificada.

Alzira abriu a geladeira e pegou o pote de margarina. Tiraram as sobras da ceia, guardaram tudo no forno e ajeitaram a mesa. Serviram-se de café com leite e comeram alguns biscoitos salgados com margarina.

Quando estavam terminando o desjejum, a campainha tocou. Arlete vestiu o penhoar e foi atender.

Um rapaz de feições bonitas e porte atlético abriu um largo sorriso, mostrando os dentes alvos e enfileirados. Arlete sorriu sem perceber.

— Pois não?

— Estou procurando a senhorita Gisele Correia.

— Aqui não mora nenhuma mulher com esse nome! — ela exclamou com veemência. E mudou o tom: — Mais alguma coisa?

O rapaz sentiu-se sem graça. Mordiscou a ponta do lábio e sorriu:

— Desculpe-me. É que estou atrás dessa senhorita há dias e ela nunca está em casa. Sou discreto e não quero um oficial de justiça plantado na porta dela. Sei que hoje é dia de Natal. Vim desejar boas-festas para um amigo meu e sua família que mora aqui perto. Desculpe-me por não me apresentar. Ele retirou um cartão do bolso e entregou a ela.

Arlete pegou o cartão e leu: *Osvaldo Pimentel — Advogado.*

— Um advogado procurando Gisele no dia de Natal? Só pode ser encrenca.

Osvaldo balançou a cabeça para cima e para baixo, fazendo gesto afirmativo.

— Sim. Sou advogado e também oficial de justiça.

— Gente importante. A que devo a honra?

O rapaz sorriu e tornou:

— Uma vizinha sua — ele apontou para a casa ao lado — informou-me que dona Gisele costuma visitar essa casa. Estou com uma citação e é necessário entregá-la pessoalmente.

Arlete sentiu o rosto avermelhar e uma raiva súbita apossou-se dela.

— Ela está na casa dela! — disse num tom seco.

— Toquei a campainha e bati palmas no portão. Nada.

— Ela está lá. Tenho certeza. Você me dá um minutinho?

— Claro.

Arlete encostou a porta e correu até o quarto. Alzira deixou a louça sobre a pia lotada e foi atrás dela. Perguntou:

— Aconteceu alguma coisa?

— Tem um oficial de justiça lá fora atrás da Gisele.

— Como pode? Hoje é dia de Natal! — exclamou Alzira.

— Pois é. Alguma coisa errada tem aí.

— Tem certeza de que é um oficial de justiça?

— E também advogado.

Arlete falou e mostrou o cartão para a irmã, enquanto colocava um vestido florido de alcinhas e formava um rabo de cavalo com os cabelos longos.

— É advogado mesmo — confirmou Alzira.

— O moço é bem bonito.

Alzira correu até a janela da sala, afastou a cortina e espiou.

— Você tem razão. O rapaz é bonito. Veste-se bem. É tão difícil aparecer um rapaz bem-apessoado e bem vestido por essas bandas!

— Eu vou com ele até a casa da sirigaita. O pai deve estar lá também. Quero ver esse circo pegar fogo. E, de quebra, descobrir um pouco mais sobre o advogado justiceiro boa-pinta.

As duas riram a valer.

— Arlete, você é impossível.

— Não sou nada. Quero unir o útil ao agradável, conhecer melhor esse doutor e saber o que essa vadia quer com nosso pai. Acha que ela caiu de amores por ele assim — ela estalou os dedos — de uma hora para outra?

— Ela sempre foi malfalada na redondeza. Costumava estar sempre grudada no Rodinei, o dono do bar da esquina.

— Aí tem.

Arlete espalhou um pouco de desodorante Mistral nas axilas e passou um batom de cor delicada sobre os lábios. Em seguida, apanhou um frasco de Leite de Rosas e espalhou algumas gotas pelo colo e pescoço. Saiu. Osvaldo a elogiou:

— Está bonita... e perfumada. E conseguiu isso em tempo recorde.

Arlete levantou os ombros.

— Sou prática, não perco horas em frente à penteadeira. Vamos, doutor?

Caminharam alguns passos e dobraram a esquina, sem conversar. Arlete parou em frente ao portãozinho lateral da casa de Gisele e bateu palmas. Nada.

— Tem de entrar.

— Não! Não podemos invadir a casa. Sou advogado e sei que, se entrarmos na casa sem consentimento...

Arlete o cortou com delicadeza:

— Conheço o tipo. Ela está aí dentro com o meu pai. Garanto que você não vai ser processado por ninguém.

Osvaldo nada disse. Assentiu com a cabeça. Arlete abriu o portão. Estava enferrujado e fez barulho enquanto ela o empurrava para dentro e entrava na área que dava acesso à porta de entrada.

— Bom, estamos quase lá.

— Não sei se devemos — hesitou Osvaldo.

— Já disse. Qualquer coisa, eu digo que vim procurar meu pai. Fique sossegado.

Arlete girou a maçaneta e a porta estava destrancada. Entraram e havia um grande silêncio na casa. Caminharam por um corredor fétido — Gisele não era chegada em limpeza — e pararam na porta do quarto. Arlete meteu a mão na maçaneta e empurrou.

A cena era digna de um filme de pornochanchada de quinta categoria. Gisele estava deitada, ou melhor, esparramada sobre o corpo de Olair. Ela estava nua e o pai de Arlete vestia uma cueca nada sedutora. Tinha uma cor indefinida, estava larga e esgarçada. Olair também vestia meias pretas. Os dois roncavam alto. Havia garrafas de espumante barato sobre o criado-mudo e garrafas de cerveja no chão.

Arlete começou a bater palmas e gritar:

— Vamos lá, cambada. Está na hora do almoço de Natal. Levantem-se.

Osvaldo estava atrás dela, mudo, sem ação. Na verdade, ele tinha uma grande vontade de rir. A cena era, de fato, hilária.

Olair foi mexendo a boca, engolindo a saliva, passando a língua sobre os lábios. Resmungou alguma coisa. Gisele abriu os olhos, soltou um arroto e, olhos inchados, voltou o rosto para o ponto de onde vinha aquela voz alta. Depois de alguns segundos, ao perceber que era Arlete à sua frente, deu um pulo seguido de um grito:

— O que você faz na *minha* casa, sua pirralha?

— Vim buscar o pai. Só isso — respondeu Arlete, num tom irônico.

Foi então que Gisele notou estar nua. Ela balançou a cabeça para os lados, empurrou Olair para o extremo da cama e cobriu-se com o lençol engordurado e que não via um tanque fazia um bom tempo.

— Se você continuar aqui, eu chamo a polícia.

Arlete riu alto.

— Chamar a polícia? Você? Não me faça rir, pelo amor de Deus. Você tem medo da polícia assim como o vampiro da luz. Corta essa, Gisele.

A moça ficou sem ter o que responder. Com uma mão ela segurava o lençol sobre o corpo. Com a outra, esfregava os olhos. Ao reconhecer o moço atrás de Arlete, deu outro grito:

— O que faz dentro da minha casa? Isso é invasão de privacidade.

Arlete olhou para ele e em seguida para Gisele:

— Vocês se conhecem?

— Hum, hum — ele afirmou. Em seguida, deu um passo para frente e cumprimentou: — Como vai, senhorita Gisele Correia?

— Não posso acreditar que vocês se conheçam. Eu o achei um rapaz tão distinto, tão elegante. Não combina com essa *zinha*.

— Senhorita Gisele tem me evitado há um bom tempo. Diante das circunstâncias — Osvaldo colocou um envelope sobre o criado-mudo — posso agora afirmar que a citação foi entregue. O proprietário é um homem de bem e não quer escândalos. Era para eu estar acompanhado de uma viatura de polícia na porta. Quero fazer tudo de maneira discreta, claro, se a senhorita não se opuser.

Osvaldo entregou o documento para Gisele. Ela fez uma careta. Em seguida ele pegou uma cópia do documento, tirou uma caneta da parte interna do paletó, consultou o relógio e escreveu no verso. Depois disse, sério:

— Execução da sentença de despejo entregue no dia 25 de dezembro de 1975, às onze horas e trinta e dois minutos.

Arlete abriu e fechou a boca para evitar o estupor:

— Ação de despejo? Quer dizer então que a madame além de boa bisca é mal pagadora? Caloteira de carteirinha?

Gisele engoliu em seco. Não sabia o que responder. Estava evitando Osvaldo havia meses. Sabia que mais cedo ou mais tarde teria de entregar o imóvel.

Ela estufou o peito e procurou dar um tom firme e ameaçador à voz:

— Nem vou ler a sentença.

— Por quê? — indagou Osvaldo.

— Porque falei com meu advogado...

Ele a cortou com delicadeza:

— Quando foi isso?

Gisele pensou e disse:

— Em abril, acho. Ele me assegurou que, ao receber a sentença do juiz, tenho ainda, no mínimo, três meses para sair daqui.

Osvaldo moveu a cabeça negativamente para os lados.

— Se entre a data da sentença da primeira instância e a execução da mesma houver decorrido mais de seis meses — e esse é o seu caso, senhorita — o prazo de desocupação do imóvel será de trinta dias. O juiz fixou o prazo de trinta dias a contar da data de 13 de dezembro. Como só consegui entregar a citação no dia de hoje, os trinta dias começam a contar a partir do dia útil subsequente à entrega. A senhorita tem até o dia 26 de janeiro para sair daqui.[4]

Arlete ficou impressionada com a maneira natural de Osvaldo falar. Ele parecia ter bom conhecimento das leis.

Gisele não se conteve. Foi tomada de uma raiva súbita e quase partiu para cima de Arlete e Osvaldo. Começou a xingá-los de tudo quanto era palavrão. Alguns deles os jovens desconheciam.

Foi nessa confusão e gritaria que Olair acordou. Soergueu o corpo na cama, arregalou os olhos e ficou branco feito cera ao ver a filha ali, na porta do quarto. Levantou-se de um salto.

— O que faz aqui? Como se atreve?

Arlete deu um passo para frente e apontou o dedo em riste.

— Eu é que pergunto. O que o senhor faz aqui nesta casa suja e fedida, com essa mulher igualmente suja e fedida?

Olair tinha vontade de dar uns tabefes no rosto da filha. Gisele o conteve:

— Não vai adiantar brigarem aqui na minha casa — ela mudou o tom de voz, fez um beicinho e aproximou-se de Olair: — Deixe a pobrezinha em paz. Ela não sabe o que diz. Precisamos conversar.

Osvaldo percebeu o clima cada vez mais constrangedor naquele cômodo. Tocou no braço de Arlete.

— Vamos embora. Eu já fiz o que devia.

— Eu também — concordou a jovem. — Não sei por que diabos ainda estamos aqui.

Os dois saíram do quarto e minutos depois estavam fora da casa. Osvaldo abriu novo sorriso:

— Você é corajosa, menina. Gostei do seu jeito.

Arlete ruborizou e abaixou a cabeça. Sorriu em seguida.

---

4 Na época, era a Lei n. 6.239 de 19/9/75 que regulava as ações de despejo.

— Sou um pouco voluntariosa. Quer dizer, sou uma boa pessoa, mas sou muito firme e determinada. Não sou levada na conversa.

— É uma pena.

— Por quê?

— Porque eu adoraria levá-la na conversa!

— Você está me cantando? — perguntou Arlete, surpresa.

— Estou. Você sabe meu nome e sabe que tenho uma profissão. Sou oficial de justiça e também dou expediente no departamento jurídico de uma imobiliária no centro da cidade. Tenho vinte e seis anos, venho de família humilde. Meu pai morreu quando eu tinha onze anos. Eu tenho uma mãe maravilhosa e dois irmãos que adoro. Eles são casados e eu ainda estou solteiro. Atualmente, moramos em Diadema. Pretendo um dia casar e morar na capital.

— Que mais?

— Vou sair de férias agora e retorno no fim do mês que vem. Vou ajudar na mudança do meu irmão. Jair perdeu tudo numa enchente e conseguimos lhe arranjar um bom sobradinho, num lugar alto, longe de rio ou córrego.

A conversa estendeu-se por um bom tempo. Osvaldo falou sobre sua vida, suas dificuldades, sonhos e vontades. Arlete fez o mesmo. Sentiam-se muito à vontade um ao lado do outro. Em determinado momento ela perguntou, de forma direta:

— Namora?

— Tive uns rolos, nada sério — respondeu Osvaldo, sincero.

— Nunca namorou sério?

— Ainda não. Depende de você.

— Como assim? — ela ficou surpresa.

— Quantos anos tem?

— Dezoito anos. Vou completar dezenove em breve.

— Aposto que não namora — tornou Osvaldo.

— Está tão na cara assim? — perguntou Arlete, curiosa.

— Não. É porque você nasceu para ficar comigo.

Arlete engoliu a saliva e sentiu as pernas bambas. Já tinha tido umas paixonites por uns meninos do bairro, mas nunca sentira aquilo. Era um calor que subia e descia dentro do corpo, uma sensação agradável, prazerosa.

Ela encostou no portão para não cair. Osvaldo aproximou-se e a tomou nos braços. Ele era muito mais bonito de perto. Seu hálito era cheiroso e ela não resistiu. Fechou os olhos e encostou seus lábios nos dele. Aquele foi o primeiro beijo de amor que Arlete deu na vida. Sentiu-se a moça mais feliz do mundo.

capítulo quatro

Valéria e Dario foram passar as férias de janeiro em Guarujá. Américo era dono de um casarão na praia da Enseada, construído no pé da areia, a alguns passos do mar. O terreno tinha o formato de um bico, o que tornava difícil o acesso de banhistas ao local. Assim, ele tinha um pedaço de mar só dele. Uma prainha particular, de fato.

A manhã começara abafada. O céu estava nublado e nada de chuva. Valéria ajeitou o biquíni e jogou-se na água morna e cristalina.

— Venha logo, Dario.

O rapaz estava meio grogue pelo excesso de bebida e maconha. Foi caminhando lentamente até o mar. Entrou na água e Valéria encostou seu corpo ao dele.

— E aí, bonitão. Vamos brincar?

— Estou meio enjoado.

Ela o empurrou com força.

— Que diabos é isso? Toda hora está chapado? Desse jeito fica difícil você me dar prazer.

— Desculpe, gata. Eu preciso me controlar. Tem momentos em que eu não quero fumar ou cheirar, mas aí sinto uma vontade louca, é como se um grupo de pessoas estivesse ao meu redor. E escuto vozes. Elas pedem mais. Sempre mais.

Valéria chacoalhou o corpo e mergulhou. Voltou para a superfície e balançou os longos cabelos avermelhados.

— Só estamos eu e você aqui, Dario. Que papo é esse de grupo de pessoas e vozes? Tá ficando doido?

— É verdade. Nesta madrugada, enquanto você dormia, eu vim na varanda e um homem me pediu um cigarro. Eu dei. Depois pediu um copo de vodca. E daí sumiu. Desapareceu na minha frente.

— Tô falando... você está fumando e cheirando demais. Será que não pode parar um pouco? Li numa revista que as drogas são capazes de destruir os neurônios e...

Dario a cortou:

— Não diga isso, gata.

— Mas é verdade. Eles param de funcionar. Você está sempre com bebida, fumo ou pó na cabeça. Tem que ter um freio, oras. Imagine ficar abobado daqui a um tempo?

— Tem razão. Vou pensar nisso. Mas o que faço com as vozes?

— É coisa da sua cabeça.

— Acha mesmo?

— Acho.

Valéria aproximou o corpo quente ao dele. Queria namorar um pouquinho. Ele se afastou e mergulhou. Voltou à superfície e pulou para cima dela. Achava graça em dar um *caldo*, aquela brincadeira sem graça de passar o braço em volta do pescoço do oponente e fingir afogá-lo.

— Está me machucando, Dario.

O rapaz não a escutava. Parecia estar tomado por uma força maior. Agia de maneira bruta e agressiva. Forçou a cabeça de Valéria para dentro da água e a muito custo ela voltou para cima, já branca e quase sem fôlego. Empurrou Dario com força.

— O que pensa que está fazendo? Quer me matar? — falou irritada, enquanto tossia.

— Só tava brincando com você, amorzinho. Um caldo...

— Idiota! Por que não vai fazer isso com seus amigos chapados?

Valéria tossiu novamente e cuspiu um pouco de água. Em seguida, ela começou a chorar baixinho.

— Você nunca foi tão estúpido, Dario.

Ao vê-la chorar, ele voltou a si. Era como se não tivesse consciência do momento em que entrara no mar e agora.

— O que foi que fiz, gata?

— Você me machucou. Quase me afogou.

— Desculpe, Valéria, eu não sei o que me deu...

— Vou para casa.

Ela foi saindo da água e fez um gesto com a mão para ele parar de falar. Valéria estava triste e começava a se cansar verdadeiramente de Dario. Antes ele era um rapaz assediado e bom amante. Era carinhoso e fazia muitas estripulias pela cidade. De uns tempos para cá, o excesso de bebida e drogas começava a afetar o relacionamento. Ela se lembrou das palavras de Natália, no Natal.

Foi caminhando na areia e em sua mente veio o rosto de Tomás. Ela sentiu um friozinho na barriga. Será que valia a pena disputar o amor de Tomás e enfrentar Marion?

"Será?" — ela perguntou para si.

As dúvidas eram muitas. Valéria pensou e pensou. Chegou a uma conclusão: queria desaparecer daquele lugar.

"Vou tomar uma ducha, pegar a balsa e ir até Santos. Preciso desabafar com minha amiga Natália."

Entrou na casa e dirigiu-se à sua suíte. Deu de cara com Marion.

— O que faz aqui? — perguntou surpresa.

— Papai veio passar uns dias na praia. Eu sabia que você e Dario estavam aqui. Pedi para o motorista me trazer. Tudo bem se eu ficar?

— O seu apartamento na praia das Pitangueiras é três vezes maior que esta casa. Por que quer ficar aqui?

Marion iria responder e Valéria emendou:

— Por causa do Dario.

— Imagine — mentiu a amiga. — Eu namoro o Tomás.

— Conheço você há anos. Sei que tem uma queda pelo Dario.

Marion enrubesceu.

— Está enganada.

— Por que você enrola o Tomás? O que quer dele?

Marion enfureceu-se:

— Não te interessa — ela deu uma gargalhada. — E posso saber o que tem a ver com meu namoro? Acaso está a fim do Tomás?

Valéria não respondeu. Marion propôs:

— Por que não trocamos de namorados?

— Como é que é?

— Isso mesmo. Você me dá o Dario e eu lhe dou o Tomás. Pode ser? Por uns dias.

— Você é maluca, Marion. Acha mesmo que eu seria capaz de fazer troca de namorados, como se eles fossem objetos que a gente troca em feira?

Marion deu nova gargalhada.

— Eu vejo os homens como objetos. Deles eu só quero dinheiro e prazer, mais nada. Depois que consigo o que quero, jogo-os fora, como lixo.

— Onde está o seu namorado, posso saber?

— Deve estar trabalhando em alguma hidrelétrica. Coisa de engenheiro.

Valéria meneou a cabeça para os lados.

— Se quer saber, não estou nem aí para vocês dois. Vou tomar uma ducha e dar uma volta. Se quiser ficar aqui, pode ficar. Não tenho hora para voltar.

Marion sorriu. Fez uma carinha angelical, mas por dentro estava fula da vida.

"Por que raios o Dario dá bola para essa garota esquálida, branca e de cabelos vermelhos? Ela parece um espantalho! Eu sou muito mais mulher que Valéria. Só namoro o tonto do Tomás porque ele vai ser o trampolim para eu chegar a Hollywood. Depois que me tornar uma estrela famosa, dou um pé nele e fico com o Dario. Ele vai ser meu. Ah, se vai."

Marion tinha uma fixação enorme por Dario. Sempre fora ligada no rapaz, entretanto Dario nunca lhe dera bola. Desde o tempo de colégio, ela dava em cima dele, e nada. Ela queria ser artista de cinema. Não faltava talento, mas Marion era uma mulher muito bonita, de beleza estonteante. Nascera bela e morreria bela, afirmavam alguns.

Ela tinha uma capacidade especial de atrair os homens e fazer com que eles lhe satisfizessem todos os desejos. Conheceu Tomás e, sabendo que seu pai era um rico banqueiro com conexões nos Estados Unidos, jogou todo seu charme sobre o rapaz e namoravam já há alguns anos. A jovem não tinha um pingo de sentimento por Tomás. Fazia dele gato e sapato e não deixava que mulher alguma se aproximasse.

"Enquanto eu não for para Hollywood e me tornar uma atriz famosa, Tomás vai ser meu. Se alguma engraçadinha quiser se aproximar dele, eu tiro do caminho" — dizia para si.

Marion lembrou-se de Lina, a garota que beijara Tomás na festa de quinze anos de Valéria. Gargalhou feito uma histérica.

"Pena ela não ter morrido. Mas ficou manca. Isso já me deixa feliz. Toda vez que ela inclinar o corpo para o lado vai se lembrar de mim."

Marion era uma menina mimada, estúpida e arrogante. Crescera numa família muito rica e, segura de sua superioridade em relação aos demais mortais por ter uma beleza estonteante, tinha um gênio do cão. Linda e com traços faciais tão perfeitos, fora convidada para ser capa da revista *Pop*, voltada para o público adolescente daquela época e, mais recentemente, da revista *Realidade*.

Marion tinha acabado de completar vinte anos e aprontava barbaridades. Tinha até saído com amigos casados do seu pai. Ela não tinha limites e seduzia todos que desejasse. Depois os largava, o que aumentava o fascínio que exercia sobre esses homens. O pobre Tomás mal desconfiava da infidelidade da namorada.

No momento, Marion estava se preparando para posar para a famosa revista de nu feminino *Status*, que fazia sucesso no país inteiro. Os pais, muito conservadores, proibiram-na de fazer as fotos. Marion deu de ombros. Nunca, jamais e de forma alguma acatara as considerações de seus pais.

Ela iria pousar nua e deixar os homens mais enlouquecidos.

— Eu boto qualquer homem na minha mão. Agora quero o Dario. Ele será o meu novo brinquedinho, pelo tempo que eu quiser.

Decidida, Marion ergueu a já minúscula tanga. Tirou a parte de cima do biquíni e seus seios ficaram à mostra. Dessa forma bem desinibida, ela foi encontrar Dario.

— Quero ver se ele vai resistir!

Dario continuava no mar. Mergulhou, nadou e caminhou até a areia. Deitou na esteira, acendeu um cigarro e começou a pensar. Logo ouviu a mesma voz que o atormentava havia um tempo:

— Precisamos arrumar outras mulheres. Valéria é mulher para casar. Precisamos ter mais jeitinho com ela.

Era como se houvesse alguém ao seu lado. Dario respondeu, em voz alta:

— Preciso pegar leve com Valéria.

— Isso mesmo. A Valéria sempre será nossa. Mas, enquanto ela vai chorar as pitangas com a Natália, por que não aproveitamos e tiramos uma lasquinha da Marion? O que acha?

A dúvida fora plantada e perturbou Dario profundamente.

— Eu nunca havia pensado nisso — respondeu, em alto som. — Marion é um pedaço de mulher.

— Pois deveria começar a pensar. Que tal a gente levar a Marion para um passeio na Ilha Porchat? Ela é uma garota bem mais fácil de atender à nossa vontade.

Dario riu e não respondeu. Ficou divagando por muito tempo. Depois viu Marion aproximar-se. Ela piscou para ele e entrou no mar. Dario ficou indeciso se entrava ou não.

— Vai bobo, aproveita. Valéria acaba de sair para encontrar a tonta da Natália.

Dario viu o Maverick sair da garagem e sumir na rua.

— Pega a Marion. Vai deixar um mulherão desses escapar?

Dario sentiu-se tentado e falou sozinho:

— Vou tentar.

E começou a caminhar em direção ao mar. Ao seu lado, o espírito de um rapaz com a mesma idade dele se divertia a valer. Estava na companhia de Dario havia mais de três anos. Enquanto Dario divagava e ria, o espírito pensava, rancoroso:

— Você vai pagar por tudo que me fez. Tudo! — vociferou.

Desde aquele incidente no dia de Natal, Olair mal falava com as filhas. Era como se elas fossem as culpadas pela ação de despejo contra a pobre da Gisele. Ficou mais fulo da vida quando Gisele entregou o imóvel e foi morar nos fundos do boteco de Rodinei.

Olair, todas terças e quintas, fechava a alfaiataria mais cedo e aguardava ansiosamente por Gisele. Ela chegava perfumada e vestindo trajes sumários. Olair deitava o colchonete e eles se amavam até alta madrugada.

Numa dessas noites, ele perguntou, pela enésima vez:

— Por que não vem morar aqui?

— Aqui na alfaiataria? Não!

— Por quê?

— Imagine como ficaria sua reputação. Você acabou de ficar viúvo. Tem as meninas. Não fica bem — dissimulou.

— Faz mais de dois meses que enviuvei. Sou homem e tenho necessidades. Você me completa como mulher nenhuma me completou antes.

— E a falecida? Não tinham intimidades?

Olair deu uma risada jocosa, riu com desdém.

— Josefa era puritana. Nas raras vezes em que fazíamos amor, ela pedia para apagar a luz. Pobre de mim, tive de procurar fora o que não tinha em casa.

— E continua procurando fora de casa? — inquiriu ela, fingindo ciúme.

— De maneira alguma! Depois que encontrei você, parei de ir atrás de outras mulheres.

Gisele fez beicinho:

— Deixou mesmo de procurar por outras? Olha que sou ciumenta!

— Dou-lhe a minha palavra.

Olair estava sinceramente apaixonado por Gisele. E era um sentimento estranho, porque ele fazia parte de uma geração que não fora criada para o amor. Acontece que Gisele mexia com seu coração bruto. Segundo a herança cultural que fora transmitida a Olair, o homem tinha de arrumar uma boa moça para ser boa esposa e mãe exemplar. O amor, o carinho, a intimidade, nada disso era levado em consideração. Ele crescera acreditando que deveria arrumar uma boa moça e "aprontar" fora de casa. Afinal, mulher casada era decente e não servia para satisfazer sexualmente o marido. A esposa servia para procriar, cuidar da casa e da família. Ponto final.

Josefa fora uma moça bonitinha, de família humilde, que sabia cozinhar, passar, cuidar da casa e se saíra ótima mãe. Aos olhos de Olair, Josefa tinha sido uma empregada que dormia na cama do patrão.

Olair não sentiu nada quando o médico diagnosticou o câncer da esposa e não se emocionou quando ela morreu. Muito pelo contrário. No dia do óbito de Josefa, ele agradeceu por não ter mais de gastar com remédios e conviver com aquele cheiro agridoce de morfina pela casa.

Agora ele conhecera Gisele. Qualquer homem menos cego de paixão ou mais experiente com as mulheres perceberia pela inteligência, de longe, que Gisele era mulher vulgar e interesseira, ou seja, uma golpista. Olair estremecia de prazer toda vez que seus corpos se tocavam. Estava chegando aos quarenta e cinco anos de idade, mas sentia-se um garoto de pouco mais de dezoito. Tinha um fogo sem igual.

Gisele ajeitou a cabeça sobre o peito dele. Enquanto enrolava os pelos do peito com as unhas compridas, afiadas e vermelhas, disse:

— Você é homem para casar, Olair. Pena que está viúvo e, provavelmente, nunca mais queira se casar de novo.

Olair sentiu o coração bater mais forte.

— Por que diz isso?

— Sei lá. Você foi casado por vinte anos, teve duas filhas. Viveu uma rotina estafante, teve de dar duro no trabalho para sustentar a família. Não acho justo que você tenha de se amarrar em alguém de novo.

— As meninas estão crescidas.

— Mas ainda vivem com você — disse ela, de maneira provocativa.

— Vou botar as duas para trabalhar. Pensam que vão continuar a depender de mim? Agora que a mãe delas morreu, vou colocar ordem naquela casa.

— Ou elas poderiam arrumar marido.

— Já pensei nisso. As duas me dão muito trabalho, gastam demais da conta. Não sei por que motivo usam secador de cabelos. Eu gasto uma fortuna com a conta de luz.

— Não é justo. Você é trabalhador, merece usufruir do seu dinheiro. Eu jamais faria algo que o prejudicasse. Por isso acho que devemos ser somente bons amigos.

— Não quero ser só seu amigo. Eu quero mais.

Gisele disfarçou o sarcasmo. Se pudesse soltaria uma gargalhada estridente. Mas teve de se conter. Falou com voz melosa:

— Se você não tivesse tantos problemas, eu bem que namoraria você, de verdade.

— Está apaixonada por mim?

Gisele mordeu o lábio inferior e fez biquinho.

— Eu seria capaz de largar tudo e ficar com você, ser sua esposa. Mas não sei... suas filhas não gostam de mim.

— Arlete e Alzira não são problema.

— Como não? Elas não me suportam. Imagine eu vivendo sob o mesmo teto que elas? Seria um inferno. Não, eu não suportaria.

Olair coçou o queixo. Pegou a mão de Gisele e beijou seus dedos.

— Se você me aceitasse, eu faria qualquer coisa pela nossa felicidade.

— Inclusive livrar-se de suas filhas?

— Sem problemas.

Gisele sorriu feliz. Sussurrou no ouvido dele:

— Consegue imaginar eu, deitada na cama, esperando-o todas as noites, em vez de somente às terças e quintas?

Ele fechou os olhos e vislumbrou a cena. Estremeceu de prazer.

— Quer se casar comigo?

— A minha resposta seria um sim, contudo, como disse, as suas filhas me odeiam.

— Que nada. Você vai ser a minha esposa. Elas vão ter de aprender a aceitar a madrasta.

— Não sei. Alzira até que é mais obediente. Mas Arlete tem gênio ruim. Lembra do que ela fez comigo no dia de Natal? Até me chamou de vadia! Ela nunca vai me respeitar.

— Claro que vai — disse ele num tom mais duro. — São minhas filhas e devem me respeitar. Senão, eu meto a cinta nelas.

— Será? Olha, se elas não fossem um entrave à nossa relação, eu me casaria com você hoje mesmo.

— No duro? Não está de brincadeira comigo?

— De jeito nenhum — Gisele apertou os olhos e procurou se lembrar de uma cena romântica que vira na novela das 8. Lembrou-se e repetiu: — Eu o amo, mais que tudo nesta vida.

Ele a abraçou com força.

— Case-se comigo, Gisele.

— Tem certeza de que é isso que quer, meu bem?

— Sim. Eu a farei muito feliz. Pode apostar.

— Então aceito. Claro que aceito!

Olair a abraçou e beijou várias vezes nos lábios. Em seguida, amaram-se de novo. Ele sentia-se o homem mais realizado da face da Terra.

capítulo cinco

Foi num domingo cedo, algum tempo depois, que a bomba caiu na cabeça de Alzira e Arlete. Olair havia cortado o cabelo e passado creme Trim para deixá-los bem penteados para trás, sedosos e perfumados; fizera ajustes num terno de bom corte que um cliente não quisera mais; havia até comprado um frasco da colônia pinho Campos do Jordão, coisa que ele jamais usara. Contratara o serviço de uma manicure e fizera as mãos, retirara os quilos de cutícula e até pedira para passar base transparente nas unhas. Seus olhos estavam mais vivos, brilhantes.

Depois de coar o café e esquentar o leite, Arlete perguntou para a irmã, num sussurro:

— Percebeu como o pai está bem vestido e perfumado?

— Percebi. Será que vai à missa?

— Ora, Alzira, deixe de ser boba. O pai nunca foi de frequentar missa.

— Eu fiz as contas e semana que vem vai fazer três meses que mamãe morreu. Pode ser que ele tenha se lembrado e pediu ao padre para rezar uma missa para ela.

— Duvido, mas pode ser.

Alzira levantou-se da mesa e abraçou a irmã. Uma lágrima escapou pelo canto do olho.

— Sinto tanta falta dela...

— Eu também — concordou Arlete.

Olair apareceu na cozinha com alguns pacotes.

— O almoço está todo nesses embrulhos. A maionese deve ir para a geladeira e o macarrão mais o frango recheado com farofa devem ser esquentados. Alzira, vê se dá um tempero especial em tudo isso e prepara a sobremesa.

— Sobremesa? Eu?!

— E quem mais seria? Você sempre foi boa de forno e fogão. Quero uma gelatina colorida com creme de leite.

— Não dá para fazer assim, de uma hora para outra, pai.

Olair pegou um dos embrulhos e tirou de dentro algumas caixinhas de gelatina.

— Aqui estão os pacotes. Trouxe também o creme de leite. Comece agora — ordenou, maneira cordata.

Elas se olharam surpresas. Olair nunca fora simpático com as filhas. Alzira sorriu e disse:

— Está bem, pai. Pode deixar que eu cuido disso.

— Vamos almoçar ao meio-dia. Darei uma saidinha de novo e vou ao bar do Rodinei. Vocês poderão beber refrigerante. Podem escolher beber Crush ou Grapette. É uma data especial. Não esqueçam de se vestirem com capricho.

Ele falou e saiu. Alzira começou a abrir os pacotes e falou:

— Está vendo, Arlete? Nós julgamos o pai erroneamente. Ele, com certeza, se lembrou da data de morte da mamãe.

— E vamos comemorar a morte dela? É isso? Se fosse a data do aniversário dela, até concordaria. Mas aniversário de morte? Isso está me cheirando a tramoia. Seu Olair vai aprontar alguma coisa.

— Não sei. Nesses últimos meses, depois que fizemos amizade com Ariovaldo e a esposa dele, sinto que o pai se arrependeu das brigas que teve com a mamãe. Deve estar sentindo falta dela.

— Não acredito que o pai sinta remorso. Vamos aguardar.

Alzira fechou a geladeira e depositou o frango sobre uma assadeira. Pegou a macarronada e despejou numa panela.

Colocou tudo em cima do fogão. Abriu a porta do louceiro e apanhou potes de tempero.

— Tenho certeza de que você vai deixar esse almoço divino — considerou Arlete.

— Adoro cozinhar. Aprendi tanta receita com a mamãe.

— Eu nunca levei jeito para cozinhar. Sou melhor para limpeza da casa — tornou Arlete.

— Quando for lá pelas onze e meia, a gente esquenta a comida e põe a mesa.

— Perfeito.

Elas deixaram a mesa arrumada e lavaram a louça do café. Ligaram o rádio e ficaram cantarolando as músicas. Era um programa de rádio que tocava as mais pedidas da semana. Num determinado momento o locutor anunciou a música *Moça*, do cantor Wando. As duas deram gritinhos de prazer e cantaram em alto e bom som. Assim que a música terminou, Arlete falou:

— Essa música fez eu me lembrar do Osvaldo. Sabe que sinto muita saudade dele?

— Mesmo? — perguntou Alzira, sorrindo. — Será que ele vai mesmo voltar das férias? Estão compridas demais, não acha?

— Ele precisou fazer a mudança do irmão e cuidar da sobrinha enferma. O chefe lhe deu mais dois meses de licença.

— Ainda bem que vocês se falam ao telefone todo domingo. Dessa forma diminuem a saudade.

— Estou ansiosa porque ele deve ligar a qualquer momento.

— Está apaixonada!

— Claro que estou — confessou Arlete. — Já fizemos muitas juras de amor. Osvaldo vai voltar, vamos oficializar o namoro e, quem sabe, não nos casamos em breve?

Alzira abriu largo sorriso.

— Você merece toda a felicidade do mundo. Só precisa ser menos mandona.

— Essa é minha maneira de ser, Alzira. Sou mandona e as coisas têm de ser do meu jeito.

— Coitados dos seus filhos!

— Vou ser uma mãe bem durona. Eles têm que estar sempre na linha. Você vai ver como vou educá-los. Tenho horror a criança mal-educada.

O telefone tocou e Arlete deu um gritinho de prazer.

— Só pode ser o Osvaldo.

Ela apressou o passo até o corredor. Sentou-se na banqueta e pegou o fone do aparelho.

— Alô.

— Oi, meu amor, como vai?

Ela reconheceu a voz de Osvaldo e sentiu leve tremor pelo corpo.

— Melhor agora!

— Fico feliz. Estou morrendo de saudades de você.

— Eu também. Não vejo a hora de vê-lo.

Osvaldo pigarreou e começou a cantarolar do outro lado da linha:

— *Eu quero me enrolar nos teus cabelos, abraçar teu corpo inteiro, morrer de amor, de amor me perder...*

Arlete ficou muda e quase perdeu os sentidos. Depois de uns três "ei, você ainda está aí", ela balbuciou:

— Não acredito.

— O que foi? Não gostou?

— Sim... — as palavras lhe fugiam da boca.

— Canto tão mal assim?

Arlete riu-se.

— De forma alguma.

— Estava aqui ajudando minha mãe no almoço e tocou essa música do Wando. Imediatamente me lembrei de você e não resisti. Liguei assim que a música acabou.

— Eu também estava escutando o mesmo programa de rádio.

— Mais uma coincidência! Será que agora você vai me dar bola, de verdade?

— Eu lhe dei bola desde o primeiro instante em que nos vimos. Nunca escondi que gosto de você. E esse nosso namoro por telefone é prova de que estou apaixonada.

— Também estou apaixonado por você. Pode acreditar.

— Acredito!

— Eu liguei porque tenho um convite para lhe fazer.

— Convite?

Osvaldo estava radiante:

— Primeiro, antes de fazer o convite, quero dizer que voltei ontem à noite para casa.

— Oh! — ela exclamou. — Você está em São Paulo?

— Sim. Não vejo a hora de poder abraçá-la e beijá-la.

Arlete corou e perguntou, curiosa:

— Fale-me sobre o convite.

— Meu chefe teve de viajar para a praia e me deu de presente dois ingressos para assistir à Elis Regina no Teatro Bandeirantes. Topa ir comigo?

— Está me convidando para assistir ao *Falso Brilhante*?

— Hum, hum.

— Não acredito! Eu daria tudo para ver a Elis cantando nesse espetáculo!

— Então se arrume porque meu irmão me emprestou o carro dele. Eu a pego por volta das sete, pode ser?

— Claro que sim.

Conversaram mais um pouco e trocaram novas juras de amor. Arlete desligou o telefone e deu um grito de alegria.

Alzira veio até o corredor, terminando de enxugar uma xícara.

— Era ele? O Osvaldo?

— Era. E ainda cantarolou os versos da música do Wando. Olhe como está meu coração — Arlete pegou a mão da irmã e levou até o seu peito. — Vai explodir de tanta alegria.

— Osvaldo voltou da licença?

— Voltou ontem. E vai me levar para ver o espetáculo da Elis Regina.

— Que coisa boa! Mas será que o pai vai deixar?

— Ele está mais interessado naquela ordinária da Gisele. Nem liga se estamos em casa ou não.

— Em todo caso, melhor controlar essa animação. Não deixe transparecer. O pai é louco para acabar com nossa felicidade.

— Tem razão. Vou mudar meu jeito. Hoje vou ficar quieta. Se ele trouxer a rameira para o almoço, vamos fingir que está tudo bem. Depois ele vai querer levá-la ao cinema, como faz todos os domingos. Vai chegar altas horas, para variar. Eu não vou chegar tão tarde.

Passava da uma da tarde quando Olair chegou com Gisele a tiracolo. A mulher estava usando um perfume horroroso, de cheiro forte e tremendamente adocicado. As roupas não mereciam comentários. Ela usava um bustiê dourado e uma saia minúscula colada ao corpo. Gisele podia ser um mulherão, mas se vestia mal e se portava mal. Era vulgar da cabeça aos pés.

Ela sentou-se à mesa e, sem modos, pegou um pedaço de frango à passarinho. Em seguida encheu o copo de cerveja.

— E aí meninas, como vão?

Arlete não respondeu.

— Tudo bem — disse Alzira, de maneira pouco empolgada.

— A casa está bem arrumada.

— Aprendemos com nossa mãe a deixar a casa sempre limpa. Assim é mais difícil de entrar bicho — falou Alzira.

— Claro que, de vez em quando, mesmo com a casa limpa, aparecem uns bichos peçonhentos. Não podemos evitar — disparou Arlete.

Gisele percebeu o tom e sentiu que estava sendo hostilizada. Virou para Olair e dissimulou.

— Amorzinho, você tem cerveja preta? Uma *malzbier*?

— Não.

— Se importaria de ir buscar lá no botequim do Rodinei?

— Quer cerveja preta? Não serve a...

Gisele o cortou com um gracejo e vozinha fina:

— Oh, querido! É que eu adoro comer frango com cerveja preta. Mas, se você não quiser, não tem problema — falou, num tom infantil e meloso.

Olair não falou nada. Levantou-se e saiu em busca da cerveja. Assim que ele bateu a porta da casa, Gisele as fulminou com os olhos:

— Suas idiotas. Pensam que me enganam?

— Ei, olha o tom! — exclamou Arlete.

— Que tom, que nada. Vocês duas me odeiam.

— Ainda não odiamos. Mas que não gostamos, isso é verdade.

— Eu vou me casar com Olair e vocês vão ter de me aturar. Querendo ou não.

— Eu não sou obrigada a viver com uma vadia sob o mesmo teto. E, de mais a mais, somos donas legítimas de metade desta casa.

— Ah, é? — emendou Gisele, num tom ameaçador. — Só porque têm cinquenta por cento deste sobradinho chinfrim? Ou vocês entram na minha bossa, ou eu farei da vida de vocês um verdadeiro inferno.

— Já não chega meu pai ser autoritário? Não vou aturar uma bruaca mandando em mim.

Gisele riu alto. Bebeu mais um pouco de cerveja, fez bochecho e engoliu. Disparou:

— A bruaca vai mandar nas duas. Vocês vão comer aqui — apontou — na palma da minha mão.

— Você não nos conhece — ajuntou Arlete.

— Conheço sim. Eu sou macaca velha, sei com quem estou lidando. Eu vou me casar com Olair e vocês vão fazer todas as minhas vontades. Acham que vou estragar minhas lindas unhas vermelhas e compridas? Eu não nasci para o tanque. Não sei lavar, passar ou cozinhar. Só sei amar. Nisso sou boa.

— Se formos perguntar aos homens deste bairro, aposto que muitos sabem o quanto você é boa nesse quesito — completou Arlete.

Gisele deu de ombros.

— Eu me deitei com muitos, sim. E daí? Seu pai gosta de mim. E vamos morar todas juntas. E seremos felizes para sempre! — disse num tom provocativo.

— Não vou admitir.

Gisele encarou fundo os olhos de Arlete.

— Você e aquele advogado de quinta me tiraram a casa.

— Êpa! Peraí. A justiça foi quem tirou a casa de você. Pagasse o aluguel em dia. Agora quer culpar o mundo pela consequência dos seus atos? Assuma a sua parcela de responsabilidade diante da vida — tornou Alzira, voz conciliadora, porém firme.

— Não venham me dar lição de moral. Agora você vai aprender a não se meter comigo.

— Não adianta me ameaçar. Nós é que vamos fazer da sua vida um inferno. Quer pagar para ver? — provocou Arlete, voz rancorosa.

Gisele deu um sorrisinho, terminou de comer seu pedaço de frango e, em seguida, encheu o copo de cerveja.

Alzira meneou a cabeça. Arlete provocou:

— Não vai esperar a cerveja preta, *querida*?

— Tem razão — concordou Gisele.

Numa fração de segundo, ela pegou o copo com cerveja e o jogou sobre o rosto de Arlete.

A jovem se levantou num salto e mal podia acreditar.

— O que pensa que faz, sua maluca?

Alzira pegou um pano e trouxe para limpar a irmã. Arlete limpou-se e devolveu o pano para a irmã. Jogou-se sobre Gisele e não havia Cristo que pudesse apartá-las. Gisele, de propósito, puxou a toalha da mesa e tudo veio ao chão: pratos, copos, travessas com as comidas. E, de propósito, permitiu que Arlete ficasse sobre ela e lhe desferisse alguns tapas.

Olair chegou em seguida. Ficou aturdido com aquela confusão. Largou as garrafas de cerveja e puxou Arlete com força, machucando-a.

— O que está acontecendo aqui? — berrou ele.

Gisele fingiu chorar e levantou-se devagar. A roupa estava suja de pedaços de macarrão e os cabelos em desalinho, cheios de molho de tomate. O rosto estava bem vermelho e marcado pelas bofetadas.

— Não sei o que deu nela — choramingou. — Foi só você sair e começaram a me agredir com palavras. Eu procurei não dar ouvidos e Arlete se irritou. Perdeu o controle e avançou sobre mim. Alzira quis derrubar a mesa sobre mim. Elas tentaram me matar, Olair!

Alzira protestou:

— Mentira dela, pai! Eu não fiz nada. Ela começou a briga.

Arlete também falou:

— Ela jogou cerveja na minha cara.

— Não, Olair! — suplicou Gisele. — Eu jamais faria isso. Você me conhece. Suas filhas me odeiam.

Gisele falou e levou as mãos até o rosto, fingindo um sentido pranto. As irmãs se entreolharam sem acreditar naquela cena. Olair as encarou com ódio.

— Vocês atrapalharam bastante a minha vida, desde que nasceram. A mãe de vocês deu uma educação péssima e era uma mulher péssima. Deu no que deu.

Arlete estufou o peito e o enfrentou:

— Não fale de nossa mãe. Você não tem o direito.

— Tenho sim. Fui casado com aquele estorvo. E olha o que ela me deixou de herança: duas meninas malcriadas e desaforadas. Dois encostos. Antes não tivessem nascido.

Ele falou e aproximou-se de Gisele. Abraçou-a.

— Está bem?

— Como posso estar? — falou numa voz chorosa. — Suas filhas não querem que fiquemos juntos. É melhor eu voltar para o meu quartinho lá nos fundos do bar.

— De jeito nenhum. Daqui você não sai.

— Não tem problema — emendou Arlete. — Eu e Alzira vamos sair.

— Seria bom que voltassem só amanhã. Ou nunca mais — falou Olair, numa voz rancorosa.

— Esqueceu-se de que a gente tem direito a metade desta casa? O senhor vende, dá a nossa parte e cada um segue a sua vida. O que acha?

Olair ia responder, mas Gisele o censurou:

— Não diga nada, querido. As meninas estão nervosas e com raiva de nós.

— Tem razão. Não vou dar ouvidos para duas desmioladas. Sumam daqui, por ora — berrou ele.

Arlete correu até o banheiro e limpou-se rapidamente. Molhou os cabelos, passou um pouco de lavanda no rosto. Voltou, puxou Alzira pelas mãos e saíram de casa. Foram andando desorientadas, sem saber para onde ir.

— Ela fez a cabeça do pai — falou Alzira. — Vai fazer da nossa vida um inferno.

— Gisele calculou tudo direitinho. Como fui idiota! Deixei-me levar por essa infeliz.

— O que vamos fazer, Arlete? Estou com medo.

— Medo de quê?

— Sei lá. Eu não suportaria viver sob o mesmo teto que Gisele.

— Eu tampouco.

— Vamos orar e pedir a Deus que nos dê uma luz — suplicou Alzira.

— Já disse que poderíamos ir embora.

— Então, vamos.

— E deixar a casa de mão beijada para essa ordinária? Nunca.

— Arlete. Para que vamos brigar por esta casa? Vamos arregaçar as mangas e seguir nosso caminho. Somos fortes e podemos construir nossa vida sem depender do pai.

— Mas não é justo.

— Justo ou não, temos de pensar em nós e no nosso futuro. Somos pessoas de bem e a vida vai nos ajudar. Você está apaixonada pelo Osvaldo e tenho certeza de que vão se casar. Eu vou seguir minha vida e logo tudo passará. Seremos pessoas felizes e realizadas.

Arlete hesitou por instantes.

— Tem razão. Precisamos pensar em nós duas.

— Tudo tem jeito na vida. Temos uma à outra — ajuntou Alzira.

Elas se abraçaram e, naquele momento, um floco de luz foi despejado do alto sobre suas cabeças. No instante seguinte, ao dobrarem a esquina, deram de cara com Ariovaldo e Célia.

Elas iam falar, mas Célia foi rápida:

— Acordei pensando em vocês duas. Estávamos indo à sua casa para convidá-las para almoçar conosco.

As irmãs se entreolharam, abraçaram-se à Célia e começaram a chorar.

capítulo seis

Valéria atravessou a balsa e dez minutos depois estava no apartamento de Elenice, localizado próximo do Orquidário, na praia de José Menino. Ela e Milton estavam na praia e Natália encontrava-se sozinha. Recebeu a amiga com um abraço afetuoso e em seguida afirmou:

— Não está bem.

— Não. De fato, não estou nada bem.

Elas se acomodaram sobre um sofá bicama. Natália pegou um pouco de mate gelado e serviu Valéria.

— Tome. Acabei de tirar da geladeira. Coloquei umas gotas de limão.

Valéria bebeu um pouco do líquido gelado e refrescante.

— Estava tudo bem lá na casa de praia. Marion apareceu e veio com um papo esquisito. Ela namora o Tomás, mas está a fim do Dario.

— Marion é louca, desvairada. Só pensa em sua beleza. Usa os homens para saciar seus desejos e aumentar sua conta bancária.

— Ela me dá arrepios, Natália. Lembrei-me da pobre Lina. Marion foi cruel a ponto de atropelar uma pessoa. Ela não é normal.

— Deixemos ela de lado. Marion é uma menina que não merece nossos comentários. Mas você não veio do Guarujá até aqui para falar de Marion.

Valéria concordou com a cabeça.

— É verdade. O problema é Dario. Ele endoidou e quase me afogou. Ele tem umas brincadeiras estúpidas, idiotas. Não estou gostando desse jeito bruto de me tratar.

— Não gosto dele. Nunca escondi isso de você.

— Eu sei. Entretanto, a gente tem uma conexão íntima muito forte, Natália. Toda vez que eu tento me separar, ele me reconquista. Eu acabo cedendo e voltamos.

— Um casal que se ama de verdade não pode viver com tantos altos e baixos. Vocês brigam muito, discutem bastante. Será que esse é o homem que quer ao seu lado por anos a fio?

— Não sei. Você bem sabe que eu até gostava do Tavinho. Se não fosse...

Valéria não conseguiu terminar a frase. Abraçou-se a Natália e começou a chorar. Enquanto passava suavemente uma das mãos sobre os cabelos sedosos da amiga, Natália considerou:

— Você gostava mesmo do Otávio. Uma pena ele ser tão inconsequente e ser fã de rachas.

— Eu não quero me lembrar daquela noite...

Valéria não queria, mas a imagem sempre vinha à sua mente. Ela tinha completado quinze anos de idade e, no fim de sua festa de debutante, alguns amigos mais o namorado da época — Otávio, conhecido como Tavinho, com dezoito anos recém-completados — foram até uma avenida deserta perto de Interlagos para participar de um racha, espécie de corrida clandestina de carros.

Os rapazes e garotas estavam com bastante bebida na cabeça e queriam terminar a noite com um pouco mais de adrenalina no sangue. Foram até o ponto em que essas corridas ocorriam. A disputa foi entre Tavinho e Dario. Aquele com o carro mais potente e que chegasse mais rápido ao outro extremo da avenida ganharia uma pequena quantia em dinheiro.

Valéria e as outras meninas foram para o local onde fora marcada a chegada do vencedor. Dario e Tavinho aceleraram seus carros e a largada foi dada. Os pneus cantaram e queimaram o chão. Para fazer bonito, Dario quis fazer um cavalo de pau — aquelas manobras radicais feitas em veículos usando a mudança brusca de direção e o freio de mão, causando derrapagem com giro entre 180 e 360 graus. Foi assim que aconteceu a tragédia.

Tavinho assustou-se, perdeu a direção e meteu o carro num poste. Sua morte foi instantânea.

Natália a tranquilizou.

— Sei que foi terrível. Poderia ter terminado sua noite de festa de outra maneira. No entanto, quis sair com aquele bando de delinquentes.

— Depois do enterro, o Dario se aproximou, meio que se sentindo culpado, e fomos ficando juntos. Eu me senti muito só, acabei me envolvendo.

— Você o ama?

— Não. Isso eu posso afirmar com certeza. Gosto do Dario, mas não o amo.

— Você vai fazer dezenove anos, Valéria, já não é mais uma menininha. É bonita, tem uma boa vida, um pai que a adora. Por que viver nessa relação que nada de bom lhe traz?

— Não sei. Como lhe disse, a atração é muito grande. Eu posso não amá-lo, mas quando estamos juntos eu fico louca, perco a razão e, quando caio em mim, o estrago já foi feito.

— O que me diz do que sente pelo Tomás?

Valéria deu de ombros.

— Você sabe que eu gosto dele. Mas tenho medo da Marion.

— Esse medo está forte demais para o meu gosto — rebateu Natália.

— Como assim?

— Não sei. A minha sensibilidade diz que tem algum espírito que a impede de se relacionar com Tomás.

— Ora, Natália. Deixe de bobagens. Um fantasma impede que eu me relacione com Tomás? Essa é boa — rebateu Valéria, irônica.

Elenice chegou no apartamento. Cumprimentou Valéria. Em seguida cobriu-se com a saída de banho, ajeitou o chapéu, o guarda-sol e a esteira num canto da varanda. Estava com aspecto ótimo. Bronzeada e olhos vivos e brilhantes.

— Onde está Milton? — indagou Natália.

— Encontrou dois amigos da prefeitura e estão bebendo uma cerveja na praia. O sol está muito quente e já me bronzeei bastante hoje.

— Sua pele está divina, dona Elenice.

— Obrigada — Elenice notou os olhos inchados de Valéria. — Aconteceu alguma coisa?

— Ela estava se lembrando da noite trágica. Da morte do Tavinho.

Elenice sentiu um calafrio percorrer-lhe o corpo. Passou as mãos pelos braços.

— Só de falar nesse garoto eu fico toda arrepiada.

— Eu gostava dele, dona Elenice — falou Valéria, chorosa.

— Sei disso, querida. Paixão adolescente todas nós tivemos.

— Se ele estivesse vivo, nós poderíamos estar noivos.

— Não creio. Era namoro de adolescentes. Você e Tavinho não tinham nada em comum.

— Será?

— Sim — observou Elenice. — Assim como você e Dario também não têm nada em comum.

— É o que eu estava falando para ela, mãe — interveio Natália. — Valéria e Dario não têm nada a ver.

— Talvez você precise conhecer um homem que lhe desperte o amor.

— Não acredito nisso, dona Elenice.

— Por que não? O Tomás sempre gostou de você. É um bom rapaz.

— Não sei, tenho medo de me envolver de maneira séria.

— Entendi. Você não quer relacionamento sério. Agora percebo porque só atrai relacionamentos atribulados em sua vida.

— Meu namoro com Tavinho era cheio de brigas e com Dario não é diferente!

— O amor lhe causa medo?

Valéria não soube o que responder. Nunca tinha amado de verdade. Entretanto, o fato de se ver envolvida com alguém a deixava tensa. O namoro com Dario não contava. Ela mesma sabia que aquilo não passava de um relacionamento com data de validade já vencida. Percebia que precisava se tratar e superar aquele fascínio sexual que Dario tanto exercia sobre ela.

Em relação a Tomás, não sabia direito o que se passava. Ela gostava dele, mas algo em sua mente sempre alertava para ter cuidado com Marion. A voz era clara e ameaçava:

— Se ficar com Tomás, a Marion fará com você coisa pior do que fez com Lina.

Só de pensar naquela frase que martelava sua mente, Valéria sentia arrepios. Presa em seus medos e inseguranças, abaixou a cabeça e permaneceu em silêncio. Elenice fez um sinal com a cabeça e Natália levantou-se, cerrando a cortina da janela. Em seguida aproximou o ventilador e ligou o aparelho perto delas. O calor estava demasiado.

Elenice levantou-se e colocou uma fita cassete no pequeno aparelho ali perto. Então, uma música clássica de rara beleza invadiu o ambiente. Ela suspirou e disse:

— Fechemos os olhos e vamos nos sintonizar com a música. Agora vamos deixar todas as coisas externas de lado, esquecer os nossos problemas, as nossas dúvidas e aflições. Vamos nos ligar na força do bem, que é a única força que existe. O bem eleva nossa alma, nos liga imediatamente com Deus. Aquilo que podemos resolver, que Ele nos dê força, coragem e lucidez suficientes para podermos fazer a melhor escolha. Aquilo que ainda não temos forças para entender, aceitar ou resolver, deixamos em Suas mãos para que Ele faça o melhor.

Ela exalou longo suspiro e prosseguiu:

— Que Deus e os bons espíritos nos protejam e auxiliem. Assim seja.

Elenice terminou de falar e sentiu leve sensação no peito. Abriu os olhos e Valéria continuava com os olhos fechados. Adormeceu. Ela fez sinal para a filha e ambas se levantaram sem fazer barulho. Elenice pegou um travesseiro e o ajeitou por trás da cabeça de Valéria. Depois foram para a varanda.

— Mãe, acha que Valéria está com alguma perturbação espiritual? — indagou Natália.

— Sinto que ela está com os sentimentos bastante confusos. Deve ser algo relacionado à sua vida passada. Ela tem um bloqueio emocional enorme que a impede de amar.

— Eu quis conversar com ela sobre espiritualidade e ela sempre me corta, com delicadeza.

— Precisamos respeitá-la. As pessoas se interessam pela espiritualidade por dois motivos: pelo amor ou pela dor. Precisamos deixar Valéria à vontade. No momento certo, ela vai abrir seu coração para entender melhor os valores do espírito.

— O Dario e a Marion estão na casa do Guarujá. Você bem sabe o que penso em relação a esses dois.

— Valéria precisará decidir por ela mesma com quem quer manter relações de afeto e amizade. Não podemos lhe dizer que fulano ou beltrana são pessoas que não lhe fazem bem.

— Ora, se percebemos que Dario não é boa pessoa, por que mantê-lo ao lado de Valéria? E Marion? É garota vaidosa, interesseira, fútil. Ruim. Nunca gostei dela.

— De que adianta abrirmos os olhos de Valéria? Já não lhe confidenciamos nossos sentimentos em relação a esses amigos?

— Já.

— E ela acatou nossas impressões?

Natália fez um sinal negativo com a cabeça. Elenice prosseguiu:

— Não conheço Marion. Não tenho o que dizer dessa menina. Mas conheço Tomás. Algo me diz que há algum tipo de perturbação espiritual que impede a aproximação dele com Valéria.

— Também sinto isso, mãe.

— Quanto a Dario, sinto que está perdido e perturbado. Ele precisa de orações em vez de dedos acusadores.

— Difícil. Não gosto dele.

— Não cabe aqui o seu gosto pessoal, minha filha. Que custa lhe mandar uma vibração positiva, direcionada ao seu coração, a fim de que ele mude sua postura em relação à vida e receba amparo espiritual?

— Sente mesmo que ele esteja perturbado?

— Sim. Algo me diz que o espírito de Tavinho está ligado nele.

Natália não se surpreendeu.

— Eu bem que desconfiava. Dario tem tido atitudes muito estranhas desde a morte de Tavinho. Se é o espírito dele que está influenciando negativamente Dario, como avisá-lo?

— Por meio de orações, de vibrações positivas. Vamos envolvê-lo, sempre que possível, num círculo de luz. Vamos imaginar Dario sempre bem e sorridente. Deus fará o resto.

— Tem razão. Não custa nada tentar.

A conversa fluiu agradável. Elenice e a filha conversaram animadas sobre o futuro de Natália. Ela passara no vestibular para arquitetura na universidade e estava radiante. Valéria não tivera a mesma sorte, mas começava a sentir vontade de estudar no exterior.

— Talvez eu converse com Américo. Se ele mandar Valéria estudar na Itália, as chances de ela e Dario continuarem o namoro serão bem pequenas.

— Faça isso, mãe. Seu Américo gosta da gente e sempre lhe deu ouvidos.

— Gostamos de Valéria e vamos orar e pedir pelo melhor. Eu gostava muito de Amélia. Fomos amigas de colégio. Se eu não estivesse aqui e você estivesse enfrentando os mesmos problemas, tenho certeza de que Amélia a ajudaria.

Sentada no sofá, Amélia, em espírito, acariciava os cabelos da filha.

— Agora você será obrigada a escolher, meu anjo. Que Deus a ampare.

O espírito se levantou, atravessou a parede e envolveu Elenice num carinhoso abraço.

— Obrigada. Sabia que você estaria por perto e cuidaria da minha filhinha — e, virando-se para Natália, observou: — Você é uma amiga de verdade. Que Deus ilumine seus passos, sempre.

Amélia beijou a fronte de Elenice e fez o mesmo com Natália. Depois, seu espírito desvaneceu no ar.

Elenice e Natália sentiram agradável sensação. Elenice lembrou-se da amizade com Amélia e das peraltices que ambas praticavam nos corredores da escola, deixando as freiras de cabelos em pé. Natália riu a valer e assim o tempo foi passando.

Duas horas depois, Valéria despertou muito bem-disposta.

— Dona Elenice, fazia tempo que eu não cochilava tão gostoso. Estou me sentindo leve, renovada.

— Fico feliz que esteja se sentindo bem.

— Essa dormidinha me abriu o apetite. Vocês não estão com fome?

Elenice consultou o relógio e passava das duas da tarde.

— Milton vai passar a tarde toda na companhia dos amigos. Que tal nós três irmos a um restaurante aqui na esquina? Eles servem um peixe maravilhoso. E depois poderemos tomar sorvete e caminhar pelos lindos jardins da orla.

— Estou de acordo.

Natália também assentiu e, minutos depois, as três estavam confortavelmente instaladas no restaurante, conversando, gesticulando muito e fazendo seus pedidos.

capítulo sete

Depois do almoço, Célia convidou as moças para um cafezinho no quintal da casa. Era um sobrado bem simples, mas bem arrumadinho. Ariovaldo fizera questão de manter as árvores no quintal. Fizera uns bancos de madeira com restos de caixotes, pintara-os de verde-escuro e improvisara uma mesa com cavaletes de ferro, que o diretor da escola lhe dera. Sobre a mesa, um caramanchão formado por primaveras e hibiscos vermelhos.

Enquanto levava a bandeja com o bule e as xícaras, Alzira confessou:

— Sua casa é pequena, mas muito aconchegante.

— Este quintal é divino. Nem parece que estamos no mesmo bairro — emendou Arlete.

— Eu e Ariovaldo levamos muitos anos para conseguir comprar o terreno. Depois foram mais anos até construirmos a casa. Ela é pequena, mas atende às nossas necessidades. Iara, quando vem de Buenos Aires com o marido, fica instalada no quartinho ali nos fundos — apontou.

No fundo do quintal, entre as árvores frutíferas e outras plantas e flores, havia uma área de serviço e um pequeno e gracioso quarto com banheiro. Lembrava uma casinha de bonecas.

— Eu adoraria viver numa casa assim — disse Alzira. — Toda arrumadinha, pintada, organizada. Eu gosto muito de uma casa bem-arrumada e organizada.

— Alzira nasceu assim — continuou Arlete. — Desde pequena arrumava as camas logo cedo, passava uma vassoura pelos cômodos e ajudava mamãe na cozinha. Aliás, ela tem uma mão muito boa para salgados e doces.

Célia admirou-se.

— Você gosta de cozinhar?

Alzira fez sim com a cabeça.

— Prefiro doces a salgados. Mamãe me ensinou a fazer uns pães, umas rosquinhas doces que ela aprendera com a minha avó. Parece que essas receitas se perpetuam no tempo, têm passado de geração para geração.

— Nunca pensou em ganhar dinheiro com isso?

— Não, dona Célia. Eu penso em estudar letras.

— Quer ser professora? — perguntou Célia.

Arlete mexeu os olhos para os lados e para cima, indecisa.

— Gosto de ler os clássicos da literatura brasileira. Aprecio muito Orígenes Lessa e Érico Veríssimo.

— Sente vontade de ensinar?

— Não sei ao certo.

— Feche os olhos — pediu Célia.

— Como assim?

— Confie em mim, vamos. Feche os olhos e me dê as mãos.

Alzira concordou e os fechou.

— Imagine que você está dando aulas, numa sala repleta de alunos. Você está dando aula de literatura brasileira.

Alzira forçou a mente, espremeu os olhos fechados e começou a imaginar. Célia prosseguiu:

— Qual a sensação?

— Difícil de expressar. Não sinto nada.

— Mantenha os olhos fechados.

— Certo.

— E, se, neste momento, você deixar a sala de aula e entrar numa cozinha bem equipada, com todos os utensílios? Imagine que você se aproxima de uma mesa e começa a preparar massas, tortas e bolos.

Alzira suspirou e abriu largo sorriso.

— Nem precisa perguntar o que sinto. Estou adorando estar nesta cozinha. Minhas mãos deslizam com suavidade pela massa de doces. Oh — Alzira se surpreendeu — apareceram outras moças, elas estão me ajudando, parece que estou na cozinha de uma confeitaria. Consigo até sentir o cheiro dos doces!

Célia pediu que ela abrisse os olhos.

— O que prefere? Dar aulas ou fazer doces?

— Sem sombra de dúvidas eu prefiro passar o dia fazendo doces — admitiu.

— Você pode gostar de literatura, mas sua alma quer outra coisa. Você poderá ler todos os livros que quiser. O fato de gostar de ler não quer dizer que tenha de ser professora.

— Não temos condições para fazer nada. Ainda mais agora que o pai está namorando a Gisele.

— Por que ainda vivem com ele? Pelo que me contaram no Natal, você vai fazer dezenove anos — apontou para Arlete — e você, Alzira, vai completar dezoito anos. São praticamente donas do próprio nariz. Ambas têm condições de arrumar um trabalho. Podem se sustentar e sair de casa.

— Parte da casa é nossa — disse Arlete. — O pai pensa em colocar aquela lambisgoia dentro da nossa casa. Não vou permitir.

— Por que não, Arlete? Por acaso você se vê tão impotente a ponto de achar que precisa da casa que seu pai comprou com o dinheiro dele? Não sente que tem condições de conseguir o que deseja por mérito próprio?

— Não. Minha mãe deu duro para que ele pudesse pagar as prestações da casa, financiadas pelo BNH[5]. Economizou tudo o que podia. Chegamos a passar vontades porque todo o dinheiro que entrava era para o pagamento da casa. De uns dois anos para cá, ele endoidou e botou na cabeça que tinha porque tinha de quitar a casa. Não acho justo agora entregá-la de bandeja para ele e aquela rameira.

— Aquela casa pertence ao seu pai e sua mãe. Não vou negar que vocês tenham direito a metade dela, até porque a lei

5 BNH — por extenso, Banco Nacional da Habitação — foi um banco público criado em 1964, voltado ao financiamento e à produção de empreendimentos imobiliários. Foi extinto em 1986.

lhes dá esse amparo. Mas você vai deixar de viver a sua vida para brigar por metade daquele sobrado? Vai abandonar seus anseios, sonhos e realizações, deixá-los de lado, para infernizar um casal que, aparentemente, quer tentar ser feliz?

— Desse modo, faz eu me sentir a vilã da história. Eu sou a vítima — protestou Arlete.

— Não há vítimas no mundo. Somos responsáveis por tudo o que nos acontece.

— Não concordo. Não pedi para ser filha dele — resmungou Arlete.

— Pediu sim. Se não pediu, ao menos foi atraída para aquela casa por afinidade de ideias. Deus não erra nunca, minha menina.

Arlete baixou os olhos e deixou que as lágrimas descessem livremente. Alzira aproximou-se e passou o braço pela cintura da irmã.

— Não se revolte, Arlete. Nós somos unidas e temos força para enfrentar qualquer situação. Perdemos a mamãe, que tanto amávamos. Se conseguimos superar essa perda e levar nossa vida adiante, não acha que brigar por aquela casa é algo pequeno demais? Viu o que a dona Célia nos disse? Que somos capazes. Nós poderemos ter nossa própria casa. — Alzira falou e voltou-se para Célia: — Eu terminei de ler o romance *Entre o amor e a guerra*. Fiquei fascinada. O livro me prendeu a atenção do começo ao fim. Também passei a enxergar a vida de maneira mais positiva e menos fatalista.

— Esses livros são capazes de mexer com a gente e, por meio de leitura leve e agradável, nos trazem mensagens de conforto, esperança e paz. Se você quiser, tenho outros romances de cunho espiritualista. Posso emprestá-los.

— Oh, eu adoraria! — exclamou Alzira.

Célia encheu uma xícara de café e entregou-a para Arlete. Em seguida, emprestou-lhe um lenço.

— Obrigada.

— Arlete, precisamos estar atentas para os tesouros que a vida nos oferece. Precisamos dar mais atenção à força do pensamento, que é um atributo do espírito. Veja que o pensamento é produzido pela sugestão, ou seja, a indução para fazer ou agir de determinada maneira. Do pensamento surgem as crenças, que são conglomerados de pensamentos impressos em nossos circuitos emocionais. Elas é que determinam o mundo ao nosso redor.

— Achei que o pensamento fosse mais forte que tudo — ajuntou Alzira.

— O pensamento tem a sua força, mas não é tão forte como a crença. A crença é você aceitar no coração o imperativo de uma certa forma de pensar.

Arlete assoou o nariz, apanhou sua xícara de café. Bebericou o líquido fumegante e remexeu-se no banquinho.

— Sempre quis ter uma vida independente. Acontece que somos muito ligadas naquela casa. Crescemos ali e, se partirmos, onde ficarão as lembranças que temos de nossa mãe?

— Tudo na vida é cíclico e passageiro. Não ficamos estacionados no mesmo lugar para sempre. A memória afetiva que vocês possuem jamais será arrancada, nem mesmo com a morte do corpo físico, porque é parte integrante do espírito, e o espírito é eterno.

As moças concordaram e Célia continuou:

— A fase pela qual estão passando agora é de desafio.

— Um enorme desafio — sibilou Arlete.

— O desafio nos move adiante. Por meio do desafio, saímos do lugar comum para a maturidade, aprendendo a lidar efetivamente conosco. Os desafios nos permitem enxergar as inúmeras possibilidades de escolhas que temos para ir ao encontro da nossa felicidade. Cada uma de nós é dona de si.

— Eu sinto medo de sair de casa. Tenho medo de fracassar e voltar a pedir ajuda para o pai. Eu não quero mais que ele atire em nossa cara toda a comida que nos deu desde que nascemos. Um pai que ama seus filhos jamais falaria assim.

— Você atraiu esse pai para fortalecimento do seu espírito. Veja, Arlete, que a maneira como você foi criada fez de você uma mulher forte, de opinião e vontade de crescer, de ser independente. Se tivesse um pai que a mimasse demais, poderia estar vivendo outra realidade e nem perceberia a força que tem para mover seu próprio destino.

— Nunca havia pensado dessa forma.

— Tudo o que diz faz muito sentido — anuiu Alzira. — Nunca fomos criadas para questionar as diferenças entre as pessoas. Desde pequena eu me questionava o porquê de viver naquela casa. E, recentemente, passei a questionar a vida. Por que perdi minha mãe?

— Você não perdeu sua mãe — tranquilizou Célia. — Josefa simplesmente foi para uma outra dimensão, para um outro mundo. A Terra é um mundo transitório, onde nosso espírito reencarna para aprender a reconhecer sua força e ampliar a sua inteligência durante determinado período de tempo.

— Acha mesmo que vamos reencontrar nossa mãe?

— Por certo. Não se lembra de nossa conversa no Natal? Falamos sobre espíritos, sobre a morte de sua mãe, sobre os seus pesadelos...

— É verdade. Aquela noite foi mágica.

— Foi mágica e tranquilizou-me o coração — acrescentou Arlete.

— Sonhei com ela dia desses — disse Alzira. — Mamãe estava numa espécie de hospital e havia muitos leitos, creio que mais de cem macas, com muitas enfermeiras e médicos oferecendo tratamento aos pacientes.

— O espírito de sua mãe deve ter sido levado até um posto de socorro que existe no mundo espiritual. Ela desencarnou por conta de um câncer que destruiu seu corpo físico e afetou seu perispírito. Assim que estiver livre das energias da doença, poderá partir para uma colônia de refazimento. Talvez em breve você possa sonhar mais com ela e até ter um encontro.

— Será? — indagou Arlete.

— Sim. Jamais perdemos contato com aqueles que amamos. Os laços de amor são sólidos e eternos. No momento oportuno, terão contato com Josefa.

As irmãs estremeceram de prazer. Sentiam-se muito bem na companhia de Célia. Alzira queria saber mais:

— O que é perispírito?

— Boa pergunta, Alzira — Célia sorriu e respondeu com entusiasmo: — Perispírito é o nome dado ao elo entre o espírito e o corpo físico. Quando o espírito está encarnado, o perispírito serve como vínculo entre o espírito e o corpo. Desencarnado, o perispírito torna-se o próprio corpo com o qual o espírito se manifesta e transita em outras dimensões.

— Nós vivemos muitas vidas? Isso é verdade? — questionou Arlete.

— Sim. Vivemos muitas vidas e viveremos tantas outras quanto forem necessárias para a ampliação de lucidez que trará maturidade para nosso espírito.

A conversa continuou agradável e seguiu a tarde toda. Passava das seis quando Arlete levantou de um salto:

— Preciso me arrumar. Osvaldo vai me pegar daqui a pouco para um passeio.

Célia sorriu.

— Você gosta muito desse rapaz. E ele gosta muito de você. Serão muito felizes juntos.

Arlete sentiu um calor sem igual no peito. Abraçou-se a Célia e agradeceu:

— Muito obrigada por me dizer essas palavras. Era tudo o que meu coração gostaria de ouvir.

Ela se despediu e Alzira também se levantou.

— Por que vai embora agora? — perguntou Célia. — Seria um prazer ficar para o jantar.

— Eu adoraria, contudo preciso ajudar Arlete a se arrumar.

— Que nada, pode deixar que eu mesma me arrumo — assegurou Arlete.

— E se Gisele ainda estiver em casa? Promete que não vai arrumar encrenca com ela?

— Fique mais um pouco. De que adiantará ficar enfiada naquela casa? A companhia lá não é das melhores — retorquiu Arlete.

— Tem razão. Posso ficar, dona Célia?

— Com uma condição.

— Qual é?

— Você vai me ensinar a fazer um doce.

— Um doce?

— Sim. Eu tenho alguma coisa no armário. O que faltar, pedimos ao Ariovaldo e ele vai buscar na padaria.

Alzira sorriu feliz:

— Está certo. Vou fazer um bolo de cenoura de que gosto muito.

Arlete admitiu:

— O bolo de cenoura de Alzira é imbatível. Nunca comi bolo mais gostoso.

— Então vamos comer bolo de cenoura! — tornou Célia. — Vamos comemorar porque sinto que a vida de vocês vai mudar para melhor.

— Mesmo? — indagou Alzira, esperançosa.

— Algo muito bom está para acontecer. Acreditem.

As irmãs se entreolharam felizes.

— Deus a ouça, dona Célia. Deus a ouça.

Arlete despediu-se da irmã e disse:

— Depois desta tarde agradável, nada vai me tirar do sério. Nem mesmo a Gisele.

— Isso mesmo, Arlete. Use sempre esta frase, com firmeza: dentro de mim, mando eu.

— Jamais vou me esquecer, dona Célia.

E, no caminho de casa, só uma frase se mantinha em seu pensamento, que Arlete repetia como um mantra:

"Dentro de mim, mando eu."

capítulo oito

Valéria voltou para Guarujá tarde da noite. O encontro com Elenice e Natália havia sido muito bom.

"Como é bom estar próxima de pessoas que gostam de mim de verdade" — disse para si.

Ela embicou o carro na garagem e desligou o motor. Entrou em casa e estava tudo escuro. Acendeu a luz e logo depois uma das empregadas apareceu:

— Dona Valéria, precisa de alguma coisa?

— Não. Quero saber onde está o Dario.

A empregada enrubesceu. Ouvira os gritos de prazer dele e de Marion, horas a fio. O casal despudorado nem tivera a decência de manter a porta do quarto fechada. A moça, em respeito a Valéria, simplesmente disse:

— O motorista da senhorita Marion os apanhou faz duas horas. Eles foram para uma festa na Ilha Porchat. Seu Dario mandou dizer que não tem hora para voltar.

Valéria sorriu aliviada. Estava cansada de Dario, de suas bebidas, traquinagens e daquele namoro sem futuro. Esperaria ele chegar e, no dia seguinte, terminaria o namoro. Era o melhor a fazer.

Ela caminhou até sua suíte, despiu-se e tomou uma bela chuveirada. O calor estava insuportável. Terminou o banho, passou uma colônia refrescante sobre o corpo. Enxugou-se, vestiu um *baby-doll* e ligou o ar condicionado do quarto. Fechou a janela, cerrou as cortinas. Abaixou-se ao lado da mesinha de cabeceira e escolheu um disco. Pegou um dos volumes da coleção *Excelsior – A máquina do som* e colocou o vinil na vitrola. Acendeu o abajur de cabeceira e apagou a luz do quarto. Deitou-se na cama e deixou-se envolver pelas melodias do disco.

Valéria adormeceu e teve uma noite de sono reparadora.

Às dez horas da manhã ela acordou. Abriu os olhos, espreguiçou-se e notou que a agulha do disco batia no pino, voltava e batia no pino de novo.

— Esqueci que esse aparelho não tem desligamento automático.

Ela se levantou, pegou outro disco da coleção e começou a cantarolar a música enquanto subia as cortinas e abria a janela. Da varanda do seu quarto, ela podia ver o mar.

O dia amanhecera nublado e o barulho cadenciado das ondas lhe transmitia profunda paz de espírito.

Valéria refletiu sobre os últimos acontecimentos. Não conseguia entender por que estava presa a um relacionamento sem futuro. Ela não conseguira passar no vestibular e tinha vontade de fazer um curso de decoração na Europa.

Pensou, pensou e resolveu que conversaria com seu pai sobre a possibilidade de ingressar numa renomada escola de formação de decoradores, o que futuramente viria a ser *design* de interiores. Pensou no instituto que havia em Florença, na Itália. Américo havia lhe dado incentivo para ingressar no instituto. Seu tio Adamo adoraria partilhar de sua companhia.

— Vou seguir o conselho do meu pai — disse Valéria, enquanto trocava de roupas para tomar o café da manhã.

Ela colocou um novo biquíni e uma saída de banho. Saiu do quarto e deu com uma das empregadas.

— Quer que sirva o café na copa ou na varanda, dona Valéria?

— O dia está nublado, porém abafado. Gostaria que me servisse na varanda.

— Pois não, senhora.

— O Dario apareceu?

— Ele apareceu pouco depois das oito da manhã. Chegou num estado deplorável, dona Valéria.

— Prepare o café e leve-o até a varanda. Vou ver como está Dario.

Antes, Valéria ligou para o escritório do pai. Américo atendeu com largo sorriso nos lábios.

— Filha linda! Quanta saudade!

— Eu também estou morrendo de saudades, papai.

— Como estão as coisas por aí? Está se comportando?

— Estou sim. Ontem passei quase o dia todo na companhia de Natália e dona Elenice. Elas me fazem muito bem.

— Aprecio muito sua amizade com Natália. Ela é uma boa moça e Elenice eu conheço há anos. Perdeu dinheiro, mas continua sendo uma mulher de grande caráter e boa conselheira.

— Eu liguei porque tenho pensado em seguir seu conselho e me matricular naquele curso de decoração, em Florença.

Américo abriu e fechou os olhos, demonstrando extrema felicidade.

— Fico muito feliz que esteja pensando em seu futuro.

— Sei que o curso começa em agosto, que o ano escolar na Europa é diferente do nosso, mas estou decidida e vou me preparar para ingressar no instituto e fazer bonito. Quero que você tenha muito orgulho de mim.

— Eu já tenho muito orgulho de você.

— Ah, antes que eu me esqueça, também quero que saiba que vou terminar meu namoro com Dario.

— Não sabe como estou feliz com essas decisões. Fico feliz que tenha tido juízo e se dado conta de que esse rapaz, embora seus pais sejam meus amigos, não é homem para você.

— Obrigada por me apoiar, papai.

— Valéria — Américo disse, com a voz embargada. — Eu a amo muito.

— Eu também, papai.

— Ei, essa conversa está parecendo uma despedida.

— Tem razão — tornou ela, voz também embargada.

— Quer que eu desça para a praia no fim de semana?

— Não será necessário. Eu vou terminar o namoro e subirei a serra hoje mesmo. Você me faria companhia para o jantar?

— Adoraria. Tenho uma reunião com o ministro dos Transportes, mas vou postergar para amanhã cedo. Você é mais importante.

— Te amo, pai.

— Eu também te amo, filha.

Américo desligou o telefone e foi tomado por grande inquietação. Sentiu o peito oprimido, como se alguma coisa ruim estivesse prestes a acontecer.

— Não é nada demais — disse para si em alto som. — Hoje à noite vou jantar com a minha filha.

Ele empurrou os pensamentos com as mãos e apertou um botão num aparelho acoplado ao telefone:

— Senhorita Mirtes, por favor. Cancele a minha reunião com o ministro.

— Doutor Américo, ele veio para São Paulo só para conversar com o senhor.

— Diga que eu tive uma indisposição alimentar e que amanhã cedo nos encontraremos onde ele quiser.

— Está certo.

Américo voltou a concentração para seus negócios. Por mais que tentasse afastar, aquela sensação ruim não saía de seu peito e agora também lhe embrulhava o estômago. Ele se levantou, pegou um antiácido no armário, misturou com água e sorveu o líquido efervescente.

— Deve ter sido o café da manhã. Aquela fatia de bolo de coco não me desceu bem.

Valéria pousou o fone no gancho e levantou-se. Caminhou até o quarto de Dario, girou a maçaneta e abriu a porta. Estava tudo escuro. Um cheiro misturado de bebida e cigarro invadiu suas narinas.

Ela entrou e abriu a janela. A claridade entrou forte e Dario acordou, assustado.

— Ei, o que é isso?

— Hora de se levantar.

— Cheguei da festa eram mais de oito da manhã. Estou com sono.

— Você terá o dia todo para dormir. Agora levante-se.

Valéria aproximou-se da cama e puxou o lençol. Dario estava nu. Aquela imagem mexeu com ela. Dario tinha um corpo espetacular. Era naturalmente musculoso e estava com a pele bronzeada. A marca da sunga o deixava ainda mais provocante, mais sensual.

— Precisamos conversar — disse ela, num fio de voz, tentando ocultar a excitação.

Estava difícil conter a emoção.

"Por que diabos sou tão fraca?" — perguntou para si mesma enquanto procurava desviar os olhos do corpo do namorado.

Uma voz sussurrou em seu ouvido:

— Porque eu a desejo e eu a quero, Valéria. Você não sente atração por Dario, mas sente atração por mim. Você vai se deitar com ele e eu vou poder sentir prazer por intermédio dele. Vamos, você o deseja. Você o deseja.

O espírito de Tavinho falava com a voz carregada de volúpia. Valéria bem que tentou, mas a força do espírito sobre sua vontade era bem maior. Dario a abraçou e o contato dos corpos fez ela se esquecer da promessa de rompimento, por ora.

Valéria deitou-se sobre o corpo do namorado e amaram-se para valer. Tavinho aproximou seu perispírito da aura de Dario e passou a sentir a mesma emoção do rapaz. E também controlava a mente de Dario. "Faça assim", "Agora faça dessa forma".

Depois que terminaram de se amar, Valéria levantou-se e percebeu que caíra em tentação. Brigou consigo mesma e Dario perguntou:

— E aí gata, vamos tomar nosso café? Perdi o sono e estou com uma fome danada.

Ela nada disse. Vestiu o biquíni, irritada consigo mesma, e saiu do quarto. Trancou-se no banheiro e chorou. Pediu ajuda aos céus.

Lolla, um espírito amigo de outras vidas, aproximou-se e sugeriu, enquanto alisava seus longos cabelos avermelhados:

— Precisa fortalecer seu pensamento, minha querida. Precisa aprender que você manda em si mesma. Ninguém tem o poder de manipular sua vontade. Isso acontece porque você facilita e deixa acontecer. Eu não posso afastar Tavinho. Você e Dario o atraem naturalmente. No momento em que se sentir forte para se libertar de ambos, eles nada mais poderão fazer contra você.

Valéria estancou o choro. Pegou um pedaço de papel higiênico e assoou o nariz. Lavou o rosto e tentou sorrir para sua imagem refletida no espelho. Sentiu nojo de si mesma. Arrancou o biquíni e meteu-se embaixo do chuveiro. Passou a bucha sobre o corpo todo, ensaboou-se várias vezes. Chorou e orou com fervor:

— Por favor, Deus. Ajude-me a me livrar desse sentimento em relação ao Dario. Eu não o amo e não quero mais me relacionar com ele e com mais ninguém.

Valéria terminou o banho, enxugou-se, passou um pouco de hidratante pelo corpo. Penteou os cabelos, escolheu um vestido curto, calçou sandálias de dedo e foi para a varanda.

Teve uma desagradável surpresa. Marion tinha acabado de chegar.

— Bom dia, querida.

— Não foi até a festa com o Dario? Não está com sono?

— Não. Eu preciso de pouco sono. Sou jovem e cheia de disposição.

— Está certo — Valéria queria ficar em paz e não estava a fim de discussão. — Aproveite e tome o café conosco.

— Dario se levantou? Não acredito.

— Deve estar no banho. Nada como uma ducha fria para despertar.

— Tem razão.

Marion serviu-se de suco de melancia e passou manteiga num pãozinho.

— Você gosta mesmo do Dario? — perguntou ela à queima-roupa.

— Gosto.

— Com esse entusiasmo? — perguntou Marion.

— Marion, eu te conheço há anos, desde pequena. Qual é a sua? Está interessada no Dario?

— Eu... eu...

— Não precisa gaguejar. Pensa que sou boba? Não sou. Eu sei que se atira em cima dele. E tenho certeza de que já ficaram juntos.

Marion fingiu espanto.

— Imagine, querida! Namorado de amiga minha para mim é mulher. Eu jamais faria uma coisa dessas com você e...

Valéria a cortou com firmeza:

— Para cima de mim? Não me venha com esse papo furado. E o pobre do Tomás? Por que o trai?

Marion deu uma gargalhada, bem típica.

— Tomás é uma aplicação a médio prazo. Ele vai me dar suporte para engrenar minha carreira artística no exterior, mais nada. Não posso me livrar dele agora. O Dario mexe comigo, sabe?

— Você não presta — falou Valéria , num tom de profunda ojeriza.

— Qual o problema?

Valéria suspirou contrariada. Mexeu a cabeça para os lados.

— No momento o seu catálogo de desejos quer porque quer o Dario. Estou certa?

— E isso a incomoda?

— Muito pelo contrário. Adoraria que ficasse com ele.

— Está me entregando o Dario de bandeja?

Antes que Valéria respondesse, Dario perguntou:

— Quem está me entregando de bandeja? Que conversa é essa?

— Nada — Valéria desviou o assunto.

Marion não queria perder a deixa. Era o momento certo para causar a maior confusão entre o casal. Era agora que iria abrir campo para ter Dario só para ela, mesmo que fosse por uma semana ou um mês.

— A Valéria não quer mais nada com você.

— Como assim? — ele não entendeu.

— Está te dando um pé. Não quer mais namorar você. Entendeu?

Valéria levantou-se da cadeira.

— Marion, pega leve.

— Por que mentir para o Dario? Por que fazê-lo de bobo?

— De bobo? Não é nada disso.

— É sim — Marion disse, num tom histérico. — A Valéria quer terminar com você, mas está com pena.

— Não coloque palavras que nunca disse na minha boca, Marion.

As duas começaram um bate-boca que quase caminhou para pancadaria, não fosse Dario apartá-las.

— Ei, que é isso? Para que brigarem?

No fundo ele estava adorando ser o centro daquela discussão. Era amarradão na Marion e também sentia vontade de terminar o namoro com Valéria. Mas Tavinho estava por perto e os desejos e vontades ali se misturavam.

O espírito de Tavinho ficou fulo da vida.

— Ela não pode largar você. Valéria é a nossa bonequinha, o nosso amor. Sem ela, não sei o que vamos fazer.

Dario sentiu um nó no peito. Despejou as palavras de Tavinho como fossem suas:

— Sem você, Valéria, eu não sei o que fazer.

As duas pararam a discussão e o olharam com total surpresa. Valéria não entendeu:

— O que foi que disse?

Tavinho continuava grudado em seu ouvido:

— Ela tem de ser sua, Dario. Se perder Valéria, eu nunca mais poderei senti-la. Nunca mais poderei amá-la. Você é o único elo que me permite interagir com ela. Você não pode deixá-la. De jeito nenhum.

— Você não vai me deixar, de jeito nenhum — bradou Dario.

Valéria arregalou os olhos.

"Só pode ser o efeito da droga. Dario não sabe o que diz."

Marion interveio:

— Não preferem conversar a sós?

— Creio que seja uma excelente ideia — assegurou Valéria. — A sua presença aqui em nada ajuda.

A moça fez um biquinho e roçou seu corpo no de Dario.

— Depois que acertar essa pendência, não deixe de me ligar. Estarei esperando.

Marion falou e se retirou. Valéria nada disse. Fez sinal negativo com a cabeça.

— Vamos conversar? — insistiu Dario.

— Me deu dor de cabeça. Quero subir a serra.

— Eu vou junto.

— Pode ficar aqui se quiser, Dario. Outra hora a gente conversa.

— Não.

— Estamos com a cabeça quente. Melhor esfriarmos a cuca. Conversaremos outro dia.

Ele a pegou nos braços e a chacoalhou com força:

— Você não vai me deixar. Não vai!

Por instantes, Valéria teve a nítida impressão de que vira Tavinho na sua frente.

"Não pode ser" — disse para si. "Estou alucinando."

Ela abriu e fechou os olhos.

— Solte-me, Dario. Está me machucando.

Ele a soltou e disse em seguida:

— Vou subir a serra com você. A gente vai conversando no caminho.

— Não creio que seja uma boa ideia subirmos a serra juntos.

— Eu vim com você e vou embora com você. Vá arrumar suas coisas e vou fazer minha mochila. Subiremos daqui meia hora.

Valéria estava cansada de brigar, de discutir. Era melhor subir a serra com Dario e conversar em outro momento. Ela estava louca para chegar em casa e abraçar seu pai. Era só esse o seu desejo.

Meia hora depois, eles estavam no Maverick subindo a Via Anchieta. Havia uma quantidade grande de caminhões que haviam abastecido no porto e o carro subia devagar. Dario tentava cortar um caminhão, mas em seguida era obrigado a parar ante outro. Estava ficando irritado.

— Malditos caminhões! — vociferou.

Valéria pegou uma fita cassete de música *pop* e ligou o som, a fim de amenizar o clima pesado.

— Vamos conversar — insistiu Dario.

— Não temos o que conversar, por ora. Estou cansada de discutir com você.

— Mas eu a amo.

— Ama nada, Dario. Você ama a maconha, a cocaína, a bebida, as mulheres. Sei que me trai com várias garotas.

— Não é verdade.

— Você transou com a Marion ontem, na minha casa.

Ele remexeu-se no banco do carro e nada disse.

— Está vendo? Você é um babaca.

— Puxa, gata. Foi só uma brincadeira. Eu não tenho nada com a Marion. Sou amarradão em você.

— Diga olhando para mim: você me ama?

Valéria perguntou de maneira franca, com o coração. Ela queria que ele fosse também sincero. Dario iria responder que não, mas Tavinho, sentado no banco de trás do carro, interveio:

— Não vai dar para trás agora, cara. Ela fez uma pergunta típica de mulher. É só fingir, olhar bem fundo nos olhos dela e dizer "sim" ou "eu te amo".

Dario respirou fundo e falou:

— Eu te amo.

— Mentira. Você não me ama.

Ele não soube o que responder. Virou o rosto para frente e concentrou-se na viagem.

Valéria abriu o coração. Falou tudo o que sentia. Dario, se não estivesse sob o domínio de Tavinho, teria entendido tudo e terminaria o namoro numa boa. Mas a insistência do espírito era de doer. Tavinho azucrinava o ouvido de Dario. Esquentava a orelha do rapaz falando um monte de barbaridades, distorcendo tudo o que Valéria lhe dizia.

Dario foi se enchendo daquilo tudo. Não sabia se estava irritado porque Tavinho falava demais ou porque Valéria também não parava de falar ou, ainda, porque tinha muito caminhão e ele estava cansado de engolir fumaça. Virou-se com os olhos cheios de rancor e gritou:

— Chega de falar! Você vai ser minha e acabou!

A última coisa que Dario escutou foi o grito de Valéria. Ele olhou para frente, mas era tarde. Pisou no freio e o carro derrapou na pista. Uma carreta que vinha logo atrás não teve tempo de brecar e prensou o Maverick, empurrando-o para baixo do caminhão da frente. O acidente foi tão violento que, quando a polícia rodoviária mais os médicos e peritos chegaram ao local, não conseguiam distinguir os corpos sem vida ou mesmo separá-los das ferragens.

Foi uma cena muito triste.

capítulo nove

Arlete deixou o teatro em prantos. Osvaldo delicadamente tirou um lenço do paletó e estendeu para ela.

— Ficou tão emocionada assim com o *Falso Brilhante*?

— Nunca vi um espetáculo tão lindo em toda minha vida. Nunca vou me esquecer desta noite. As músicas mexeram comigo.

— É mesmo?

— Como diz o refrão da letra de Belchior, apesar de termos feito tudo o que fizemos, nós ainda somos os mesmos e vivemos como nossos pais — tornou Arlete, cabisbaixa. — Isso me fez pensar na minha intransigência em relação ao meu pai.

— Vocês não se dão bem?

— Não. O pai nunca ligou para mim ou para Alzira, tampouco para nossa mãe. Às vezes, seus olhos expressam grande melancolia. É como se não tivesse vontade alguma de estar ao nosso lado.

— Não posso afirmar nada, pois não conheço seu pai.

— Ele é muito cruel. Faz pouco tempo que mamãe morreu e ele pensa em se casar.

— Seu pai tem o direito de recomeçar, ou mesmo de viver a própria vida.

Arlete sentiu o sangue subir.

— Está defendendo meu pai? Vocês, homens, são todos iguais.

— Negativo — respondeu Osvaldo. — Seu pai é dono dele. Ele é quem manda na própria vida.

— Mas tem a mim e Alzira. Precisa pensar na gente. Ele quer se casar e quer botar aquela lambisgoia da Gisele morando sob o mesmo teto que nós. Isso é repugnante.

— Por quê?

— Porque, pela lei, metade daquela casa pertence a mim e à minha irmã. Não acho justo ele fazer o que bem entender sem nos consultar.

— Posso lhe fazer uma pergunta?

— Sim.

— Você ajudou seu pai a comprar a casa?

— Como assim? — perguntou Arlete, sem entender.

— Você contribuiu com alguma quantia?

— Claro que não. Quando o pai comprou a casa, éramos pequenas.

— Ele tem o direito de fazer o que quiser, afinal, foi seu Olair quem pagou as prestações.

Arlete parou de andar e encarou Osvaldo nos olhos.

— Você é advogado e sabe que eu e minha irmã temos direito a cinquenta por cento daquela casa. É a lei, não é?

— Sim. Vocês, juntas, têm direito a metade da casa. Se seu pai morresse hoje, acho justo que você e sua irmã tivessem o imóvel, usufruíssem dele para viver, ou para alugar e ter uma renda, ou mesmo para vender e fazerem um pé de meia. No entanto, foi seu pai quem deu duro para comprar a casa. No meu entendimento, ele pode fazer o que quiser.

— Não é justo. Eu, minha irmã e minha mãe passamos privações para que ele tivesse condições de pagar as prestações. Acha justo que não sejamos recompensadas pela privação a que fomos submetidas?

— Por quê? Vocês viveram naquela casa durante anos. Tiveram um teto, não passaram frio, tinham como tomar banho quente...

Arlete não podia acreditar.

— Você parece o pai falando. É horrível!

Osvaldo meneou a cabeça para os lados.

— Escute, Arlete. Sei que você se sente meio "dona" da casa. A lei brasileira favorece e nos estimula a pensar dessa forma. Quando nossos pais ou parentes morrem, queremos um pedaço de tudo o que construíram. Infelizmente, vejo casos em que os filhos exigem a "sua parte" antes de serem donos legítimos de suas heranças. Quem fez a fortuna deveria ter o direito de fazer dela o que bem lhe aprouvesse, tal qual ocorre com a lei americana.

— Não abro mão do que é meu.

— Está deixando de viver sua vida, ir ao encontro de suas realizações por conta de um pedacinho da sua casa. Não age assim porque está com medo de sair de casa e viver sua vida de maneira independente?

Arlete corou.

— Eu estou namorando você, Osvaldo. Penso que teremos uma vida juntos, em breve.

— Eu também penso assim. Quero que você se torne minha esposa. Contudo, acredito que todos somos úteis, inteligentes e possuímos muitas habilidades. Adoraria que minha esposa pudesse ter uma carreira, ganhar seu próprio dinheiro, ter e sentir o próprio valor.

— E da casa, quem vai cuidar? E dos filhos, quem vai cuidar?

— Os pais e empregadas, ora. A esposa não deve fazer tudo sozinha, como nossas mães foram educadas a fazer. Eu sou partidário de dividir as tarefas do lar com a minha esposa. Nada de minha mulher ficar encostada no portão de casa fofocando com as vizinhas. A mulher que vai se casar comigo deverá também pensar em si mesma e ter uma carreira, um trabalho, porque o trabalho dignifica o ser humano.

— Não tenho formação. Acabei o colegial e nem pensei em fazer faculdade.

— Por que não? — perguntou Osvaldo, curioso.

— Insegurança, talvez.

— Ou você é daquelas que querem conhecer um bom partido, casar e ficar em casa o dia todo, levando uma vida fútil e sem graça?

— Falando assim, você me ofende. Nunca quis me encostar em ninguém.

Continuaram andando e pararam em frente a uma lanchonete.

— Estou com fome — disse Osvaldo.

Arlete consultou o relógio.

— É tarde. Nunca cheguei muito tarde em casa.

— Comemos um lanche rápido e saímos em seguida. Eu a deixarei em casa.

Arlete sentiu o estômago roncar. Concordou.

— Está bem. Um lanchinho e vamos embora.

Entraram na lanchonete e sentaram-se em banquetas, apoiando os cotovelos na bancada. Fizeram o pedido e Osvaldo continuou:

— Arlete, estou sinceramente gostando de você. Mas não posso lhe prometer casamento para agora. Preciso ganhar um pouco mais, quitar algumas dívidas de família. Daqui uns dois, três anos, poderei ter condições de subir ao altar.

— Tudo isso?

— Três anos passam assim — ele fez um estalo com os dedos — rápido. Quero fazer um curso preparatório com duração de dois anos. Desejo, antes de mais nada, passar no concurso para juiz ou procurador. Depois disso, estarei pronto para assumir um compromisso de casamento. Poderei dar entrada num imóvel, comprar os móveis, planejar, enfim, a nossa vida de casados.

— E eu terei de aguentar meu pai e minha futura madrasta por mais todo esse tempo?

— É uma questão de escolha.

— Eu não tenho escolha — tornou ela, de maneira seca.

Arlete falou e pegou o canudinho à sua frente. Colocou-o dentro da garrafa de refrigerante e sorveu um pouco do líquido. Osvaldo emendou:

— Minha querida, se você não aguenta seu pai e sua futura madrasta, por que não sai de casa?

— E iria para onde? Eu não tenho trabalho, não tenho renda...

— Trabalho a gente arruma. Sempre existe uma vaga de emprego. Sempre.

— Onde vou viver?

— Você e Alzira podiam ir para uma pensão de moças. Ainda há pensões muito boas na cidade. O que acha?

— Não sei...

— Confie na vida. Quando queremos fazer algo para o nosso melhor, a vida sempre nos ajuda.

Arlete não respondeu. Nem sabia o que dizer. Osvaldo falava-lhe o óbvio. Se ela não estava contente naquela casa, deveria encontrar forças dentro de si, acreditar na vida e seguir em frente.

No caminho de volta, Osvaldo prosseguiu a conversa e a motivou sobremaneira. Arlete pensou bem e refletiu. Osvaldo estava certo.

"Não adianta eu querer casar agora só para poder sair de casa" — pensou. "Osvaldo está certo. Eu sinto que o amo mas não estaria preparada para assumir um lar. Não agora. Vou conversar com Alzira sobre o assunto."

— Ei, um cruzeiro pelo seu pensamento.

Arlete riu.

— É muito pouco. Pode aumentar o valor.

Eles riram e logo Osvaldo encostou o carro na calçada. Despediram-se com um beijo afetuoso e Arlete o agradeceu mais uma vez pela noite agradável.

Assim que ela fechou o portãozinho e o carro de Osvaldo sumiu na rua, Arlete rodou nos calcanhares e deu um grito de susto.

— O que faz aqui?

— Eu é que pergunto — vociferou Olair, com os braços cruzados e fisionomia nada agradável. Ao seu lado estava Gisele, com um sorriso maquiavélico. Ela foi logo dizendo:

— Não disse a você, benzinho? — Gisele fez uma voz infantil e mordiscou a orelha de Olair. — Essa daí estava no maior amasso dentro do carro. Eu corri pra te chamar porque isso é muito feio. O que os vizinhos vão falar de você, amanhã?

Arlete se defendeu.

— Essa daí está me caluniando, pai. Eu e o Osvaldo não fizemos nada. Ele muito me respeita. Só me deu um beijo de boa noite.

Gisele deu uma gargalhada.

— Beijo de boa noite? Aquilo foi de desentupir ralo de pia. Um nojo.

— Como você pode ser tão má, Gisele?

— Eu?! Só quero o bem-estar do seu pai. Ele é o melhor alfaiate da região. Não quero que a reputação dele seja *degrenida* por conta de uma filha de comportamento vulgar.

Arlete sentiu o sangue subir. Balançou a cabeça para os lados.

— Você é ruim. Quer nos separar do pai. E ainda fala errado. É *denegrida* e não *degrenida*, sua burra.

Gisele deu de ombros e Olair meteu um tabefe na cara da filha.

— Chega! Além de me desrespeitar, namorando dentro do carro, na porta de casa, ainda destrata a sua futura madrasta?

Arlete levou a mão até o rosto. Sentiu a face arder.

— Eu não aguento...

Olair a cortou, seco.

— Cale a boca! Chega de lamúrias. Conversei com Alzira e ela já fez a trouxa dela. Você vai fazer o mesmo. Amanhã cedinho vocês vão embora.

— Para onde? — ela engoliu em seco.

— Não sei ainda. Aqui nesta casa vocês não ficam mais.

Arlete abriu e fechou os olhos. Tinha vontade de avançar sobre Olair e a namorada. De que adiantaria? Seu pai nunca havia lhe dado um pingo de carinho ou consideração. Olair só queria saber dele e olhava tão somente para o próprio umbigo. Arlete estava cansada. Abaixou a cabeça e subiu os degrauzinhos. Entrou em casa e correu até o quarto. Alzira já havia feito a mala.

— Ele vai mesmo nos tirar daqui! Não posso acreditar — disse Arlete.

— Não adianta discutir, mana. O pai tomou a decisão agora à noite. Disse que vai se casar com a Gisele e quer começar uma nova vida ao lado dela, sem a gente por perto.

— Ele quer nos apagar de sua vida. Ainda vai se arrepender.

— Não pense dessa forma — tornou Alzira. — Ficar na mágoa e no rancor em nada vai nos ajudar. Precisamos, neste momento, ser fortes e confiar na vida.

— Osvaldo me falou há pouco sobre isso — confiar na vida.

— Eu e você somos saudáveis e podemos encarar qualquer tipo de trabalho. A gente encara qualquer coisa, até fazer faxina, se for preciso. Qualquer trabalho, desde que honesto, dignifica o ser humano. O pai vai nos levar para uma pensão. Arrumamos um emprego e vamos seguir nossa vida. Só tem uma coisa estranha...

— O que foi, Alzira?

— O pai disse que encontrou seu Ariovaldo e tiveram uma conversa. Depois, ele concordou e falou: "mesmo contrariado vou ter de levá-las até lá". Onde será esse "lá"?

— Não faço a mínima ideia. Mas seu Ariovaldo podia dar apoio pra gente e não dar conselhinhos para o pai. Parece que todo mundo está contra nós, minha irmã!

— Não fale assim. Não sinto que seu Ariovaldo tenha dito algo para nos prejudicar. Ele e dona Célia são nossos amigos.

— Será? Me sinto tão insegura...

Arlete sentou-se na cama e levou as mãos até o rosto. Cobriu-o e começou a chorar. Desabou num pranto sentido. Alzira sentou-se ao seu lado e, enquanto a irmã chorava um rio de lágrimas, passava delicadamente sua mão sobre os cabelos de Arlete.

— Chi! Vai dar tudo certo. Vamos confiar.

Na manhã seguinte, as meninas acordaram cedinho. Alzira e Arlete fizeram o toalete, arrumaram-se e foram até a cozinha. Alzira pegou o bule para preparar o café e Olair apareceu na soleira.

— O que pensa que vai fazer?

— Vou pôr água para ferver e coar o café. Esquentar o leite.

— Nada disso. Vamos sair agora.

— Eu estou com fome.

— A viagem vai ser longa. Quero voltar a tempo de abrir a alfaiataria.

Alzira sentiu um nó no estômago. Perdeu a fome. Arlete chegou na cozinha e escutou a mesma conversa.

— Melhor levar a gente embora. Ou, se preferir, pode nos dar uns trocados que nos viramos. Sabemos ler. É só nos dar um mapa com a direção. Não precisamos da sua má vontade para nos levar aonde quer que seja.

Olair ia lhe dar novo tapa, mas Alzira se interpôs entre eles.

— Parem de brigar. Vamos embora, de uma vez.

Arlete voltou ao quarto e pegou as duas sacolas. Olair saiu e deu partida no carro. Em pouco tempo estavam seguindo o trajeto para sabe-se lá onde.

capítulo dez

O velório de Dario estava apinhado de curiosos e muitos jornalistas. O pai era um banqueiro de sucesso e a mãe era uma *socialite* que morava nos Estados Unidos. Apareceu um monte de gente do país todo, desde empresários e figurões da sociedade, passando por políticos e artistas.

O cortejo foi televisionado e a morte foi destaque nos principais jornais do país. Por incrível que pudesse parecer, os pais não estavam nem um pouco consternados com a morte do filho. Demétrio, o pai, estava de cara fechada e mal cumprimentava as pessoas. Diziam que ele estava em choque. Maria Augusta, a mãe, fingia um choro dorido. Era tudo encenação. Eles nunca se deram bem e criaram o filho com babás e empregadas. Por isso Dario crescera sem limites. Como não acreditavam em nada, eram totalmente desligados de qualquer credo ou religião, achavam que a morte era o fim.

Maria Augusta tinha certeza de que uma hora ou outra o filho iria botar os pés pelas mãos. Fria e calculista, antevira o ocorrido e um ano antes fizera um seguro de vida para Dario, onde ela seria a beneficiária.

Após o enterro, Demétrio voltou para seus afazeres e Maria Augusta decidiu não ficar um dia que fosse no país. Estava contente com o dinheiro do seguro que embolsaria. Pediu para o motorista levá-la até o aeroporto. Entrou no avião, sentou-se confortavelmente em seu assento de primeira classe.

"Dario sempre foi um estorvo. Não aguentava mais as suas estripulias. Agora não terei mais problemas e ainda por cima vou embolsar uma nota preta" — pensou ela, enquanto bebericava uma taça de champanhe que a aeromoça acabava de lhe entregar.

Não muito longe dali, Valéria jazia num leito de hospital. Américo e Natália não desgrudavam um minuto sequer. Aguardavam pelo momento em que ela abrisse os olhos e voltasse à vida.

Valéria se salvara. Com o tempo, ela se recordaria daquele trágico momento com detalhes cada vez mais vivos. Quando a discussão ficou acalorada e Dario voltou seu rosto para o dela, Valéria sentiu que estava a um passo da morte. Por instinto, abriu a porta do carro e jogou-se no acostamento. Dario não teve tempo de nada. O motorista da carreta que tombara também não. A morte deles foi instantânea.

Valéria sofrera algumas escoriações nas pernas, joelhos e cotovelos. O rosto sofreu alguns arranhões. Diante do estado em que encontraram o carro e os restos de Dario, a moça tinha conseguido chegar perto do que se conhece por milagre.

Ela mexeu o rosto para os lados, de maneira lenta. Abriu e fechou a boca, e passou a língua pelos lábios. Sentiu sede e tentou abrir os olhos. Eles pareciam pesar muito e com muito custo ela concatenou seus pensamentos. As imagens apareciam de forma embaralhada, meio embaçadas.

Américo largou o jornal sobre a mesinha e levantou-se de um salto. Aproximou-se do leito da filha e curvou o corpo. Pousou suas mãos nas dela.

— Como se sente, filha?

— Tenho sede.

Natália apanhou uma jarra com água, na mesinha ao lado da cama, e despejou o líquido cristalino num copo. Entregou-o a Américo e ele encostou o copo nos lábios de Valéria.

— Beba, filha. Devagar.

Valéria abriu lentamente os lábios e sorveu um pouco da água. Passou a língua pelos lábios e abriu um olho. Viu o pai e se emocionou.

— Oh, papai, estou viva!

Américo deixou uma lágrima escapar.

— Mais viva que nunca, meu amor.

Natália aproximou-se e ficou do outro lado da cama. Pousou suas mãos nas da amiga.

— Valéria, eu e mamãe rezamos por você todos esses dias.

— Há quanto tempo estou aqui?

— Uma semana — respondeu o pai.

Aos poucos Valéria foi voltando a si e as cenas do desastre afloraram em sua mente. Ela se desesperou e começou a se debater na cama.

— Foi horrível! Dario não teve tempo... Dario não teve tempo...

Américo apertou o botãozinho da enfermagem e Natália correu até a porta. Uma enfermeira entrou no quarto e, vendo o estado alterado da garota, aplicou-lhe um sedativo. Em poucos segundos, Valéria voltou a adormecer.

— Ela ainda está em choque — disse a enfermeira. — Mais uns dias e ela estará boa, recuperada.

— Tem certeza? — perguntou Américo, inseguro.

— Sim. Sua filha está num dos melhores hospitais do país, atendida por excelentes profissionais. As chapas não revelaram fraturas. Valéria só sofreu algumas escoriações pelo corpo.

— Mas ela vai sempre se lembrar do acidente...

— Sim, seu Américo. Quando for receber alta, o médico provavelmente vai indicar sessões de terapia. Sua filha vai ficar boa, confie.

A enfermeira falou e saiu. Natália aproximou-se de Américo e o abraçou.

— Sei o que sente, seu Américo.

— O acidente foi horrível. Não sei se Valéria voltará a ser a mesma.

— Com certeza ela nunca mais será a mesma. Essas tragédias mudam a nossa vida.

— Ela não merecia passar por isso.

— Quem somos nós para decidir as coisas pelas quais vamos ou não passar? Ainda só temos controle do nosso livre-arbítrio. Vivemos das nossas escolhas.

— Não entendo por que Valéria namorava esse moço. Sei que a família dele deve estar muito triste pela morte dele, mas Valéria não combinava com Dario.

— Não combinava mesmo — respondeu Natália. — Mas a vida é inteligente, seu Américo. Valéria precisou passar por essa tragédia para valorizar a vida e repensar suas crenças. Ela já é uma mulher, tem condições de guiar a própria vida. Não podia mais ficar nesse chove não molha, nesse namoro nada construtivo.

— Ela quase morreu.

— Disse bem: quase. Ela está aí, vivinha da silva. Vai ter condições de voltar à vida normal, só que agora de maneira mais madura. Valéria é forte e vai superar essa tragédia. Seu espírito vai sair fortalecido dessa experiência.

Américo sorriu.

— Você fala em espírito.

— Achou graça?

— Sim. Isso fez eu me lembrar de uma antiga namorada. Ela acreditava piamente no mundo dos espíritos. Tinha certeza de que a vida continuava após a morte.

— Ela estava coberta de razão.

— Tem certeza? Acho tudo isso muito fantasioso — tornou Américo, desconfiado.

— Eu acredito na espiritualidade, na continuidade da vida. Se não acreditasse nisso, não sei como aceitaria as diferenças sociais e econômicas do mundo.

— Morrer e voltar? Não parece coisa de novela?

— Como essa que está passando na televisão?[6]

---

6 Natália se refere à novela *A viagem*, de Ivani Ribeiro, considerada a primeira novela da televisão brasileira a tratar dos temas espíritas de maneira séria e clara. Foi ao ar pela extinta TV Tupi de outubro de 1975 a março de 1976. No elenco, Ewerton de Castro, Eva Wilma, Altair Lima, Tony Ramos, Elaine Cristina, Irene Ravache e outros nomes importantes da teledramaturgia. A novela teve um *remake* em 1994, exibido pela Rede Globo, que alcançou o mesmo sucesso que a versão original.

— É.

— O que o senhor me diz?

Américo se afastou. Mordiscou os lábios e disse pensativo:

— Não é obra de ficção?

— É um folhetim, obviamente, mas os textos da novela tiveram a supervisão do jornalista, escritor e professor José Herculano Pires, muito respeitado no meio espírita.

— Já ouvi falar no professor Herculano Pires. Parece-me um homem sério.

— Muito sério, muito inteligente e muito estudioso. Ele se dedica com muito amor aos estudos espíritas, daí ser convidado pela autora para dar orientação quanto às cenas que tratam da doutrina kardecista. A novela mostra com clareza os temas básicos do espiritismo como mediunidade, as obsessões ou influências que recebemos dos espíritos, a comunicação entre encarnados e desencarnados...

Américo fez um ar de interrogação.

— Encarnados e desencarnados?

Natália sorriu.

— Desculpe-me, seu Américo. Eu me esqueço de que nem todo mundo conhece o jargão espírita. Encarnados somos nós, eu, o senhor, a Valéria — apontou para a amiga na cama —, as pessoas que vivem neste mundo, no corpo de carne que abriga o espírito. Somos os encarnados. E desencarnados são os que estão fora da carne, que não pertencem, temporariamente, ao mundo terreno, ou seja, são os "mortos".

— Pelo que me relata, parece que os mortos continuam mais vivos do que nunca. Assim como na novela. É isso?

— Perfeitamente. A autora, Ivani Ribeiro, é espírita. Tem familiaridade com o tema e com as questões abordadas. Além do mais, ela se baseou em dois clássicos espíritas para escrever a novela: os livros *Nosso Lar* e *E a vida continua*, ditados pelo espírito André Luiz ao médium Chico Xavier.

— Gosto muito do Chico Xavier. Eu o vi na televisão, alguns anos atrás, num programa de debates. Fiquei impressionado com a sua segurança e como ele me passou, por meio de um tubo de

TV, tanta tranquilidade, serenidade e bondade. Se ele faz parte de um grupo que prega essa religião, algo de bom ela deve ter.

— Allan Kardec sempre foi claro nesse ponto. O espiritismo é uma doutrina de caráter experimental-científico, de consequências filosóficas. Não deve ser visto como religião, mas ele me conduz a uma intensa religiosidade. Eu o aceito como religião natural, como ensina o professor Herculano Pires, sem nenhuma conotação com qualquer religião ou rito. É a ciência da alma, digamos.

Américo assentiu com a cabeça.

— Ciência da alma. Perfeito.

— Ademais — anuiu Natália — religião significa a crença na existência de um poder ou princípio superior. A palavra deriva de *religare*, do latim, que significa "ligar com" ou "ligar novamente", ou seja, restabelecer a ligação com esse princípio superior, que chamamos de Deus.

— Estou impressionado com a sua desenvoltura no assunto. Eu a conheço desde pequena e nunca havia notado esse traço seu.

— Depois que meu pai perdeu tudo o que tinha construído durante toda vida, eu questionei o porquê de passar por experiência tão dolorosa. De uma hora para outra perdi a casa confortável em que morava, a escola, os cursos, os empregados, o motorista... Os amigos sumiram e, em seguida ao baque, papai e mamãe se separaram. Foi uma época muito dura para nós duas, ficamos praticamente na miséria.

Américo ia falar, mas Natália fez um gesto com a mão:

— Praticamente todos os amigos sumiram, contudo devo admitir que o senhor muito nos ajudou, alugando para mamãe uma de suas propriedades por um preço irrisório e nunca corrigiu o valor do aluguel. Sempre seremos gratas à ajuda que nos deu.

— Fiz o que qualquer pessoa de bem faria. Sempre fui amigo de sua mãe e, quando Amélia faleceu, foi Elenice quem me ajudou a cuidar da pequena Valéria — ele se emocionou, pigarreou e concluiu: — Eu é que devo agradecê-las. Nunca quis cobrar o aluguel de vocês.

— Não é justo, seu Américo. Tudo na vida é feito à base de troca. O senhor nos deu uma casa e pagamos por morar nela, mesmo que esse valor seja bem pequeno. É com muito prazer que depositamos o dinheiro em sua conta corrente, todos os meses.

— A sua maneira de ver a vida é fascinante, Natália. Eu, que não vou demorar a chegar nos cinquenta anos, sinto ter menos conhecimento espiritual que você. Nunca quis me ligar em religião. Sempre enxerguei religião como algo que tenta pisar sobre o homem e tirar sua força, sempre com interesses escusos, manipuladora.

— Precisamos somente ter discernimento para separar o joio do trigo. É bom acreditar em algo superior que rege a vida, desde que nos toque e aqueça o coração. Mamãe, depois que perdemos tudo, foi atrás de conforto e encontrou no conhecimento espiritual forças para continuar a seguir em frente. Confesso que não troco a vida que tenho hoje por nada desse mundo, nem pela vida de luxo que tinha.

Uma voz grave, porém melodiosa, disse atrás dela:

— Depois de toda essa conversa, interessei-me pelo assunto.

Natália virou-se e tomou um susto. Deu um passinho para trás e sentiu as pernas tremerem. Américo abriu largo sorriso e estendeu os braços:

— Meu irmão. Quanta saudade!

Os dois se abraçaram e Américo fez a apresentação:

— Natália, esse é meu irmão Adamo que vive na Itália.

Ela esticou o braço e apertou a mão dele. Sentiu um choquinho, uma sensação muito diferente, prazerosa e excitante.

— Prazer.

Natália falou e abaixou a cabeça. Insistia para que as pernas parassem de balançar. Adamo abriu um sorriso lindo, demonstrando os dentes alvos, enfileirados de maneira perfeita. Os lábios eram carnudos e os olhos eram castanhos. Ele era encorpado, mais forte e bem mais moço na aparência do que Américo. O bigode e as costeletas grossas lhe conferiam um ar bem viril. Era um tipo para lá de interessante. Ele fixou seus olhos nos de Natália.

— Confesso estar enfeitiçado. Nunca vi moça tão bela.

Ela corou e Américo pigarreou. Sabia que o irmão era galante e sedutor. Cutucou-o e apontou para Valéria.

— Vá ver sua sobrinha.

Adamo sorriu, deu a volta pela cama e aproximou-se de Valéria. Beijou-a no rosto e ficou a contemplar suas feições delicadas, porém machucadas.

Natália bem que tentou, mas não conseguia desviar os olhos daquele homem. Lembrou-se de quando vira a foto dele num porta-retratos, meses antes.

"Ele é muito mais bonito pessoalmente. Estou gamada" — pensou a jovem, enquanto procurava uma maneira de ocultar o que sentia.

capítulo onze

Fazia mais de quarenta minutos que Olair dirigia seu fusquinha. As meninas, sentadas no banco de trás e segurando suas sacolas, tentavam imaginar para onde estavam sendo levadas.

Arlete não aguentou tamanha ansiedade e perguntou:

— Aonde está nos levando?

— Não interessa. Cale a boca e vá apreciando a paisagem.

Arlete engoliu a raiva. Alzira fechou os olhos e fez uma sentida prece.

O tempo foi passando, o carro entrou na Via Anchieta. Depois de rodar alguns quilômetros, Olair saiu da estrada e seguiu uma placa. Alzira leu e indagou:

— Rudge Ramos?

— É. Vocês estão no ABC.[7]

— Por que tivemos de atravessar a cidade? Não havia pensões mais modestas no centro? — perguntou Arlete.

— Não vão para pensão coisa nenhuma. Pensão é coisa de vagabunda.

---

7 Também conhecido como ABC Paulista ou região do grande ABC, faz parte da região metropolitana de São Paulo, mas com identidade própria. A sigla vem das três cidades que originalmente formavam a região: Santo André (A), São Bernardo do Campo (B) e São Caetano do Sul (C). Atualmente, apesar de não contribuírem para a sigla, fazem parte da região os municípios de Diadema, Mauá, Ribeirão Pires e Rio Grande da Serra.

— Um bom lugar para a Gisele viver, enquanto o casamento do século não sai.

Olair desprendeu a mão direita do volante e o braço voou para trás. As meninas abaixaram a cabeça e ele atingiu o ar.

— Não falem mais uma palavra sequer da minha noiva. Eu paro esse carro aqui na rua e meto porrada nas duas. Agora!

Arlete quis responder, mas Alzira a cutucou e fez um ar de súplica, mexendo negativamente a cabeça para os lados. Arlete abriu e fechou a boca e preferiu não dar continuidade à discussão.

Alguns minutos depois, Olair dobrou uma avenida e contornou uma pracinha, parando numa rua calma, tranquila, com muitas árvores e casas modestas mas bem-arrumadas, com jardins bem cuidados.

As meninas se entreolharam. Arlete disse:

— Nossa, aqui é bem mais bonito do que o lugar onde moramos.

Olair fingiu que não escutou. Abriu a porta do carro, saiu e dobrou o banco do motorista.

— Podem saltar e sair. É aqui que vão ficar.

Elas desceram rapidinho do carro segurando cada uma sua sacola de roupas. Olair deu dois passos na calçada e parou defronte um sobrado bem bonitinho, todo revestido de tijolinhos. As portas e janelas eram brancas. Lembrava uma casinha inglesa, com entrada lateral e um bonito jardim na frente, cheio de flores variadas e que exalavam agradável perfume. Ele ficou pensativo por instantes e tocou a campainha. Alzira perguntou:

— Aqui é uma pensão?

Ele não respondeu e tocou a campainha, novamente. Uma gota de suor escorreu pela testa e uma mancha grande começou a se formar sob seus braços. Olair estava impaciente e parecia muito nervoso.

Uma mulher simpática na casa dos quarenta anos apareceu na entradinha lateral e levou a mão ao peito quando o viu.

— Olair?! É você mesmo? — indagou, aparentando surpresa.

Ele não respondeu e ela foi até o portão. Olhou por cima do ombro dele e viu as meninas. Ao ver Alzira, lembrou-se imediatamente de Josefa. Elas eram muito parecidas. Ela tentou esboçar um sorriso. As meninas continuaram quietas, sem saber o que era aquilo tudo.

Ele foi seco e grosso, como de costume.

— Nunca pensei ver a tua cara de novo. Não estou acostumado a conviver com rameiras. Mas a minha consciência me alertou para trazer as meninas até aqui. Elas precisam de um lar.

— A sua consciência tem um nome: Ariovaldo.

Olair não respondeu e as meninas se entreolharam, assustadas.

— Vendeu a casa? Perdeu a alfaiataria?

— Não lhe devo satisfações.

— Como não? Chega na porta da minha casa, toca a campainha, me chama de rameira e...

Ele a cortou, seco:

— Não quero discutir. Elas que fiquem com você. Se não tiver condições de abrigá-las, mande-as para uma pensão. Mas a minha consciência agora está tranquila. Fiz o que tinha de fazer.

Ele falou, virou o corpo e, sem olhar para as filhas, entrou no carro, deu partida. Contornou a pracinha e o carro desapareceu na curva.

Arlete e Alzira não se mexiam. Estavam se sentindo muito constrangidas com a cena. A mulher apressou-se em abrir o portãozinho e foi abraçá-las.

— Minhas sobrinhas, como é bom vê-las.

— Você é a tia Lurdes? — perguntou Alzira, emocionada.

— Sou eu, sim.

— Ah, não sabe como estamos aliviadas. Pensamos que o pai fosse nos jogar na represa Billings!

Lurdes sorriu e as abraçou novamente.

— Olair é truculento, mas não chegaria a tanto.

— Uma pena minha mãe ter se casado com um homem tão bruto e tão estúpido.

— Sua mãe casou-se com um homem estúpido porque não se dava o respeito. Sempre gostei de Josefa, mas a sua passividade me incomodava. Ela nunca se esforçou para mudar sua atitude e enfrentar o marido. Deu no que deu.

— Mamãe nunca teve opinião própria — emendou Alzira. — Deixava o pai bater nela e na gente. Eu jamais deixaria um homem encostar o dedo em mim. Isso é falta de amor-próprio.

Arlete fez sim com a cabeça, mas estava desconfiada.

— Por que disse há pouco que a consciência do pai se chama Ariovaldo?

Lurdes riu, marota.

— Depois eu lhes explico melhor a história.

— Antes de mais nada — interveio Alzira —, podemos passar uns dias na sua casa até arrumarmos um lugar para morar?

— Imagine! Vocês vão viver comigo.

— Não, tia! — protestou Arlete. — Não queremos invadir a sua privacidade. Nem sabemos se é casada ou...

Lurdes a cortou com amabilidade na voz:

— Sou solteira e vivo sozinha. Tenho um gato branco, que se chama Sorriso.

Lurdes falou e o bichano veio em disparada do quintal. Passou pelas grades do portãozinho de ferro e começou a circular as meninas. Lurdes sorriu:

— Sorriso é danado. Parece humano. E gostou de vocês. Bom sinal.

Arlete abaixou-se e o pegou no colo.

— Oi amiguinho, como vai?

O bichano mexeu o nariz, abriu e fechou os olhinhos e miou.

— Ele está feliz com a chegada de mais gente — emendou Lurdes.

— Não acho justo chegarmos aqui, sem mais nem menos. Nunca nos foi permitido ter contato com a senhora. Mamãe nunca nos contou nada sobre o afastamento de vocês.

— Tenho certeza de que Josefa deve estar por trás disso.

Alzira e Arlete se entreolharam. Arlete tomou a palavra:

— Desculpe informar, mas mamãe morreu faz alguns meses.

Lurdes deixou uma lágrima escorrer pelo canto do olho.

— Eu sei. Estive no enterro.

— Mesmo? — as irmãs fizeram a pergunta ao mesmo tempo.

— Sim. Tenho uma amiga que mora no bairro e sempre me deu informações sobre Josefa e vocês.

— Ah... a senhora é amiga da dona Célia?

— Sim.

— Por isso falou no nome do seu Ariovaldo!

— Somos amigos de longa data. Sei tudo sobre vocês por intermédio deles. Eu acompanhei o crescimento das duas à distância, afinal, Olair não permitia que eu me aproximasse da esposa.

— Mamãe poderia ter insistido. Ela deveria se impor — sugeriu Arlete.

— Sua mãe era uma pessoa muito passiva, submissa, com medo de expressar seus desejos ou mesmo impor sua vontade. Uma pena.

— Eu não sou como ela. Se eu me casar com o Osvaldo, as coisas vão ser bem diferentes! — exclamou Arlete.

— Percebo que ambas são bem diferentes da mãe. Infelizmente Josefa sofria de rejeição, não sabia lidar com os "nãos" da vida. A rejeição não é agradável, mas precisamos aprender a lidar com ela para fortalecer nossa autoconfiança. Talvez a Zefa aprenda isso no mundo astral.

— A dona Célia nos falou sobre o mundo astral. Disse-nos que mamãe não morreu, mas foi o corpo de carne dela que morreu. Mamãe vive em espírito e está se recuperando da doença num hospital — tornou Alzira.

— É isso mesmo. Sua mãe continua viva em espírito e, quem sabe, em breve, poderemos ter contato com ela?

— Será possível? — duvidou Arlete.

— Tudo é possível, minha querida. Agora venham, vamos entrar e conhecer a casa em que vão morar.

As meninas pegaram suas sacolas e entraram. O gato foi acompanhando-as enquanto Lurdes mostrava-lhes os ambientes. Tratava-se de um sobrado modesto, mas muito gracioso, com poucos cômodos, bem ajeitadinho. Lurdes era uma mulher organizada e a casa cheirava a limpeza. Os móveis eram antigos, mas bem conservados. Havia uma sala, uma cozinha, um banheiro e um quintalzinho na parte térrea. Nos fundos, além do quintal, havia um quartinho e uma pequena área de serviço.

Na parte de cima, havia dois dormitórios. O das meninas tinha um guarda-roupa de quatro portas, uma cômoda, uma penteadeira e duas camas. Um criado-mudo separava as camas. Nele, havia um pequeno abajur. A cortina parecia ser nova, num tom rosado. As paredes haviam sido pintadas na cor rosa-bebê.

Arlete continuava desconfiada.

— Este quarto está cheirando a pintura nova. Os móveis são novos. Por que a senhora teria um quarto completo para meninas, com *duas* camas de solteiro?

Lurdes riu alegremente.

— A Zefa me dizia que você sempre foi muito observadora e muito esperta. Está certo. Não vou esconder. Eu sabia que vocês viriam para cá.

— Como?

— Ah — tornou Alzira —, foi a dona Célia quem lhe contou?

Lurdes fez sim com a cabeça. As meninas moveram a cabeça para os lados.

— A senhora é amiga da dona Célia e do seu Ariovaldo há muito tempo? — indagou Alzira.

— Somos muito amigas. Eu, Josefa e Célia fomos amigas de infância.

— Dona Célia nunca nos disse que era amiga de mamãe — comentou Alzira.

— Ou da senhora — emendou Arlete.

— Porque Célia tinha medo de que, se vocês falassem alguma coisa em casa, Olair as proibisse de vê-la.

— Mas por que o pai não queria ela por perto ou nunca deixou que tivéssemos contato com a senhora? — sondou Arlete, curiosa.

Lurdes deu um sorrisinho.

— Vocês são praticamente mulheres e não tenciono guardar meus segredos. Nada de mistérios. Um dia eu vou lhes contar porque Olair me odeia tanto e porque me privou da amizade com sua mãe. No momento, o importante é saberem que Ariovaldo convenceu Olair a trazer vocês para cá. Aqui era um quarto de costura. Eu o desmontei e ajeitei para vocês. Os móveis são bons, comprei em parcelas numa loja de móveis na rua Jurubatuba.

As moças ficaram alegres. Sentaram-se na cama, sentiram a maciez dos lençóis, o perfume dos travesseiros. O armário era até grande pelas poucas roupas que trouxeram.

— É tudo muito bom para ser verdade — Alzira disse, beliscando-se.

— Agora vocês têm um lar de verdade.

Arlete levantou-se da cama e abraçou a tia. Beijou-a várias vezes no rosto. Estava muito emocionada.

— Nunca terei palavras para agradecê-la. A senhora está sendo mais que uma mãe para nós.

— Como aprovaram o quarto, eu quero pedir algo em troca.

— O que é? — indagou Alzira. — Pode pedir o que quiser.

— Não me chamem de senhora. Que tal me chamarem de você? Vamos fazer de conta que eu sou a irmã mais velha das duas, pode ser?

As meninas riram com satisfação.

— Você é muito bonita — observou Arlete.

— Obrigada, querida.

Arlete passou a mão pelo estômago.

— Desculpe, tia, mas estamos sem comer nada. O pai não deixou que tomássemos o café da manhã.

— Deixem as sacolas sobre as camas, depois ajeitaremos e organizaremos tudo. Vamos descer que vou providenciar um bom café com leite para nós.

Lurdes e Arlete tencionaram sair do quarto e Alzira permaneceu sentada sobre a cama.

— Você não vem, irmã?

— Já desço, Arlete. Só um minutinho.

Arlete passou o braço pela cintura da tia e desceram as escadas. Alzira fechou os olhos, sorriu e agradeceu:

— Obrigada, meu Deus. Eu tinha certeza de que tudo iria terminar bem. Obrigada, do fundo do meu coração.

Um espírito em forma de mulher acariciou-lhe os cabelos e beijou-lhe a testa.

— Querida Alzira, eu não podia ficar ao seu lado porque a energia que pairava sobre sua casa era densa e me repelia naturalmente. Os pensamentos mesquinhos de Olair unidos aos pensamentos negativos de Gisele não me permitiam um contato mais próximo. Agora, estaremos cada vez mais juntas. Nada será capaz de nos afastar. Eu a amo muito.

Lolla falou e sumiu no ar. Alzira sentiu uma forte emoção e deixou uma lágrima rolar pela face. Sentiu indescritível sensação de bem-estar.

capítulo doze

Fazia pouco mais de três meses que Valéria deixara o hospital. Ela se recuperou rapidamente dos ferimentos e das escoriações pelo corpo. Fez algumas sessões de terapia e, aos poucos, foi superando o trauma do acidente. Ela estava se recuperando, mas sentia um cansaço sem igual.

Valéria também tinha pesadelos com o acidente. Nele, ela discutia com Dario e depois via nitidamente, na sua frente, o semblante de Tavinho. Em seguida ela abria a porta do carro, rolava o asfalto e Tavinho tentava ampará-la. Valéria gritava e acordava.

Natália estava sempre presente, ajudando a amiga a vencer todo aquele tormento.

— Você precisa reagir, Valéria.

— O que me intriga não é sonhar com o acidente, mas Tavinho aparecer na cena. Não tem nada a ver.

Natália sentiu um arrepio percorrer-lhe o corpo.

— Eu sinto que tem a ver.

— Imagine, Natália — tornou Valéria, mexendo a cabeça para os lados — Tavinho morreu faz anos.

— Eu já lhe disse que o corpo de carne da gente é que morre. O espírito se desprende do corpo físico e continua mais vivo do que nunca.

— Eu não sinto mais nada pelo Tavinho. Nada. Por que pensaria nele?

— Você pode não estar mais afim dele, mas quem garante que ele ainda não goste de você?

— Vire essa boca para lá — Valéria bateu três vezes sobre a madeira da mesinha de cabeceira. — Espero que Tavinho esteja bem longe daqui. Acaso você sente alguma coisa?

Natália fechou os olhos por instantes, inspirou e soltou o ar. Depois os abriu e sorriu:

— Engraçado, eu não percebo o espírito de Tavinho aqui, tampouco de Dario. Mas sinto uma presença. Não sei identificar.

— Presença boa ou ruim? — indagou Valéria, desconfiada.

— Boa. Muito boa. Boa demais.

— Você tem facilidade em lidar com esses assuntos espirituais, Natália. Veja se percebe mais alguma coisa, vai?

Natália fechou os olhos e em sua mente apareceu um jovem muito bonito. Os olhos eram de um verde profundo, os cabelos eram abundantes e sedosos, e o sorriso era encantador. Transmitia amor, puro amor. Ela sorriu e abriu os olhos:

— Tem um espírito de homem ao seu lado. De um homem bem bonito, aliás.

Valéria riu.

— É?! Bonito mesmo? Assim como o Pedrinho Aguinaga?

— Mais ou menos.

— Será que você está vendo meu futuro namorado?

— Não sei — respondeu Natália. — Pode ser. Em breve você vai para a Itália e fará o que mais gosta: estudar decoração. Vai saber se não vai se apaixonar por um colega de classe? Um italiano assim, alto, forte, um belo *maschio*.

As duas riram a valer.

Ficaram um bom tempo falando sobre o futuro, sobre os sonhos de cada uma. Valéria, num determinado momento, comentou:

— Eu bem que tento, mas algo estranho está acontecendo comigo. Será que estou com alguma perturbação espiritual?

Natália moveu a cabeça para os lados, numa negativa.

— Não sinto que haja perturbação. Eu havia sentido uma presença de homem, mas era algo doce, terno. Nada que pudesse perturbar você.

Valéria ficou pensativa por instantes.

— Talvez tenha sido o almoço e o telefonema da Marion. Meu estômago não aguentou.

Natália sorriu com desdém.

— Marion continua ligando para você?

— Quando o Tomás veio me visitar, ela teve um ataque de nervos.

— Hum, o Tomás veio aqui? Quando?

— Semana passada. Foi muito simpático, bastante educado.

Natália espremeu os olhos.

— Olha lá. O Tomás sempre teve uma queda por você, Valéria. Até hoje não entendo por que não deu bola para ele. Tão simpático, tão responsável.

— Vou confessar algo: senti um friozinho na barriga quando ele entrou no quarto.

— Hum — Natália sorriu alegre. — Tomás é um partidão.

— Passei por tantos problemas ultimamente. Não sei se gostaria de começar uma nova relação. Ainda me sinto insegura. E, para piorar o quadro, parece que ele ainda está namorando a Marion.

— Não posso crer! Marion estava interessada no Dario. Pensei que esse namoro com o Tomás estivesse com a data de validade vencida.

— Negativo. No dia do acidente, Marion me confessou que estava interessada no Dario, mas não abria mão de Tomás.

— Tomás não combina em nada com a Marion. Eles são como azeite e vinagre, não podem se misturar.

— Mas continuam juntos, sim. Tanto é verdade que Marion não para de me ligar porque ficou irritada de Tomás vir aqui sozinho.

— Ela não se emenda. Essa garota é petulante, mimada. Um nojo. Como pode ser tão fútil?

— Quer porque quer me visitar.

— Vocês nunca foram amigas — protestou Natália.

— Ela é insistente. Marion tem um gênio terrível, é voluntariosa, nervosa. Um nojo, como você mesma disse. Ela ligou para informar que vem aqui em casa mais tarde.

— Pelo que soube, ela foi convidada para fazer uma ponta num filme americano.

— Por isso não desgruda do Tomás. A família dele é bem relacionada com o pessoal do cinema americano. Marion não ama Tomás, entretanto fica grudada nele para conseguir se tornar uma estrela.

— Uma estrela — Natália riu com desdém. — Só se for uma estrela cadente. Aquela mulher não tem brilho, não tem carisma.

— Mas é bonita, não podemos negar — ajuntou Valéria.

— Beleza não dura para sempre, amiga. Um dia Marion vai envelhecer e sei lá o que pode lhe acontecer.

— Gostaria que você estivesse ao meu lado quando ela chegar. Podemos dispensá-la rapidamente.

Natália nada disse. Achou o pedido de Marion muito estranho. No entanto, preferiu não argumentar. Valéria andava bastante indisposta e no mês seguinte seguiria viagem para a Itália. Ela sentiria muito a falta de Valéria, mas o curso durava três anos e o tempo passava rápido.

— Como anda a faculdade? — perguntou Valéria.

— Estou adorando, fazendo o curso certo.

— Será uma ótima arquiteta.

— Sei disso.

— Quem sabe não seremos sócias no futuro? Montamos o nosso escritório, você toca os projetos e eu decoro as casas, as lojas, os escritórios...

— Adoraria.

A conversa seguiu animada. Uma das empregadas bateu na porta e anunciou que Marion estava no saguão de entrada.

— Foi só falar nela!

Valéria suspirou, contrariada:

— Melhor eu recebê-la agora.

— Vou me retirar.

— De jeito nenhum — protestou Valéria. — Quero você ao meu lado, já disse. Esta casa é minha e você fica. Marion que se atreva a pedir para você sair. Eu volto a ser a Valéria de sempre e boto ela pra correr.

Natália riu entusiasmada. Contudo o riso durou pouco. Muito pouco. Marion entrou no quarto. Estava acompanhada de Adamo. Natália sentiu a saliva desaparecer da boca.

Depois de se conhecerem no hospital, Natália encontrava Adamo quando ia visitar Valéria. Ele estava hospedado na casa e só iria embora com a sobrinha a tiracolo.

Natália sentia os olhos de Adamo cravados nela, mas acreditava ser imaginação de sua parte que ele estivesse interessado. Para não dar bandeira, ela o tratava com seriedade. Deixava de ser espontânea e, dessa forma, Adamo entendia que ela não estivesse sentindo nenhuma atração por ele.

"Puro engano" — ela disse para si. "Adamo é o homem que sonhei ter ao meu lado, para o resto da vida."

Marion entrou no quarto de maneira efusiva, puxando Adamo por um braço e chacoalhando o outro, com uma revista nas mãos.

— Olhem bem, prestem atenção!

Jogou a revista sobre o colo de Valéria.

— O que é isso?

— O passaporte para o meu estrelato.

Valéria pegou a revista e viu a capa.

— Você saiu pelada?

— Pelada não — respondeu Marion, com a maior tranquilidade. — Posei. Fiz uma sessão de nu artístico.

— Nu artístico, sei — disse Natália, com desprezo.

— A *Status* é uma revista de nível.

— E sair pelada numa revista garante o passaporte para o estrelato? Quem disse? — indagou Valéria.

— As grandes estrelas do cinema começaram assim — argumentou Marion, num muxoxo, levantando os ombros. — A Marilyn Monroe, por exemplo. E tem artista que fez coisa bem pior. Eu estou muito feliz. O país inteiro me deseja. Sou linda, gostosa e... rica! Acabei de fazer uma ponta num filme de pornochanchada.

— A conversa está agradável demais — ironizou Natália —, mas a que devemos a honra da grande estrela pornô?

— Engraçadinha. Pode tripudiar sobre mim, porque o que vem de baixo não me atinge — Marion rodopiou pelo quarto e sentou-se ao lado de Valéria. — Adamo estava me ajudando a construir meu novo nome.

— Novo nome? Como assim? — indagou Valéria, sem entender.

— Meus pais estão um pouco nervosos com as fotos e com a "ponta" que eu fiz no filme brasileiro.

— Também pudera, Marion. Você não acha que passou dos limites?

— Só porque eu apareço nua, correndo na praia. Pode? Olha que bobagem? Meus pais são muito caretas. Marion Albuquerque de Miranda não é nome de estrela. É aristocrático. Não vende.

— E Adamo chegou a uma conclusão? — perguntou Valéria, olhando para o tio.

Adamo sorriu desconcertado.

— Dei umas dicas, mas não sou lá muito criativo. Eu vou deixá-las a sós. Preciso resolver alguns assuntos. Não se esqueça de que vamos embora mês que vem.

— Ah! — Marion fez biquinho. — Vou sentir tanto a sua falta, Adamo.

— Você tem o Tomás para suprir a falta dele, queridinha — contrapôs Natália, alterada.

— Tem gente demais neste aposento, Valéria. Queria tanto ficar a sós com você...

Valéria olhou para Natália e mordiscou o lábio. Adamo aproximou-se e a puxou delicadamente pelos ombros:

— Melhor deixarmos as meninas a sós, Natália.

— Melhor ficar com Valéria.

— Eu não vou matá-la, fofa — zombou Marion. — Vou falar sobre os meus planos futuros. Agora veja se me deixa a sós com ela. Vá fazer sala para o Adamo, vai.

Natália ia retrucar e Adamo a levou para fora do quarto.

— Por que fica tão nervosa na frente de Marion? — perguntou ele, intrigado.

— Por nada — respondeu Natália, ainda irritada. — Vamos descer.

— Precisamos de um chá.

— Precisamos nos livrar dessa infeliz.

Adamo mexeu a cabeça para os lados.

— Venha, vou pedir para nos prepararem um chá. Você me acompanha?

Natália corou e fez sim com a cabeça.

Enquanto desciam as escadas, no quarto de Valéria a conversa corria solta.

— Eu vou me chamar Marion Krystal.

— Sério?

— É. Meu agente foi quem sugeriu. Para as pessoas fazerem associação com a Sylvia Kristel.[8]

— O filme dela foi proibido no país, Marion.

— E daí? Todo mundo se interessa pelo proibido. O filme pode ter sido vetado nos cinemas, mas todos conhecem a atriz. Eu vou seguir a carreira cinematográfica. Agora que posei nua, não paro de receber convites. Começo a sentir o gosto do sucesso.

— Mas o sucesso, nessas circunstâncias, é efêmero — adiantou Valéria.

— Vou aproveitar a minha juventude.

— Um dia você vai envelhecer.

— Vou envelhecer, mas serei sempre linda. Vou me cuidar, fazer exercícios, dieta, usar cremes caros que retardam o envelhecimento. O dinheiro me manterá sempre linda e jovem.

— Acho difícil segurar-se tão somente na beleza. Não acredita que é muito pouco, muito superficial?

— O mundo é superficial — tornou Marion. — Eu sou superficial. Viver é isso. Eu nasci linda e rica. Vou morrer linda e rica.

— Não pensa em conhecer melhor a si mesma e...

Marion a cortou com um gesto rápido de mão.

— Tudo besteira, papo furado. O que conta no mundo é a beleza, a pele sedosa, a audácia de participar de um filme erótico. Eu nasci para ser uma estrela.

— Que você tenha sorte.

Marion deu uma risadinha, levantou-se da cama. Deu um novo rodopio sobre si mesma.

---

8 Sylvia Kristel, nascida em 1952, foi a atriz mais famosa do cinema europeu na década de 1970. Tornou-se conhecida mundialmente interpretando a personagem principal na série de filmes eróticos *Emmanuelle*.

— Sabia que vou ficar noiva do Tomás?

— Estava desconfiada.

— Não gostei de ele ter vindo aqui, sozinho.

— Por quê? Achou que eu iria devorá-lo?

Marion engoliu a raiva.

— Não. Claro que não, mas...

— Mas o quê, Marion? — perguntou Valéria, alterada. — Você parece que me persegue. Sempre quis ter meus namorados ou paqueras.

— Eu?!

— Sim. Comecei a namorar o Tavinho na escola e você correu atrás dele. Depois namorei o Dario e você também correu atrás dele.

— Grande coisa. Parece que todos seus namorados morrem. Será que você vai se tornar uma autêntica viúva negra?

— Sem graça.

— É. Parece que é de propósito. Quando você não se interessa mais por eles e eu os quero, morrem.

— Que maneira mais cretina de expor sua opinião.

— Cretina nada, Valéria. Somos da mesma laia. Eu manjo você. Agora a situação inverteu. Você quer o meu namorado. Ou melhor, meu futuro noivo.

— Tomás? Não.

— Ele é rico, faz parte do nosso círculo social. É um partidão.

— Isso não tem nada a ver. Tomás é um amigo.

— Um amigo que sempre babou por você.

— Ora essa...

Marion a cortou de maneira seca.

— Pensa que nunca reparei?

— E daí, Marion? Pode ficar com ele.

O clima não estava lá muito bom. Marion tornou, irritada:

— O pai do Tomás conhece uns produtores de Hollywood.

— Agora entendi o motivo desse noivado.

— É. O Tomás vai ser a estrada dos tijolinhos amarelos que vai me conduzir ao estrelato.

— Você está usando o Tomás.

— Estou. Por isso que você não vai chegar perto dele, pelo menos agora.

— Que coisa mais pequena. Usar uma pessoa para conseguir seus intentos.

— O mundo é dos espertinhos, Valéria. Sabe — ela falou, enquanto tentava tirar o esmalte vermelho de uma unha — eu vou usar o Tomás do jeito que quiser. Ele é bonito, mas fraco e altamente manipulável.

— Ele não é tão burro. Se perceber que você não o ama...

Marion gargalhou.

— Amor? Ah, eu havia me esquecido. Você é daquelas pessoas que acreditam no amor! Santa ignorância.

— Tomás ainda vai perceber esse seu interesse escuso.

— Quando ele perceber já vai ser tarde. Acha que na América eu não vou ser cortejada por algum figurão do cinema? Eu troco o Tomás na hora. Com esse corpo — Marion passou a mão pelo corpo cheio de curvas — sempre serei desejada.

— Estou cansada. Importaria de se retirar?

— Eu não queria ficar muito aqui, mesmo. Vim só para lhe dar o aviso. Não se meta com o Tomás.

Marion falou com os olhos injetados de fúria. Apanhou a revista sobre a cama e caminhou apressada até a porta. Bateu-a com força.

Valéria sentiu súbito mal-estar. Deitou-se na cama. Estava indisposta. Muito cansada e indisposta.

capítulo treze

Marion desceu as escadas rapidamente. Passou pelos empregados de peito empinado e dobrou até alcançar a copa.

— Adamo, eu já vou.

— Não quer ficar para o chá?

— Não gosto de chá. E não gosto de determinadas companhias — falou, olhando duramente para Natália.

— Os incomodados que se mudem.

— Já estou de saída. Antes — Marion passou o braço sobre o pescoço de Adamo — queria lhe entregar esse exemplar. Vou autografar com meu novo nome.

Adamo nada falou. Natália levantou-se, alterada.

— Vou até a cozinha ver se o chá está pronto.

Marion pegou uma caneta da bolsa e escreveu sobre a capa da revista. Depois a entregou a Adamo e o beijou no rosto.

— Se eu não precisasse do Tomás para me dar bem na América, juro que me deitava com você. Que pena.

Ela sussurrou no ouvido dele, levantou-se e saiu, batendo o salto. Adamo sorriu e balançou a cabeça para os lados.

— Essas mulheres! — disse alto.

— Falando sozinho? — Natália aproximou-se trazendo a bandeja com bule e duas xícaras.

— Fico espantado com a vaidade humana. A vaidade castiga e dificulta, atrasa a caminhada do nosso espírito na direção do bem maior. Pobre Marion.

— Ela é muito fútil.

— Contudo não a condeno. Cada um sabe o melhor que faz. E, além do mais, plantamos o que semeamos. Em vez de julgar, torço para que Marion tenha a chance de rever suas crenças e mudar sua postura, antes que seja tarde.

— Eu não gosto dela. Só de ela ter passado por aqui peguei suas energias ruins.

— Você se envolve facilmente com a energia dos outros.

Natália sentiu o rosto enrubescer.

— Como assim? Não estou entendendo.

Adamo esperou ela se sentar e serviu o chá. Depois de bebericar o líquido quente e saboroso, disse, num tom sério:

— Tenho estudado o mundo das energias e como elas nos influenciam.

— Li alguma coisa a respeito. Mas não me envolvo assim tão facilmente com a energia das pessoas. É que nasci com muita sensibilidade e capto fácil tudo o que as pessoas pensam. Sou uma esponja!

— É uma esponja porque quer. Cabe a cada um de nós selecionar o que entra e o que não entra em nosso campo áurico. Não há vítimas no mundo.

Natália tentou dissimular:

— Não estou dizendo que sou vítima, mas sofro com a mente ruim dos outros.

— Você se deixa envolver, sim. Vi como ficou perturbada com a presença de Marion.

— Ela é terrível — tornou Natália. — É uma pessoa mesquinha, fútil e que só pensa na beleza do corpo. De que adianta ser assim? O corpo envelhece e o que vale mesmo é o espírito.

— Eu não tenho nada contra a beleza do corpo.

— Acaso acha Marion uma mulher bonita?

— Claro! — falou Adamo, com sinceridade.

— Não posso crer! — exclamou, contrariada.

— Marion é linda. Isso não podemos negar. Se ela usa a beleza para conseguir as coisas e se acredita que só por meio da beleza é que vai ter tudo o que quer, isso é um problema dela, das ideias dela, da maneira como seu espírito vem vivendo ao longo de algumas encarnações. Quem sou eu ou você para apontar o dedo e dizer o que está certo e errado?

— A maneira como ela age não tem nada de espiritual. Isso me irrita.

— Por que você se irrita? Ela irrita você ou você se irrita com ela?

— Dá na mesma.

— Não — continuou Adamo, sério. — Fomos criados como vítimas. Culpamos Deus e o mundo pelos nossos infortúnios. Outros, ainda, jogam a culpa de seus fracassos nas encarnações passadas.

— Isso é verdade.

— Não é bem assim. Claro que hoje somos um produto de todas nossas existências passadas. Mas não podemos creditar ao passado tudo de ruim que nos acontece. Dessa forma, se o passado interferisse tanto assim em nossa vida, caso fosse o único a influenciar decisivamente nossa encarnação atual, não vejo motivo para estar tendo uma nova chance de reencarnar. Somos perfeitos no nosso grau de evolução. Estamos aqui no planeta por dois motivos.

— E quais são? — perguntou Natália, enquanto bebericava seu chá.

— Para aprendermos a ser impessoais e, com isso, alcançar mais facilmente a nossa felicidade. Reencarnamos para a felicidade.

— Eu sou impessoal.

— Não é. Você se deixa levar pelos outros. Se a pessoa está irritada, você fica irritada. Se a pessoa lhe diz algo de que não gosta, você se fecha e se machuca. Ora, não podemos ficar à mercê das influências das pessoas. Nós somos o comandante de nosso corpo, de nossa mente, de nosso espírito. Temos de impor a nossa vontade acima de tudo. Se alguém pensa diferente de você, precisa aprender a entender que cada um tem o direito de ser e falar o que quiser.

— É que...

Adamo a cortou.

— Escute, Natália. Você não pode se deixar influenciar pelos outros. Precisa aprender a ser firme, a ser dona de seus pensamentos e não permitir que a energia dos outros invada você de maneira tão fácil. Precisamos criar nossas barreiras energéticas para combater a negatividade do mundo. Está na hora de criar um campo magnético positivo ao seu redor, a fim de ter consciência do seu poder de reger a própria vida.

— Aprendi que tenho de ser solidária à dor do outro. Eu me envolvo. Se minha amiga Valéria fica triste, eu também fico. Eu sou assim.

— Um problema sério para seu amadurecimento espiritual, porque nunca estará bem o suficiente para ajudar sua amiga e, acima de tudo, ajudar a si mesma.

— Não posso evitar. Eu gosto da Valéria.

— Pelo fato de gostar da sua amiga é que precisa ser impessoal. Muitas pessoas confundem impessoalidade com frieza de sentimentos. Não é nada disso. Impessoalidade é não se misturar à energia do outro. Se o outro não está bem, eu preciso estar bem para ajudá-lo. De que adianta eu também ficar mal? Vai ajudar em quê? — Adamo suspirou e disse: — A coragem de se ver e de se bancar é o segredo da evolução. Feche os olhos.

Natália pousou a xícara sobre a mesa. Ajeitou o corpo sobre a cadeira e fechou os olhos.

— Comece a dizer para si mesma, com força: "Eu decreto o meu poder".

Natália repetiu:

— Eu decreto o meu poder.

— Quem manda em mim sou eu.

E ela repetiu. Adamo falou algumas frases de impacto positivo e depois tocou levemente na mão dela.

— Por ora é só. O seu padrão energético já mudou.

— Nossa, parece que eu tirei um peso das costas.

— Você estava ligada a outras pessoas, por conta dos pensamentos conturbados.

— Desculpe-me. Eu não devia ter me irritado com a Marion.

— Não precisa pedir desculpas. Você se irritou porque leva tudo para o lado pessoal. Quando aceitamos os desaforos do mundo, ficamos perturbados. Quando você está perturbada, a perturbação aumenta. Quando você está equilibrada, a perturbação não entra.

— Tem um jeito bem diferente de ver a vida.

— Aprendi na marra. Eu sempre tive uma sensibilidade aguçada e captava todo tipo de energia, boa ou ruim, de encarnado ou desencarnado.

— Nossa, parece eu!

— E eu só me machucava. Achava que tinha de sofrer por conta de débitos do passado. Daí fui estudar mais profundamente a espiritualidade e aprendi que eu sou o responsável por tudo de bom ou de ruim que me acontece.

— Isentar o mundo das culpas não é uma saída digna.

— E culpar o mundo pelos seus infortúnios acaso é digno? — Adamo perguntou, de maneira séria.

Natália estremeceu.

— O mundo nos causa muito sofrimento.

— Vamos mudar a maneira de olhar para essa situação: Você sofre porque se deixa levar pelo sofrimento do mundo. Ou seja, você se deixa afetar porque quer.

— Fala como se eu fosse uma irresponsável. É a minha sensibilidade...

— A sensibilidade é um dom. Conhecê-la e usá-la a seu favor só vai fazê-la crescer no mundo. A sensibilidade é um prêmio e não um infortúnio.

— Aprendi diferente.

— Pois desaprenda — tornou Adamo, firme. — Use a sua força para seu crescimento e para sua felicidade e jamais para lhe causar dor.

— Acho que preciso rever todo o meu padrão de crenças.

— Concordo. Se permanecer pensando e agindo dessa forma, como uma vítima do mundo, vai sofrer desnecessariamente.

Percebo que você é uma jovem bonita, talentosa e inteligente. Precisa, primeiro de tudo, acabar com a crença de que sofrer é bom e faz crescer. Sofrer dói muito. Não prefere crescer na vida por meio da inteligência, em vez da dor?

Aquelas palavras tocaram fundo em Natália. Adamo falava tudo ao contrário do que ela aprendera ou considerara válido como crença. A dor e o sofrimento, acreditava, eram ferramentas importantes e úteis para sua evolução espiritual. Adamo agora sugeria que tudo era uma questão de ponto de vista. A sua mente entrou em choque e, depois dessa conversa com Adamo, Natália passaria a ver a vida com outros olhos.

capítulo quatorze

Olair estava se sentindo o homem mais feliz do mundo. Havia se livrado daqueles dois estorvos. Nunca gostara mesmo das filhas e agora se via livre para viver feliz ao lado da amada.

Tudo era feito para agradar Gisele. Pintou e redecorou a casa, comprara novos móveis, eletrodomésticos, tudo do jeito que ela queria. Torrou dinheiro até na compra de uma televisão colorida, algo caro e presente em poucos lares na época.

— Não acha que está gastando demais, homem? — perguntou Ademar, um de seus clientes.

Olair respondia com um sorriso que ia de canto a canto:

— Guardei dinheiro a vida toda e agora posso me dar ao luxo de gastar com a minha nova esposa.

— Ei, mas você mesmo disse que não tinha dinheiro para pagar um médico particular para Josefa.

— Eu menti. Acha que eu ia gastar dinheiro com aquela doença ruim? A Zefa estava condenada, ia morrer mesmo. Por que iria torrar meu dinheiro ganho à custa de tanto trabalho com uma esposa moribunda?

Ademar meneou a cabeça.

— Olair, que coisa feia. A Josefa foi uma ótima esposa. Sempre cuidou da casa, das meninas. Sempre foi muito reservada, discreta.

— E vivia às minhas custas. Eu colocava comida na mesa. Se ela tomava banho quente e tinha uma televisão para assistir aos seus programas, era porque eu pagava a conta de luz. Eu pagava por suas roupas, eu pagava por tudo! Ela não fez mais do que a obrigação. E, se quer saber, fez muito pouco. Não sinto falta dela.

— Nem das suas filhas?

— Não. Arlete e Alzira sempre foram uma pedra no meu sapato. Atrapalharam a minha vida. Se eu não as tivesse colocado no mundo, teria conseguido juntar mais dinheiro. Mas tive de gastar com material escolar, roupa, uniforme, mais comida na mesa... — Olair fez uma pausa, tragou seu cigarro e prosseguiu — Elas me custaram muito caro. Fico muito feliz de elas estarem bem longe daqui.

Ademar deu de ombros. Conhecia Olair havia muitos anos e sabia que o homem era esquentado, nervosinho e turrão. Não gostava de ser contrariado e sua palavra era lei. Procurou mudar o tom da conversa.

— Está feliz com Gisele?

— Muito — Olair era todo sorriso. — Essa é uma mulher com "m" maiúsculo, meu amigo. Faz todas as minhas vontades e está sempre pronta para o amor. Todas as noites se entrega para mim.

— Ela cuida da casa?

— Imagine! Está louco? E eu quero uma mulher cheirando a água sanitária? De maneira alguma. Quero Gisele sempre limpa, bem-arrumada e perfumada, com suas enormes unhas vermelhas, para arranhar as minhas costas. Eu contratei uma empregada doméstica para o serviço pesado.

— Vejo que agora você se tornou outro homem. Quem te viu e quem te vê! — exclamou Ademar.

— O tempo passa, a gente envelhece, mas vai ficando mais esperto. Eu fui usado e fiquei estagnado na vida por conta de três mulheres que nada me deram. É como se eu tivesse parado no tempo, esses anos todos.

— Para onde foram suas filhas?

— Deixei com uma parente lá dos lados de São Bernardo — Olair não suportava falar na irmã. Tinha pavor de se lembrar da vergonha que passara com Lurdes, anos atrás.

“Aquela desgraçada merece queimar no inferno” — pensou, entre dentes.

— Então agora é só a nova esposa?

— Só. Sabe que até penso em lhe dar uma viagem de presente? Um cliente rico lá do Jardim França me disse que os grã-finos estão viajando para Bariloche. Penso em parcelar uma viagem para nós dois.

— Olha, Olair. Estou impressionado com tanta devoção. Espero que esse amor dure um bom tempo.

— É para toda a vida — respondeu ele, sério. — Gisele me ama e vamos viver muitos anos juntos.

— Que assim seja.

O cliente terminou de fazer a prova do terno, vestiu-se e foi embora. Já era perto das sete da noite e hora de fechar a alfaiataria. Olair apagou as luzes, cerrou a porta de ferro e meteu o cadeado. Dobrou a esquina e passou na padaria. É que Gisele não gostava — e não sabia — cozinhar. Dizia que era chato ter de preparar comida e ficar com cheiro de tempero.

Olair concordava e virara hábito: todas as noites ele passava na padaria, pegava uns pãezinhos, um pouco de presunto e mussarela, uma garrafa de guaraná. Chegava em casa cansado, mas feliz.

Ele contornou o portãozinho de ferro e subiu o degrauzinho. Quando foi colocar a mão na maçaneta, a porta abriu-se e Rodinei saiu, sério.

— Rodinei! — Que surpresa.

— Olair, eu vim conversar com a Gisele sobre a casa. Ela está me pressionando e...

Olair o cortou com amabilidade na voz:

— Bobagem. Ela está assim porque quer que você nos passe a escritura.

— Vou providenciar isso para o mês que vem, pode ser?

— Claro. Ô Rodinei, você é como um irmão para mim. Se eu não confiasse em você, nunca teria passado a casa em seu nome, só para as minhas filhas não terem direito a herança, a nada.

Rodinei deu uma risadinha e seu dente canino de ouro resplandeceu.

— Esperto você, meu amigo. Aproveitou que Josefa estava mal. Eu me lembro do dia em que você a fez assinar a escritura.

— Josefa achou que era um documento de seguro de vida para as meninas. Ela era tonta, bobona, não se atrevia a me contrariar. Mas, graças a você, meu querido, eu consegui ficar com esse imóvel só para mim.

— E para sua nova esposa, certo? — emendou Rodinei.

— Claro, para a Gisele.

Rodinei se despediu e foi embora. Olair entrou em casa, colocou os pacotes da padaria sobre a mesa da cozinha. Gisele estava tomando banho.

— Tomando banho a essa hora, querida?

— Rodinei ficou empatando o meu tempo, amorzinho. Desculpe eu me banhar só agora. Sei que você não gosta e...

Gisele não terminou de falar. Foi tomada por grande surpresa. Olair arrancou as roupas, empurrou a cortina do banho e entrou no quadradinho minúsculo.

— Quero amá-la agora!

Gisele sorriu e fechou os olhos.

"Até quando vou ter de me entregar a esse pateta? Detesto esse homem sujo e com bafo horrível. Só estou fazendo esse esforço porque o Rodinei pediu" — disse para si.

Olair continuava se fartando com a esposa, e ela fingia prazer. Continuava a pensar:

"Rodinei é que é homem. Acabou de sair daqui e me deixou tonta de tanto prazer que me deu. Agora tenho de fingir prazer com esse zé-ninguém. Não vejo a hora de pegar a casa para mim e colocar esse infeliz na rua. Vou fazer o mesmo que ele fez com as filhas."

Gisele estava cansada. Havia passado quase a tarde toda nos braços de Rodinei. Não tinha a mínima vontade de continuar naquela esfregação. Apanhou o pote de xampu e virou propositalmente nos olhos de Olair.

— Ai! Meus olhos estão ardendo.

— Ai, amorzinho, desculpe — disse ela, num tom infantil e fingido. — Eu me atrapalhei. Perdão. Enfia os olhos embaixo da água.

Gisele se desgrudou do brutamontes e apanhou uma toalha. Entregou-a ao marido.

— Pronto, Olair. A dor vai passar. Vamos continuar.

— Perdi a vontade. Meus olhos estão doendo. Vai preparar a mesa. Comprei pão e frios.

Gisele sorriu. Conseguira seu intento. Enxugou-se, vestiu uma calcinha e uma camisola. Foi até a cozinha e arrumou a mesa. Preparou os lanches, encheu um copo com guaraná e sentou-se na cadeira.

— Vou esperar mais um mês e dar o bote. Vou tirar tudo desse velho ordinário — falou entre dentes, enquanto mastigava seu lanche de boca aberta.

Fazia dias que Gisele estava eufórica. Agora finalmente iria concluir seu plano diabólico. E que plano era esse?

Voltemos um pouquinho no tempo, na época em que Josefa adoecera. Gisele saíra da cidade de Aquidauana, no Mato Grosso do Sul — naqueles tempos, a cidade ainda fazia parte do estado do Mato Grosso — para tentar a vida na cidade grande. Tentou Cuiabá, Belo Horizonte, Rio de Janeiro e, por fim, chegou a São Paulo. Depois de uns trabalhos aqui e ali, conheceu Rodinei.

Gisele se apaixonou perdidamente pelo dono do boteco. Rodinei era nordestino, rosto duro e marcado por furos de acne e cabra-macho até o último fio de cabelo. Numa conversa com o rapaz ela ficou sabendo que Olair, o dono da alfaiataria, estava com a esposa muito doente, morrendo de câncer.

— Ela tá com doença ruim. Falaram aí na redondeza que é cancro — disse Rodinei.

— Eu tive uma tia que pegou essa doença e também morreu — comentou Gisele.

— O homem está nervoso. Se a esposa morrer, metade da casa será das filhas. Ele não quer dividir a casa com ninguém.

— Por quê?

— Porque disse que lutou muito pra conseguir tudo o que tem, que nenhuma das filhas ajudou ele em nada. O homem acabou de juntar aí um dinheiro e quitou a casa junto ao BNH. Eu acho que Olair tá certo.

Gisele botou a cabecinha para pensar. E veio a ideia brilhante:

— Por que não se oferece para ficar com a casa?

— Que é isso, Gisele? E eu sou homem de ter dinheiro pra comprar uma casa?

— Esse sobradinho deve valer pouca coisa.

— Mesmo assim, eu não tenho dinheiro. Moro nos fundos do bar.

Um brilho malicioso perpassou os olhos de Gisele.

— E se ele passar a casa para você como se a tivesse vendido?

— Não entendi.

— É simples. Você se oferece como comprador. Vai ao cartório, o Olair passa a escritura em seu nome e, depois que a velha morrer, você e eu ficamos com a casa. Tudo de fachada.

— Ele não vai ser idiota de passar a casa assim, de mão beijada.

— Você mesmo disse que Olair não quer dividir a casa com as filhas. Tenho certeza de que ele aceitaria fazer o negócio, e digo mais: ele vai agradecer a você por ter se oferecido para emprestar o nome.

— Não sei. Depois o homem pode ir à delegacia, fazer boletim de ocorrência e provar que nunca recebeu um tostão pela casa. Quero distância da polícia.

— Bobinho — disse Gisele. — Olair não terá como provar nada. E se quiser ir à justiça, do jeito que ela é lenta, nunca vai conseguir ter a casa de volta.

— Você é minha rainha e deve ser bem tratada. Juro que faria de tudo para te dar conforto.

— Então bota a cabeça pra funcionar.

— Não é má ideia. Uma casinha caída do céu, sem ter de pagar nada... estou começando a gostar.

Gisele sorriu de maneira maliciosa e atirou-se sobre Rodinei. Fez tudo o que ele gostava em matéria de amor e convenceu o moço a aceitar o plano. Era tudo simples. Ela se aproximaria de Olair e daria bola para o homem. Depois que Josefa morresse, eles se casariam. Passado um tempo, Gisele pediria a separação e iria viver com Rodinei, na casa que seria deles. E, obviamente, Olair que se danasse.

Tudo correu conforme o planejado. Josefa assinou a venda da casa e morreu uns meses depois. Olair caiu feito um peixinho na rede de Gisele. Apaixonou-se pela loira falsificada e casaram-se.

Agora era chegado o momento de revelar a verdade a Olair e pedir a separação. Gisele estava cansada de viver com aquele homem sujo e de modos grosseiros. Não via a hora de viver ao lado de Rodinei, o homem que amava de verdade.

capítulo quinze

A vida transcorria tranquila e os dias pareciam cada vez melhores para Arlete e Alzira. A companhia de Lurdes lhes fazia imenso bem. Aos poucos foram se adaptando à nova rotina.

Na semana que chegaram à casa de Lurdes, Arlete ligou para Osvaldo e lhe contou o ocorrido. O namorado foi ao encontro delas e conseguiu um emprego de datilógrafa para Arlete, numa montadora de veículos ali mesmo em São Bernardo.

Com o passar dos meses, Lurdes notou o dom de Alzira para cozinhar e encorajou a sobrinha a fazer doces e salgados para vender. Em pouco tempo, a vizinhança e os colegas de trabalho de Arlete faziam pedidos. Como diziam, Alzira tinha mãos de fada.

Num sábado, Osvaldo passou para buscar Arlete em casa. Iriam ao cinema para assistir ao eletrizante *Tubarão.* Lurdes convidou Alzira para visitar um casal de amigos e jogar cartas.

— Não, titia. Estou cansada. Fizemos muitos doces e tortas na semana. Gostaria de tomar um lanche e ir para o quarto ler. E tenho de ficar de olho no gato.

— No gato? — perguntou Lurdes, surpresa. — O Sorriso é independente. Adora sair pela noite e andar nos telhados da vizinhança. Por que essa preocupação com o gato, agora?

Alzira não respondeu. Lurdes andava preocupada com o comportamento da moça. Alzira não tinha vontade de sair, não tinha amigos e não queria saber de namorar. Todos os fins de semana, a jovem pegava seu exemplar gasto de *Olhai os lírios do campo* e trancava-se no quarto.

— Você já conhece essa história de cor e salteado. Não prefere ler um outro romance?

— A dona Célia certa vez me emprestou um romance espírita.

— E o que achou?

— Gostei bastante. Mas o livro do Veríssimo me marcou bastante. Tenho enorme carinho — disse, enquanto alisava a capa do livro.

Lurdes tinha tempo de sobra e sentou-se no sofá, ao lado da sobrinha.

— O que a faz gostar tanto assim do livro?

— Eu me apaixonei pela Olívia. Ela ama o Eugênio de uma maneira tão desprendida e sublime, tão linda!

— Eu não li o livro, mas sei da história.

Os olhos de Alzira marejaram.

— Será que um dia eu vou amar como a Olívia? Os jovens não querem nada sério. Sempre me chamaram de careta.

— Ora — contemporizou Lurdes —, Arlete tem um ano a mais que você. Namora um bom moço e pensam em casamento. Por que você também não poderia ter a mesma sorte?

— Porque Arlete é despojada, tem uma postura bem diferente da minha. Ela é extrovertida. Eu sou mais tímida e reservada. Difícil encontrar alguém.

— Depende de você. Se ficar trancada em casa todos os fins de semana, vai ser difícil arrumar um namorado.

— Não tenho vontade de sair, tia. Eu sinto como se fizesse parte de outro mundo, de outro século. Eu não gosto dessa modernidade toda.

— Fazer amigos é bom.

— Tenho a sua amizade — tornou Alzira, num tom amoroso —, tenho a minha irmã e a amizade de dona Célia e do seu Ariovaldo.

— Seria bom conhecer moças e rapazes da sua idade. O Osvaldo insistiu para que você fosse ao cinema com eles. Eu vi a tristeza nos olhos de Arlete quando você recusou o convite.

— Imagine! Eu vou segurar vela?

As duas riram.

— Arlete gosta da sua companhia.

— Sei disso, tia Lurdes. Ocorre que não gosto do agito das noites de sábado. E se fosse para assistir a um filme romântico, eu até que toparia. Mas ver um filme de terror? Não faz o meu gênero.

— Prefere ficar em casa.

— Prefiro. Você pode sair e encontrar seus amigos, jogar buraco. Vou ler um pouco e, mais tarde, se ainda o sono não vier, vou assistir à *Sessão de Gala*. Parece que o filme de hoje é daqueles antigos, em preto e branco.

— Você é quem sabe — Lurdes consultou o relógio de pulso. — Eu vou chegar tarde.

— Aproveite, tia.

— Mas, se mudar de ideia, sinta-se à vontade para passear. A noite está bonita e estrelada. Há uma brisa gostosa, fresquinha.

— Saia com seus amigos. Eu vou ficar muito bem na companhia do livro.

Ouviram uma buzina.

— São meus amigos. Se quiser sair, há uma chave reserva dentro do vaso de samambaias, próximo do portãozinho.

Lurdes beijou-a no rosto, e saiu.

Alzira fez um lanche, tomou um pouco de refresco. Pegou o livro e sentou-se na poltrona. Seus olhos, aos poucos, começaram a embaçar e o sono foi chegando. Ela cerrou os olhos, adormeceu e sonhou.

Alzira estava sentada na varanda de um casarão antigo estilo colonial, no fim do século dezenove, olhando os campos verdes à sua frente. Olhou para si mesma e espantou-se:

— Estou com roupas antigas. Do século passado!

Ela se emocionou ao ver o camafeu delicadamente preso ao vestido de veludo na cor vinho. Voltou os olhos para a frente e viu um homem de semblante amarrado se aproximar. Alzira sentiu um frio no estômago.

— O que faz aqui? — indagou ela, irritada.

— Quero ver minha filha.

— Carolina não é sua filha — Alzira vociferou.

— E essa casa é minha!

— Também não é.

— Se eu soubesse que o marido da sua irmã era o comprador desta casa, jamais a teria vendido. Vocês me usaram. Quero minha casa e minha filha de volta.

— Está mais interessado na casa do que na filha, não é mesmo Malaquias?

— E daí? Se essa menina — apontou para dentro do imóvel — me ajudar a reconquistar meu patrimônio, qual o problema? O que você tem a ver com isso?

— Tenho tudo a ver! — bradou ela. — Você não encosta um dedo na menina!

— Ora, ora. Agora virou mulher valente? — indagou o homem. — Nunca teve coragem para fazer nada na vida. Casou-se e o marido a deixou porque é seca e nunca vai poder gerar um filho. Que homem se prestaria a gostar de você?

— Não admito que venha até minha casa falar-me nesse tom — ela protestou.

— Está bem. Não quero brigas. Quero ver minha filha.

— Ela não é sua filha, Malaquias. A minha irmã casou-se com outro. A filha é dele.

Os olhos do homem estavam injetados de ódio.

— Antes de casar com aquele idiota, a ordinária da sua irmã deitou-se comigo. Ela casou-se com aquele janota por dinheiro. E o idiota me passou a perna, comprando essa casa por uma ninharia.

— Vendeu porque quis!

— Se soubesse que ele era o comprador, jamais teria feito o negócio.

— Está falando assim porque perdeu a mulher e a propriedade.

Malaquias virou-lhe um tabefe na cara. Plaft!

— Seu animal! — ela gritou e levantou-se da cadeira. — Nunca mais ponha seus dedos sujos em cima de mim.

— A minha vontade agora não é só de botar as mãos em você — falou num tom profano e altamente perturbador.

Alzira corou e previu o que viria a acontecer. Estremeceu. Procurou dar firmeza à voz:

— Não se atreva!

— Saia do meu caminho. Quero ver minha filha.

Alzira não pensou. Partiu para cima do homem e começou a desferir-lhe tapas pelo corpo.

— Maldito. Eu o odeio!

Ele virou-se para ela e lhe deu novo tabefe. Em seguida arrancou seu vestido e deitou-se sobre ela.

Alzira imediatamente viu-se num outro lugar. Agora estava sentada num banco. Havia um belo jardim à sua volta. Ela viu uma mulher se aproximar e sorriu:

— Lolla!

— Como vai, minha querida?

— Que bom você ter aparecido. Malaquias veio me bater e...

— Chi! Fique sossegada. Isso faz parte do passado.

Lolla sentou-se ao lado de Alzira e pousou delicadamente as suas mãos sobre as da moça.

— Suas mãos estão frias!

— Foi o medo. Malaquias abusou de mim.

— Já passou. Isso foi há muitos, muitos anos.

— Éramos irmãs. Eu, você, Anamaria e Judite. Por que só você não voltou?

— Porque resolvi ficar. Você e suas irmãs voltaram. Lembra-se do planejamento?

— Sim. Judite seria minha irmã e Anamaria seria nossa mãe.

— Isso mesmo. Josefa e Arlete estão ao seu lado.

— Josefa morreu.

— Desencarnou. Cumpriu uma etapa de sua jornada evolutiva. Em breve vocês poderão se reencontrar.

Alzira sorriu. Em seguida, fechou o cenho.

— Ainda sinto raiva só de pensar naquilo tudo. Ele foi bruto, eu era uma mulher indefesa — Alzira falava e as lágrimas escorriam pelo rosto.

— Não se atormente mais. Está na hora de se libertar dessa existência passada. O seu espírito é o mesmo, contudo você vive hoje outra realidade.

— Ele foi o culpado de eu ter medo de amar.

— Não. Você atraiu aquela situação a fim de poder se tornar mais forte. Era uma mulher que se desesperava por qualquer coisa, não tinha firmeza em suas decisões.

— Cresci rodeada de mimos. Depois que meus pais morreram, fiquei sem rumo. Minhas irmãs e minha sobrinha foram responsáveis por eu continuar viva.

— Você precisa perdoar o Malaquias e libertar-se dessa mancha em sua alma.

— Difícil. Por mais que eu tente, não consigo pensar em perdão.

— Quando perceber que você é responsável por tudo o que lhe acontece e que Malaquias nada mais foi do que um instrumento da vida para fortalecer o seu espírito a fim de se tornar forte e dona de si, talvez pense no perdão. Na verdade, o perdão serve para aliviar a nossa alma e cicatrizar os buracos criados em nossa aura. O verdadeiro sentimento de perdão nos torna seres mais fortes e lúcidos.

— Vou tentar.

— Você tem ótimo coração, Alzira. Tem tudo para ser feliz.

— Eu, feliz? Não acredito.

— Pare de se punir. Liberte-se do passado e dê uma chance para a felicidade aparecer em seu caminho.

Alzira abraçou-se a Lolla.

— Por que você não está conosco? Sinto tanto a sua falta.

— Já disse. Não planejei reencarnar com você, Josefa e Arlete. Meu espírito tem outras aspirações. O que são mais cinquenta, setenta anos separadas? É nada diante da eternidade. A vida de vocês vai passar num piscar de olhos e logo estaremos todos novamente reunidos, avaliando os passos dados nesta encarnação abençoada.

— Encarnação abençoada? — perguntou Alzira, estupefata. — Malaquias reencarnou como meu pai e expulsou eu e minha irmã de casa. Quer prova mais dura que essa?

— Malaquias agiu por conta da encarnação passada. Olair ainda sente-se preso ao passado. No entanto, você e Arlete tiveram a chance de uma vida melhor. Vivem ao lado de Lurdes e, cá entre nós, vivem muito melhor do que naquela casinha.

— Pensando assim...

— Alzira, a vida lhe deu a oportunidade de renascer ao lado de um desafeto e desfazer os nós da amargura e da animosidade. Josefa, você e Arlete superaram uma fase difícil, mas importante nesta encarnação e, a partir de agora, têm tudo para viverem felizes. Josefa está se recuperando bem e em breve vai viver comigo. A encarnação foi-lhe muito útil. Agora ela conseguiu perceber o quanto se colocava para baixo. Jurou para mim que vai ser forte e que nunca mais vai se curvar para as ideias do mundo.

— Fiquei meio traumatizada com tudo. Perdi minha mãe, minha casa e tenho a impressão de que vou morrer solteira.

—Não está sendo dramática?

— De forma alguma!

Lolla riu.

— Pois me parece muito dramática. Malaquias reencarnou seu pai e vocês nem mais juntos estão. O livre-arbítrio separou-o de você e de sua irmã.

— Pensando melhor, com calma e com equilíbrio, minha vida melhorou muito depois que ele nos entregou aos cuidados de tia Lurdes.

— Viu? Tudo melhorou. Perdoe seu pai. Liberte-se dele sinceramente. Faça uma prece de libertação para Olair e o desprenda de sua vida. Ou prefere ficar no rancor e retornarem juntos em outra vida, passando pelas mesmas experiências de novo?

Alzira bateu três vezes na madeira do banco.

— Deus me livre e guarde!

— Então pense com carinho em tudo o que eu lhe disse. E, em relação ao seu pai, afirme com sentimento: "Estou sendo guiada para o meu verdadeiro lugar. Deixo ir todas as coisas e pessoas que não fazem mais parte do plano de Deus na minha vida, libertando-as para que possam ser felizes em suas vidas e em seus propósitos. Em nome de Deus".

Alzira repetiu e sentiu enorme bem-estar.

— Pratique essa frase quantas vezes quiser. Ela funciona como ferramenta potente para afastar pessoas e situações com as quais não precisamos e não queremos conviver mais.

— Usarei isso em relação ao meu pai.

— Faça isso e verá que logo a sua vida vai melhorar ainda mais. Afinal, quando abrimos espaço para nos libertar sinceramente de pessoas e coisas que não fazem mais parte de nossa vida, estamos abrindo novo espaço para pessoas e coisas interessantes no nosso caminho. Experimente.

— Vou acordar e vou esquecer tudo.

— Talvez esqueça de nossa conversa, mas vou ajudá-la a se lembrar da frase poderosa.

Alzira a abraçou com ternura.

— Você é um anjo em minha vida, Lolla. Muito obrigada.

Lolla retribuiu o afeto e sorriu.

— Preciso ir embora.

— Ah, mas já? Gosto tanto de sua companhia.

— Você vai voltar para seu corpo, acordar e sair.

— Não quero sair. Não gosto de nada. Tudo muito moderno. Gostaria de viver como na última vida.

— Tudo muda com o tempo, minha querida. A vida tornou-se mais dinâmica, ajudando as pessoas no planeta a se reequilibrarem com maior rapidez.

— Eu gosto da quietude, dos móveis antigos...

— Poderá viver neste mundo mantendo a essência do passado. Você pode, por exemplo — disse Lolla numa voz amistosa —, viver no campo e decorar sua casa com móveis de época.

— Uma ideia agradável.

— E, se eu fosse você, arriscaria dar uma voltinha. Só uma voltinha.

— Por que está me dizendo isso? — indagou Alzira, desconfiada.

— Saia e verá! Estou na minha hora. Preciso partir.

Lolla abraçou-se a Alzira, beijou-lhe carinhosamente a face e se foi. Em poucos instantes, Alzira remexeu-se na poltrona e abriu os olhos. O gato estava sentado sobre seu colo. Ela sorriu:

— Sorriso! Você ficou esse tempo todo comigo?

O gato miou, como se estivesse entendendo e respondendo à pergunta. Depois saltou e enrolou-se nos pés de Alzira. Miou mais uma vez e saiu em disparada, pulando a janela da sala.

— Foi passear! — exclamou ela.

Alzira lembrou-se do sonho e sorriu. Tinha consciência de que havia sonhado com uma linda mulher, mas não a conhecia direito. Lembrou-se de seu pai e as palavras saíram facilmente, como texto decorado, em alto e bom som:

— Estou sendo guiada para o meu verdadeiro lugar. Deixo ir todas as coisas e pessoas que não fazem mais parte do plano de Deus na minha vida, libertando-as para que possam ser felizes em suas vidas e em seus propósitos. Em nome de Deus.

Em seguida, disse:

— Eu o deixo ir, pai — Alzira fechou os olhos e pensou em Olair. Procurou vê-lo sorrindo e continuou: — Você não faz mais parte do plano divino na minha vida e, por isso, eu o liberto para que possa ser feliz em sua vida. Em nome de Deus. Agora e sempre!

Alzira abriu os olhos e sentiu leve sensação de bem-estar. Sentiu sede e levantou-se. Apanhou o livro e o colocou sobre a mesinha da sala. Foi até a cozinha e bebeu um copo de água.

— Talvez eu precise sair um pouco. Esse sonho mexeu comigo.

Caminhou até o quintal e olhou para o alto. O céu estava cheio de estrelas e uma gostosa brisa tocava-lhe a face. Alzira decidiu:

— Vou dar uma volta.

Ela se arrumou, amarrou os cabelos num coque, passou um pouco de perfume e apanhou a bolsa.

— Arlete e Osvaldo foram ver o filme no cine Astor. Eu sei chegar lá — disse para si.

Trancou a porta, atravessou a rua e pegou um ônibus que chegava até o alto da rua da Consolação.

Uma hora depois, ela desceu na esquina da rua com a avenida Paulista. Caminhou até o Conjunto Nacional. Ficou espantada com tanta gente. Foi até uma livraria e ficou folheando um livro de receitas.

Alzira consultou o relógio e faltavam vinte minutos para o término da sessão.

— Tomara que eu os encontre — disse baixinho, enquanto os olhos apreciavam as fotos das receitas.

— Gostou do livro? — perguntou um rapaz, de maneira muito educada.

Alzira levantou a cabeça e o encarou nos olhos.

— Muito bonito. Mas as minhas receitas são bem melhores.

Ele riu.

— Por que não escreve um livro de receitas?

A jovem suspirou. Fechou o livro e colocou-o de volta na estante.

— Quem me dera.

— Por quê? Não acredita no seu potencial?

— Claro que acredito. Sou muito boa de cozinha.

— Então escrever um livro de receitas é um passo natural para quem sabe cozinhar.

— Não. Há uma grande distância entre fazer doces e vendê-los aos vizinhos e publicar um livro de receitas de sucesso como esse — apontou para o exemplar ali exposto.

— Se o desejo de escrever for da sua alma, nada vai impedi-la. Tudo o que a alma quer a gente consegue.

— Quis muitas coisas na vida e não as tive.

— Porque não era para sua alma. Devia ser desejo da mente.

— Não sei separar o que é da alma e o que é da mente. É tudo a mesma coisa.

Um simpático vendedor aproximou-se e avisou que a loja fecharia em dez minutos. O rapaz falou algo no ouvido do vendedor e Alzira foi saindo de fininho.

Ela saiu da loja e foi até o saguão do cinema. Dali a pouco o filme iria acabar.

— Espero encontrar Arlete e Osvaldo — disse para si, enquanto consultava novamente o relógio.

O rapaz aproximou-se e Alzira levou um susto.

— Oi.

— Oi — respondeu ela, num jeito tímido.

— Deixou-me sozinho na loja.

— Estavam fechando. Você foi falar com o vendedor e resolvi vir até o saguão do cinema.

O rapaz tirou um embrulho de uma sacola e entregou para Alzira.

— O que é isso? — perguntou ela, receosa.

— Um presente. Abra.

Alzira delicadamente rasgou o embrulho. Era o livro de receitas que ela folheara na loja, minutos antes.

— Meu Deus! Você comprou o livro?

— Hum, hum.

— É caro. Por que foi fazer uma loucura dessas?

O rapaz riu gostoso.

— É uma loucura que vale a pena.

Alzira botou reparo no rapaz. Era um moço bonito, altura mediana, de óculos de grau que escondiam grandes olhos pretos. Os cabelos eram escuros e penteados à moda. Vestia uma blusa cacharel na cor laranja e calça jeans. O perfume que ele exalava era delicado e ela corou.

— Precisamos nos apresentar porque eu gostaria de escrever uma dedicatória no livro. Pode ser?

— Pode — falou meio sem jeito. — Eu me chamo Alzira e você?

— Eugênio.

Alzira estremeceu. Sentiu uma leve tontura e Eugênio a segurou nos braços.

— O que foi?

— Nada.

— Como nada? Eu falo meu nome e você quase tem um piripaque?

Ela procurou ocultar a emoção e respondeu:

— Prazer. Meu nome é Alzira.

Eugênio fingiu estremecer.

— O que foi?

— Você já disse o seu nome. Estou brincando com você. Quero saber por que ficou tão mexida quando me apresentei.

— Não foi nada.

— Algum ex-namorado com o mesmo nome?

Ela dobrou a mão no ar.

— Imagine! É bobagem. Uma grande bobagem.

— Adoro bobagens — tornou Eugênio.

— Você vai rir de mim.

— Nunca faria isso — ele falou de maneira séria.

— É que, bem, eu sou apaixonada por um livro do Érico Veríssimo. E tem um personagem num de seus livros que mexe muito comigo.

— Ah! Você só pode estar falando de *Olhai os lírios do campo*.

— Você conhece? — indagou, aturdida.

— E como! — suspirou Eugênio. — Mamãe teve contato com esse livro ainda menina e pediu ao papai que, se tivessem um filho homem, que o guri deveria se chamar Eugênio, por causa do personagem. Acredita?

Alzira queria gritar e dizer que sim, que acreditava em sonhos, em bruxas, em qualquer coisa. Estava por demais emocionada. O rapaz à sua frente chamava-se Eugênio por conta do livro que ela tanto amava. O que dizer? Que havia encontrado o homem de sua vida em menos de quinze minutos? Ele iria tachá-la de louca e sairia correndo assustado, isso sim.

Mordiscou os lábios e respondeu:

— Acredito. E adoraria conhecer sua mãe!

"Deus do Céu! O que foi que eu disse? Melhor ficar de boca calada" — disse em pensamento.

Eugênio ia responder, mas as portas do cinema foram abertas. Alzira levantou a cabeça.

— Está esperando alguém?

— A minha irmã e o namorado vieram assistir a um filme aqui. Quer dizer, foi o que me disseram.

Alguns minutos depois e ela avistou Arlete e Osvaldo, mãos dadas e sorridentes. Ao ver a irmã ali parada, Arlete levou um susto.

— O que faz aqui? Aconteceu alguma coisa com a tia Lurdes?

— Não. Eu resolvi sair e vim encontrá-los. Arrisquei. Mas não quero, de forma alguma, segurar vela.

— Você não vai segurar nada — disse Osvaldo, enquanto a cumprimentava. Em seguida, notou o rapaz atrás de Alzira.

— Eugênio! O que faz por aqui, homem de Deus?

Os dois se abraçaram e Arlete puxou Alzira de lado.

— Você nunca sai de casa. De repente, eu a encontro aqui na porta do cinema, num sábado à noite, ao lado de um rapaz bonito. Estou tendo alucinações? Será que o filme do tubarão mexeu com a minha cabeça? — Arlete beliscou-se.

— Não — respondeu Alzira, rindo. — É que tive de novo *aquele* sonho.

— Na fazenda?

— É. A mesma cena. Só que dessa vez foi pior. Senti uma coisa muito ruim. Acordei sobressaltada. A tia Lurdes saiu com um casal de amigos para um jogo de cartas. Não quis ficar sozinha em casa. Tive vontade de sair e arrisquei vir até aqui.

— E o rapaz?

— Conhecemo-nos na livraria.

— Quando?

— Faz menos de meia hora! Acredita que ele se chama Eugênio?

— Sim, e daí? — indagou Arlete.

— Ele tem o nome do grande amor de Olívia. Entende?

Arlete mexeu a cabeça para cima e para baixo. Osvaldo aproximou-se das moças.

— Querida, esse é Eugênio Salles, um amigo de escola. Ele estava fazendo um curso de especialização nos Estados Unidos.

Eugênio meneou a cabeça para os lados. Arlete levantou o rosto e trocaram beijinhos.

— Prazer. Eu sou Arlete, namorada do Osvaldo e irmã da Alzira.

Eugênio abriu largo sorriso.

— O prazer é todo meu. Nas cartas que eu trocava com o Osvaldo, sempre ele fazia referências a você. Mas nunca me disse que a namorada tinha uma irmã tão bonita.

Eugênio falou e olhou para Alzira. Ela enrubesceu e Osvaldo emendou:

— Nunca comentei nada porque sou muito reservado. E, de mais a mais, você estava namorando a Celinha.

— O namoro acabou. Celinha conheceu um político americano e casaram-se. Está grávida do primeiro filho.

— Você namora? — perguntou Arlete.

— Acabei de chegar dos Estados Unidos. Estou pensando em montar meu escritório de advocacia e me estabilizar por aqui. Amo meu país.

Osvaldo percebeu o interesse de Eugênio por Alzira. Cortou a conversa e sugeriu:

— Estou morrendo de fome. Vamos comer um sanduíche ali na rua Augusta?

— Também estou com fome — respondeu Arlete.

— Eu estava andando sem rumo — tornou Eugênio. — Mal acabei de chegar e ainda não tive tempo de rever os poucos amigos que aqui deixei.

Alzira nada disse. Estava muito emocionada. Sentia uma "coisa" muito estranha. O seu rosto estava quente, o coração parecia querer saltar da boca e um friozinho teimava em percorrer seu estômago.

"Será que tudo isso é amor?" — perguntou-se enquanto caminhavam até a lanchonete.

Alzira olhou para o céu e contemplou as estrelas. Sentiu uma felicidade indescritível.

capítulo dezesseis

Faltavam poucos dias para Valéria embarcar para a Itália. As passagens aéreas já haviam sido compradas. Ela já havia feito as malas e partiria com seu tio Adamo.

— Vou sentir muito a sua falta — disse Natália, enquanto abraçava a amiga.

— Não sei por que não vem com a gente.

— Eu?! Está louca, Valéria? Batalhei tanto para entrar na universidade e vou largar tudo?

— Sem dramas, Natália. Você pode trancar a matrícula. Venha estudar na mesma escola que eu. Se não gostar, você volta e recomeça o curso aqui. Vai perder um ano. O que é um ano diante de tudo o que tem para viver?

— Você é otimista. E uma louca desvairada. Esqueceu que temos uma vida simples? Não tenho como comprar passagens ou mesmo pagar por esse curso.

— Já disse que isso não é problema. Você é minha irmã do coração — emendou Valéria. — Meu pai declarou que pagaria com prazer as passagens e o curso para você.

— Não posso aceitar. Não é certo.

— Por que não é certo? — era a voz de Adamo, na porta do quarto.

— Oi, tio. Escutando a conversa dos outros? — perguntou Valéria, num tom de brincadeira.

— Estava passando pelo corredor e não pude deixar de escutar — Adamo aproximou-se de Natália. Ela sentiu o corpo esquentar. Ele perguntou-lhe à queima-roupa: — Por que é tão arrogante?

— Arrogante? Eu?!

— Sim. Você se faz de humilde, de coitadinha porque não sabe receber. A vida está lhe abrindo os braços, dando-lhe uma grande oportunidade de crescer em vários sentidos e você vem com esse discurso barato de "não posso aceitar"?

— Falando assim, você me ofende! — Natália fitou-o de maneira desafiadora. — Como ousa?

— Além de tudo, não suporta escutar a verdade dos outros. Temos de tomar cuidado para falar com você, caso contrário, fica toda melindrada, ferida em seu amor-próprio.

Valéria intercedeu:

— Tio, não acha que está sendo muito duro?

— Duro? indagou Adamo, surpreso. — Estou sendo sincero, falando para Natália o que ela sempre precisou ouvir. Falo isso pelo seu próprio bem. Muitas vezes deixamos boas coisas escaparem de nossas mãos por conta de condicionamentos errados, crenças infundadas que fomos absorvendo ao longo de muitas existências. Natália é uma mulher forte, de caráter íntegro. Percebe-se a sua bondade nos olhos. Entretanto, por que deixar de receber algo tão bom que possa transformar positivamente sua vida? Por que abrir mão de um presente de Deus?

— Eu não estou acostumada com isso — disse Natália num fio de voz.

— Pois então que se acostume.

— Tenho medo das coisas que vêm muito facilmente nas mãos.

— Por quê?

— Meu pai sempre dizia que tudo o que vem fácil vai embora fácil. Veja o que aconteceu com ele. Perdeu tudo o que tinha.

— Seu pai perdeu tudo o que tinha porque era um irresponsável — rebateu Adamo.

Natália arregalou os olhos.

— Sim, mas...

— Mas — continuou Adamo — a vida responde primeiro às nossas atitudes.

— Sim, eu compreendo. Meu pai foi punido.

— Não. A vida jamais pune. A vida educa, isso sim. O que enxergamos como negativo é simplesmente um estímulo da vida para que mudemos para melhor. A vida sempre trabalha pelo nosso melhor.

Valéria interveio:

— Então, o que me diz?

— Não sei.

— Trata-se de uma proposta irrecusável — tornou Adamo. — Considere que tem nas mãos um bilhete premiado de loteria.

— É uma mudança muito brusca — considerou Natália.

— E daí? — retrucou Valéria. — Eu bem me lembro quando você e sua mãe tiveram de sair daquele casarão para viver num sobradinho de dois quartos. Quer mudança mais brusca que essa? Ambas conseguiram superar as adversidades e adaptaram-se rapidamente à nova vida.

— Dessa vez ocorre de maneira diferente e muito melhor — ponderou Adamo. — Você vai para um país maravilhoso, conhecer pessoas interessantes, outra cultura, outros hábitos. Vai estudar numa das escolas de arte mais prestigiadas da Europa e vai estar ao lado de Valéria. E, de quebra, eu poderei vê-la mais vezes.

Natália sentiu o chão se abrir. Não sabia se continuava olhando para Adamo ou se desviava os olhos. Valéria percebeu e intercedeu:

— Tio, pode nos dar licença por instantes? Preciso trocar de roupa.

— Pois não. Mas lembre-se — disse ele, olhando fixamente para Natália — que sua companhia me fará muito bem.

Adamo falou e saiu, fechando a porta com delicadeza. Natália não movia um músculo. Ficou parada no meio do quarto feito estátua. Valéria fez um movimento gracioso com a mão para cima e para baixo, chamando a atenção da amiga:

— Ei! Aconteceu alguma coisa?

Natália voltou a si e sentou-se na cama, desarvorada.

— É impressão minha ou seu tio está interessado em mim?

— Interessado? — Valéria perguntou num sorriso maroto. — Ele está interessadíssimo. Percebi faz alguns dias. Ele ficava nos rodeando, pedindo para convidá-la para um chá. Acho que você o fisgou!

— Nem acredito — Natália colocou a mão no peito. — Eu estava interessada no Adamo, mas comecei a afastar a ideia de relacionamento sério.

— Ora, por quê?

— Adamo tem vinte anos a mais que eu, Valéria. Tem idade para ser meu pai.

— Que comparação mais boba, Natália. Qual o problema dessa diferença? Eu não vejo nenhum. Meu tio é bonito, solteiro, é inteligente e nem aparenta a idade que tem.

— Há uma grande diferença, sim. Ele morou fora muitos anos, tem experiência...

— Experiência suficiente para chegar à conclusão de que vale a pena abrir o coração para você. Eu nunca soube que tio Adamo tivesse interesse em outra mulher antes. Nunca nos apresentou uma namorada.

— E foi logo se interessar por mim? Uma garota comum, sem grandes atrativos?

— Pare de se colocar para baixo. Você precisa valorizar suas qualidades. Nem todos se interessam somente pela beleza física. Se a pessoa não tiver conteúdo, o relacionamento não vai para frente. A beleza um dia vai embora, mas o que somos e sentimos — Valéria botou a mão no peito — ninguém tira.

— Confesso que estou mais calma. Adamo mexe muito comigo.

— Deixe de medos. Vamos viajar juntas, viver juntas. Somos praticamente irmãs. A sua companhia vai me fazer tão bem.

— Vou conversar com mamãe.

— Isso mesmo. Reflita e...

Valéria parou de falar. Sentiu um torpor, uma náusea sem igual. Colocou a mão na boca e correu até o banheiro. Natália foi atrás.

— O que foi? — perguntou, aflita.

— Não sei. Tenho passado mal faz alguns dias.

— Por que nunca me disse nada?

— Bobagem, Natália. Deve ser a ansiedade da viagem.

— Melhor consultarmos um médico.

— Não. Isso passa.

Uma das empregadas bateu na porta.

— Dona Valéria, seu chá. Onde posso colocar a bandeja?

— Ali, sobre a cômoda — instruiu Valéria.

Ela limpou a boca, deu descarga e passou um pouco de água no pescoço.

— Sente-se melhor? — perguntou Natália.

— Sim.

Mas, ao chegar próximo da bandeja e sentir o aroma dos biscoitinhos, Valéria sentiu novo enjoo e voltou correndo para o banheiro.

— Não é normal — assegurou Natália.

— Algo que comi atacou meu fígado.

— Querendo ou não, vamos ao médico.

Valéria protestou, contudo Natália não sossegaria enquanto não marcassem uma consulta. Ela concordou e no fim da tarde foram ao consultório. O médico fez as perguntas de praxe e solicitou alguns exames.

Apesar da espera dos exames, os sintomas eram claros. Valéria tinha enjoos logo na manhã, os seios estavam inchados e a menstruação estava atrasada.

Natália tinha certeza do resultado, mas esperou o médico dizer para Valéria, dias depois:

— A senhorita está grávida.

Naquela mesma tarde, Arlete chegou do trabalho muito cansada. Havia datilografado relatórios o dia todo e os dedos das mãos estavam doloridos. Ela entrou em casa, jogou a bolsa sobre a mesinha lateral e estirou-se no sofá.

Alzira veio em seguida.

— Está cansada. O que foi?

— Nada. Um dia de trabalho como outro qualquer.

— Não está com a aparência muito boa. Por acaso brigou com Osvaldo?

— De maneira alguma. O namoro está indo muito bem. Embora esteja cansada — tornou Arlete, sorridente — tenho um comunicado a lhe fazer.

— O que é?

— Osvaldo quer noivar.

Alzira levou a mão à boca.

— Jura?

— Hum, hum. Quer que fiquemos noivos no Natal.

— Mesmo?

— E vamos nos casar daqui dois anos.

Alzira correu e puxou os braços de Arlete.

— Dê-me um abraço, minha irmã. Como estou feliz por você.

Arlete levantou-se e abraçaram-se emocionadas.

— Vou me casar com o homem que amo e seremos muito felizes.

— Tenho certeza disso.

— E você e o Eugênio?

— Estamos indo. Engatamos o namoro. Vou conhecer a mãe dele semana que vem. Ele vai dar um almoço para me introduzir à família — disse Alzira apreensiva.

— Por que está desse jeito?

— Não somos ricas. Recebemos boa educação da mamãe, temos modos. Mas não temos dinheiro.

— Eugênio sabe de sua condição e gosta de você mesmo assim. Parece que a família dele não liga para diferenças de classe social. Você é uma ótima pessoa. Quem não se apaixonaria por você?

Alzira a abraçou com força.

— Depois de tudo o que passamos, nem acredito que o ano esteja indo tão bem.

— Para você ver! Começamos o ano tão para baixo, desanimadas e sem estímulo. O pai nos colocou para fora de casa e achávamos que nossa vida seria terrível. No fim das contas, tudo melhorou.

Alzira concordou com a cabeça e ouviram a voz de Lurdes, vinda do corredor:

— Tudo melhorou e vai melhorar a cada dia que passa. Merecemos o melhor.

As duas se aproximaram de Lurdes. Abraçaram a tia e depositaram delicado beijo em sua face.

— Não sabemos como agradecê-la, tia Lurdes — disse Alzira, emocionada.

— Nunca vou me esquecer de sua generosidade. Nós a amamos muito.

Lurdes sorriu e os olhos marejaram. Adorava as sobrinhas. O encontro com elas tinha sido a melhor coisa que lhe ocorrera em anos.

— O pai foi muito duro conosco — disse Alzira. Tínhamos medo da senhora.

— Por quê? — indagou Lurdes, curiosa.

— Porque seu nome não podia ser pronunciado em casa. E o pai a chamou de rameira quando nos largou aqui. Desculpe falar assim, tia — disse Arlete.

— Não precisa se desculpar — respondeu Lurdes.

— Não quero me intrometer, mas por que o pai não gosta de você? — perguntou Arlete, curiosa.

Lurdes fez sinal para elas se sentarem. As moças concordaram com a cabeça e acomodaram-se no sofá. Lurdes permaneceu sentada entre elas.

— Vocês são adultas e estão vivendo o amor.

Elas assentiram e Lurdes prosseguiu:

— Talvez entendam o que se passou comigo. Olair e eu somos de uma família muito grande e muito pobre. Viemos de Jutaí, no Amazonas, e fomos os únicos com coragem de descer o país até São Paulo. Alguns irmãos permaneceram por lá, outros foram para Goiás. Eu não tenho contato com mais nenhum deles. Eu era a única filha mulher entre nove irmãos. Todos casaram e foram viver suas vidas.

Arlete e Alzira fizeram sim com a cabeça e Lurdes continuou:

— Olair era o meu protetor. Nós éramos muito próximos e muito amigos.

— Difícil acreditar — disse Arlete. — O pai sempre foi grosso e estúpido.

— Creio que Olair ficou assim por minha causa.

— Como assim? — indagou Alzira.

— Como disse, éramos muito próximos. Olair conheceu Josefa, apaixonaram-se e resolveram casar. Eu fui morar com eles.

— Nunca soubemos disso — interveio Arlete.

— Porque seu pai tem vergonha de mim. Eu comecei a namorar um moço, também de família humilde, e tínhamos planos de casar. Ficamos noivos e ele marcou a data. Mas ele se apaixonou por outra e rompeu comigo.

— Que triste! — suspirou Alzira.

— Isso não era motivo para o pai ter tanta raiva de você.

— Não era — tornou Lurdes. — Depois de um mês do rompimento, descobri que estava grávida.

As meninas engoliram em seco. Lurdes deu continuidade:

— Olair não se conformou. Chamou-me de tudo quanto era nome feio. Josefa tentou me defender, mas em vão. Meu irmão, sentindo-se traído em sua honra, colocou-me para fora de casa.

— E o que aconteceu depois, tia? — perguntou Alzira, quase em prantos.

— Fui morar numa pensão para mulheres grávidas, lá em Santana. No terceiro mês de gravidez, tive uma forte hemorragia e perdi o bebê. Daí quis recomeçar minha vida. Fiz amizade com Célia e Ariovaldo, que eram recém-casados e moravam perto da pensão, na época. Eles eram muito amigos de um casal que morava aqui em Rudge Ramos e eles me acolheram. Consegui um emprego numa montadora de veículos e fui levando a vida. De vez em quando, trocava correspondência com a Zefa. Eu mandava as cartas para a casa da Célia e Zefa fazia o mesmo, escrevendo e enviando cartas para mim. Foi dessa forma que acompanhei o crescimento de vocês, o comportamento terrível de Olair, que piorou ao longo dos anos, a doença de Josefa...

Lurdes levantou-se, caminhou até o corredor e abriu a porta de uma pequena cômoda. De lá tirou uma caixa grande. Trouxe até o sofá e, ao abri-la, havia um calhamaço de cartas amareladas pelo tempo. Ela mostrou o pacote de cartas delicadamente enrolado num laço de fita de cetim e mostrou uma foto para elas.

Arlete reconheceu a foto:

— Mamãe tinha essa mesma foto, mas estava cortada ao meio.

— Tiramos essa foto logo quando seus pais se casaram. Naquele tempo, éramos muito felizes.

— E depois, tia. O que aconteceu? — indagou Alzira, ansiosa.

— Dona Carminha e seu Orlando, o casal que me acolheu, morreram há alguns anos e, como não tinham filhos, deixaram-me esta casa de herança. Eu continuei trabalhando e aposentei-me por tempo de serviço no ano passado. A aposentadoria não é lá essas coisas, mas dá para pagar as contas e ter uma vida modesta, sem luxos.

— Nunca mais teve notícias do ex-noivo? — indagou Arlete.

— Não — respondeu Lurdes, olhando para um ponto indefinido da sala. — E também não quis mais saber. Se o bebê tivesse vingado, talvez eu o procurasse. No entanto, depois de tudo o que me aconteceu, para que ir atrás de quem não nos ama? Aprendi a me valorizar e me amar.

— Tem razão, titia. Devemos valorizar quem nos ama. Por isso que não queremos mais saber do pai — disse Arlete, de maneira seca. — Não vou convidá-lo para o meu noivado e tampouco para meu casamento. Vou entrar sozinha na igreja.

— Seu pai não tem culpa de ser assim. Olair fez o melhor que pôde.

— Tia, ele a expulsou de casa e não lhe deu abrigo ou mesmo proteção. Como pode defendê-lo? — Arlete estava irritada.

— Porque eu conheço seu pai desde que éramos crianças.

— E daí? Não justifica sua grosseria.

— Nossos pais também não nos deram amor e carinho. Tivemos uma vida muito dura e eu era um modelo de irmã perfeita. Quando engravidei, meu irmão sentiu raiva por eu ter cedido a um homem que me trocou como quem faz troca num mercado. Olair sentiu raiva do meu namorado, mas descontou em mim. Se ele pudesse fazer melhor, com certeza teria tido outra atitude.

— Não me conformo! — protestou Arlete, enquanto Alzira concentrava-se nas cartas escritas pela mãe à sua tia.

— Não é questão de conformar-se ou não, minha querida — falou Lurdes, com amabilidade na voz. — Olair deu o melhor de si. Ninguém pode dar o que não tem. E, de mais a mais, eu me perdoei e perdoei seu pai. O perdão traz libertação e podemos seguir a vida adiante.

— Eu tenho feito aquela afirmação de perdão todos os dias — anuiu Alzira — e tenho me sentido cada vez melhor.

— Perdoar a si e aos outros nos faz enorme bem — declarou Lurdes. — Veja quanta coisa boa me aconteceu nesses anos: ganhei uma casa e, agora, ganhei duas meninas de presente. Eu as amo como filhas.

Arlete e Alzira se emocionaram. Os olhos marejaram e ambas abraçaram-se a Lurdes. Ficaram assim, unidas e em silêncio, por um bom tempo.

Do Alto, luzes coloridas eram despejadas como floquinhos de neve sobre elas e sobre a casa. Da colônia onde estava, Lolla sorriu e disse para si:

— As três estão numa ótima sintonia. Está na hora de nossa pequena Carolina voltar ao mundo.

capítulo dezessete

Valéria andava de um lado para o outro do quarto, aflita.

— Acabou. Tudo acabou.

— Não diga isso, amiga — protestou Natália.

— Como não? Como vou estudar? O que vou fazer da minha vida?

— Seguir adiante. Você vai ter um filho. Isso não vai impedi-la de estudar e construir sua carreira.

— Se você não tivesse aceitado a proposta do tio Adamo e não fosse comigo, juro que abriria mão da viagem.

— Nunca! Você, eu e o bebê seremos muito felizes na Itália. Sabe — Natália estava radiante —, mamãe sonhou comigo e com você. Disse que nos viu alguns anos lá na frente. Jurou que seu filho só vai lhe trazer alegrias.

— Isso não me anima.

— Pois deveria, Valéria.

— Você não entende — gritou Valéria. — Essa criança é do Dario!

— E qual o problema?

— Eu jamais poderia imaginar ficar grávida! E ainda por cima do Dario.

— Sei que você só se deitava com ele — tornou Natália. — Mas você mesma me disse que fazia tempo que não rolava mais nada entre os dois.

— E não rolava. Eu juro!

— Essa criança não é fruto do espírito santo — falou Natália, levantando as mãos e os ombros ao mesmo tempo.

— Fui fraca. Eu bem que tentei me controlar, mas fui uma fraca!

— Por acaso se lembra de quando você se deitou com Dario?

— Foi no dia do acidente — respondeu Valéria, perplexa. — Naquela manhã, eu queria conversar com Dario e terminar tudo. Fui acordá-lo e não resisti. Mas eu juro — ela estava em prantos — foi tudo muito rápido.

— Rápido o suficiente para você engravidar.

— Não posso ter esse filho!

— Calma.

— Se a gravidez não estivesse tão adiantada, eu tiraria.

Natália a fuzilou com os olhos.

— Tem ideia do que diz?

— É a pura verdade. Não gosto de crianças. Não suporto. Tenho pavor.

— Isso não é motivo para pensar em tirar. Espiritualmente, eu não aconselharia você a fazer isso.

— E eu lá quero saber se arrancar esse feto é espiritualmente correto ou não? — vociferou Valéria. — Você sabe que eu sempre detestei criança, Natália.

— E daí? A gente muda com a gravidez.

— Como sabe? Nunca engravidou!

— Palpite.

— Não vou ser uma boa mãe.

— Não diga isso.

— Eu não desejei esse filho.

— Melhor não falar assim. O feto está em desenvolvimento, mas o espírito já está aí — apontou para a barriga de Valéria. — Tudo o que você diz ou sente passa para o bebê.

— Que se dane o que eu sinto ou penso. Dane-se essa criança. Meu Deus! Um filho do Dario! — Valéria estava inconformada.

— Imagine a felicidade do pai dele. Dario deixou uma sementinha, um herdeiro!

— Eu só não esmurro você agora porque é minha amiga. Contudo, a minha vontade é essa. Pare de dizer sandices!

— Pare você — disse Natália, maneira firme. — Valéria, caia na real. Você está grávida e vai dar à luz uma linda criança. Eu vou ajudá-la a criar esse bebê.

Valéria atirou-se nos braços da amiga.

— Estou desesperada. Estou com medo, muito medo.

— Calma.

Adamo bateu na porta e entrou no quarto. Valéria afastou-se de Natália e se recompôs. Enxugou as lágrimas com as costas das mãos.

— Oi tio.

— Como vai?

— Indo.

— Falei com Américo.

— Tem mais essa — disse Valéria, voz alteada. — Meu pai vai me esfolar viva quando voltar de viagem.

— Não. Américo a ama demais. Está chateado, sim. Não é fácil para um pai ver a filha grávida e sem ao menos poder exigir que ela se case ou que o pai assuma determinadas responsabilidades. Afinal, o pai da criança morreu.

— Traí a confiança do meu pai. Eu era a sua princesinha.

— E continua sendo — tornou Adamo. — Nada muda. Américo é um homem de coração generoso. Obviamente está surpreso, mas sabemos que tudo passa. Quando ele pegar essa criança nos braços, vai se apaixonar e até agradecer por você ter lhe dado um neto.

— Não sei, tio.

— É verdade — interveio Natália. — Seu Américo é um bom homem. Ele vai lhe dar todo o apoio. Você só tem a ele.

— Isso é.

— E também tem a mim e Natália — disse Adamo, sorrindo.

— Tenho vontade de ir embora, entretanto estou apreensiva.

— Logo os meses passarão e você será mãe — ajuntou Natália, feliz.

— Só de pensar em ter um filho sinto arrepios — falou Valéria, passando um braço sobre outro.

Adamo a olhou sério.

— Se você não estivesse pronta, não estaria grávida. Chegou o momento de enfrentar seus medos e aprender a ser mãe.

Valéria sentiu o suor brotar na testa.

— Por que está sendo tão duro comigo?

— Porque está se comportando como uma inconsequente.

— Eu tive um descuido. Não acho justo ter de carregar essa mancha pelo resto da vida.

— Como ousa falar nesse tom? — perguntou Adamo, consternado. — Como pode falar assim de uma criança que poderá lhe trazer tantas alegrias?

— Estou confusa — Valéria falou e atirou-se nos braços do tio. — Meu pai não retorna dessa viagem de negócios e eu preciso embarcar. Não sei se devo partir.

— O que prefere fazer?

— Ficar. Ter meu bebê aqui e depois ir para a Europa.

— E vai deixar a criança a cargo de quem? — indagou Natália.

— Por favor, me ajudem — implorou Valéria.

As lágrimas escorriam sem cessar e Adamo alisava seus cabelos.

— Chi! Fique tranquila. Eu e Natália vamos cuidar de você e desse bebê.

— Você não está sozinha — ajuntou Natália. — Eu estarei sempre ao seu lado. Prometo ser a madrinha dele, ou dela.

— Promete? — perguntou Valéria, numa voz quase inaudível.

— Sim. Vamos ajudá-la.

Adamo desprendeu-se dela e sorriu:

— Temos que nos preparar. Nosso avião decola logo mais, à noite.

— Adiaremos a ida. Prefiro esperar meu pai regressar da Argentina — protestou Valéria.

— Nada disso — rebatou Adamo. — Seu pai vai nos encontrar na Itália, semana que vem. Ele tem uma reunião de negócios em Roma. Depois vai pegar um trem até Florença.

Valéria mordiscou os lábios apreensiva. Sentia grande medo de dar à luz. Tinha pavor de morrer em seguida ao parto, como ocorrera com sua mãe.

"Mas não é só isso" — pensou. "Esse medo parece ser antigo. Tornar-me mãe poderá me acarretar desgraças."

Valéria estava com a mente longe. Na verdade, lá no fundinho da sua alma, havia um medo que vinha do passado. A experiência da maternidade não fora bem-sucedida em última vida e seu espírito rejeitava a ideia de ter de viver novamente experiências desagradáveis ligadas à maternidade.

— Você pode estar passando por experiências parecidas, mas o final pode ser diferente. Tudo depende de você — disse uma voz amiga, ao seu lado.

Valéria não viu e não escutou, contudo, um espírito iluminado e sorridente tentava passar-lhe energias de calma e muito equilíbrio. Afinal, ela estava carregando outro espírito em sua barriga e suas emoções atingiam diretamente o feto.

— Ela é uma fraca, isso sim — vociferou uma voz bem mais atrás.

O rapaz falou e deu um passo à frente. Levou um choque.

— Ai! — urrou de dor.

— Afaste-se dela — tornou o espírito iluminado, voz séria.

— Não vale — respondeu Tavinho, irritado.

— Como não? Graças à sua contribuição, à sua influência, Valéria engravidou. Devo admitir que a maneira não foi nada elegante, mas conseguimos o nosso intento.

— Isso me irrita profundamente. Eu deveria ser o pai da criança. Valéria é minha.

— Bobagem — disse Eliel, o espírito de luz. — Valéria iria engravidar de Dario de qualquer jeito. Você precipitou a gravidez e o desencarne de Dario.

— Agora eu sou o responsável pela morte dele?

— Não foi o que eu disse — falou Eliel, voz pausada.

— Vocês, da luz, não dizem que tudo ocorre pelo livre-arbítrio?

— Sim. E daí?

— Eu sabia que Dario iria morrer naquele acidente. Só quis participar do evento. Fiquei feliz que ele saiu da cola da Valéria. Por outro lado, fiquei triste porque Dario era o único elo que me prendia a ela. Agora, sem ele por perto, não tenho como me aproximar. Mas vou arrumar um jeito.

— Por ora não vai conseguir — tornou Eliel, paciente. — Valéria está grávida e tem proteção extra. O espírito que carrega no ventre é muito meu amigo e não deixarei que nada nem ninguém atrapalhe a gravidez.

— Ah! Era só o que me faltava — protestou Tavinho. — Vou aguardar os meses que faltam. Logo vou grudar em alguém e fazer essa pessoa se interessar pela Valéria. E voltarei a amá-la, vai ver.

— Não vai.

— Como?! Só porque faz parte da ala iluminada do universo acha que pode me proibir?

— Não só proibir como ameaçar. Valéria vai mudar muito depois da gravidez e não terá mais afinidade energética com você. Melhor tratar de procurar outra para saciar-se ou então...

— Então o quê?

— Ora, venha conosco.

— Para quê? — resmungou Tavinho. — Para viver no meio de campos de trigo? Passar o dia tocando harpa e meditando? Tô fora.

— Quem lhe disse que a nossa *ala* é assim? Você foi acolhido num posto de socorro e depois fugiu. Está vagando aqui no planeta há alguns anos.

— Vi na televisão. Foi numa novela.

— Ledo engano — sorriu Eliel. — A nossa cidade é movimentada, bem agitada. Trabalhamos, estudamos, temos muitas responsabilidades. O espírito quando deixa a Terra tem mais atividades do que quando estava encarnado.

— Não acredito.

— Veja por você mesmo, Tavinho. Venha e passe um dia comigo. Se não gostar, eu o deixarei livre para voltar ao planeta. Contudo, saiba que não terá como se aproximar de Valéria.

Tavinho sentiu um frio na barriga.

— Ela é minha.

— Pare com essa possessão. Você está preso na adolescência. Continua com dezoito anos de idade.

— Fiz as contas. Se estivesse vivo, teria vinte e três.

— Com a cabeça de um garoto inconsequente. Muitos de seus amigos no planeta se casaram, outros estão estudando e outros ainda vão desencarnar em breve. A vida muda para todo mundo.

— E eu morri — disse num tom desanimado.

— Desencarnou — corrigiu Eliel.

— Desencarnei, morri, tanto faz. Não fiz dezenove anos, não tive outras namoradas, não tive a chance de conhecer outras pessoas, de estudar, de ser alguém na vida. Não é justo.

— A natureza não faz nada errado — emendou Eliel, amável. — O seu tempo era curto. Você foi muito irresponsável na última encarnação. Poderia ter vivido muitos anos, mas atirou-se no vício do jogo e da bebida. Desencarnou muito cedo.

— Conversa fiada. Eu não me lembro de nada disso. Eu me chamo Otávio Mendes Leyte Júnior, vulgo Tavinho. Tive uma infância rica, mas nunca tive o amor de meus pais. Não tive irmãos, cresci sozinho e, quando completei catorze anos, meu pai me deu uma moto. Depois deixou eu pegar o carro dele para namorar. Meu pai nunca me deu limite. Se ele fosse mais enérgico comigo, eu estaria vivo.

— Hum, não culpe seu pai pela sua morte. Você foi o responsável pelo próprio desencarne.

Tavinho, depois de muitos anos, sentiu profunda melancolia.

— Só tenho a impressão de que Valéria era meu grande amor.

— Não. Você mesmo disse que nunca teve o amor de seus pais. Quando Valéria lhe deu um pouco de carinho e atenção, você sentiu o afeto verdadeiro e jogou sobre ela o amor represado que nunca soubera como dar.

— Por que nunca recebi amor dos meus pais?

— Para aprender a valorizar a si mesmo e amar-se incondicionalmente. De maneira consciente ou não, você escolheu seus pais nesta encarnação. Sempre atraímos pais perfeitos para nós. Tudo vai pela nossa vibração, pelo padrão de nossos sentimentos e postura de crenças ao longo de muitas vidas.

Tavinho pensou por um instante e em sua mente passou uma rápida imagem de sua penúltima vida. Ele via-se caído numa calçada, bêbado e sem controle sobre o corpo.

— Deixe o passado para trás e venha comigo — convidou Eliel. — Como disse, onde vivemos não prendemos ninguém. Cada um é livre para ficar ou ir embora.

— Não sei — Tavinho hesitou.

— Vamos. Só um dia.

— Está bem. Eu vou. Mas promete que Dario não vai se aproximar dela?

— Dario está no mesmo pronto-socorro que acolheu você. O trauma do acidente foi muito forte. Ele ainda vai ficar bons meses hospitalizado. Fique sossegado que, nesses meses em que Valéria vai gerar essa criança, nenhum espírito com influências negativas vai se aproximar dela.

Tavinho fez um sim com a cabeça e logo os dois espíritos sumiram do ambiente.

Naquele instante, Valéria sentiu uma leve brisa tocar-lhe a face. Sorriu e apanhou sua bolsa. O medo de estar grávida havia diminuído, mas ainda uma incômoda sensação de insegurança permanecia ao redor.

Ela espantou os pensamentos com as mãos e desceu com Natália e Adamo. O motorista os esperava.

— Cadê dona Elenice e Milton? — ela perguntou, enquanto se acomodava no banco traseiro do Opala.

— Eles já estão no aeroporto — assegurou Natália.

A amiga entrou no carro e Valéria apertou sua mão.

— Vai dar tudo certo, Valéria. Confie.

Valéria assentiu com a cabeça e o carro deixou o palacete do Morumbi. Pouco depois, elas estavam em Congonhas, prontas para a viagem.

Minutos antes do embarque, alguém tocou no ombro de Valéria. Ela se virou para trás e arregalou os olhos, espantada.

— Tomás?! — indagou surpresa. — O que faz aqui?

— Vim me despedir.

Valéria engoliu em seco. A presença do jovem mexia muito com ela.

— Onde está Marion?

— Está rodando um filme no Rio de Janeiro. Não sei quando vamos nos ver.

— Embarco daqui a pouco.

— Eu sei. Quero que saiba o quanto gosto de você.

Valéria sentiu as pernas bambas.

— Não é certo, Tomás. Você vai se casar com Marion.

— Se você disser para eu não me casar, não caso.

— Não diga isso.

— Eu a amo, Valéria. Por favor, me dê uma chance.

Valéria passou a mão pelo ventre e lembrou-se do bebê. Não tinha condições emocionais de engatar um romance. Algo dentro dela queria gritar sim. Mas a razão prevaleceu. Ela lembrou-se do filho que carregava dentro de si e do temperamento possessivo de Marion.

"Só faltava agora eu ser perseguida por essa desvairada" — pensou.

Tomás estava profundamente emocionado.

— Por você eu faço qualquer coisa.

— Por que me diz isso agora?

— Porque percebi que é você quem amo.

— Marion é louca por você.

— Qual nada — protestou Tomás, com um movimento de mão. — Marion está interessada em mim porque meu pai tem contatos com produtores de filmes no exterior.

Valéria sentiu vontade de se atirar nos braços dele e fazer Tomás rodopiar com o corpo dela enlaçado ao dele, como em filmes americanos românticos com final feliz.

Tomás prosseguiu:

— Deixe-me ir com você para a Itália.

Valéria sorriu.

— Você é especial, Tomás. Juro que, se fosse em outro momento, eu aceitaria seu pedido.

— Aceite, vai.

— No entanto, isso é inviável agora.

— Por quê?

— Porque eu...

Adamo apareceu e disse, paciente:

— Nosso voo vai partir daqui a pouco.

— Já vou, tio, um minuto.

Adamo cumprimentou o jovem com um aceno e afastou-se.

— O que você ia dizer? — perguntou Tomás.

— Nada. Preciso ir.

Valéria inclinou a cabeça e beijou Tomás no rosto próximo do lábio. Sentiu um frêmito de prazer e corou. Em seguida virou-se e aumentou as passadas em direção ao tio e a Natália. Tomás meneou a cabeça para os lados e foi embora cabisbaixo e triste. Muito triste.

A despedida foi emocionante. Valéria estava sensível por conta da gravidez e chorou muito. Uma hora depois, o avião decolou. Elenice e Milton acompanharam os três e depois correram até o andar superior onde se podia ver os aviões decolarem.

— Que Deus proteja nossa menina — disse Milton.

— Ele vai protegê-la, sim — respondeu Elenice, emocionada. — Natália vai ser muito feliz. Vai ter uma bela carreira e casar com o homem que ama de verdade.

Milton passou o braço pela cintura da esposa. Sorriram felizes.

capítulo dezoito

Gisele estava radiante e feliz. Chegara o dia em que finalmente se livraria do estrupício do Olair.

— Demorou, mas chegou. Hoje me livro desse porco imbecil.

Ela vestiu a sua melhor roupa, um macacão em poliéster dourado, com uma boca de sino imensa e sapatos plataforma que a deixavam bem alta. Gisele carregou na maquiagem. Contornou os olhos com lápis preto e abusou do batom vermelho. Esparramou uma quantidade exagerada de perfume barato sobre o corpo. Olhou para sua imagem refletida no espelho do banheiro.

— É assim que se faz, garota!

Ela mandou um beijo para si mesma e saiu sorridente. Foi até o bar do Rodinei. Quando ele a viu, sorriu e afastou-se dos clientes. Fez sinal para ela contornar o balcão e ir para os fundos do boteco.

— E aí? — perguntou, ansioso. É hoje que vamos botar o velho pra fora de casa?

Gisele sorriu e fez biquinho:

— É. Hoje aquela casa será nossa. Só nossa!

— Tenho pena do Olair. O otário confiou cegamente em mim. Me deu a casa de mão beijada.

— Um tonto. Merece se danar — Gisele abriu a camisa de Rodinei e enrolou o dedo nos pelos do peito dele. — E nós vamos nos amar para sempre, não é?

— Claro, meu bem. Se não fosse você, eu não ganharia essa casa.

Gisele consultou o relógio.

— Está na hora. O imbecil já deve ter fechado a alfaiataria e está a caminho de casa. Daqui a meia hora você aparece?

— Hum, hum — disse ele, maneira afirmativa. — Vou fechar o boteco mais cedo e corro para lá.

— Então, tá. Viu como estou linda para você? — ela fez beicinho, enquanto rodopiava o corpo.

— Exagerou um pouco no perfume.

— Depois você tira, no banho — ela falou de maneira insinuante.

Rodinei a beijou demoradamente nos lábios.

— Agora vá. Faça tudo conforme planejamos.

— Está bem.

Gisele o beijou novamente nos lábios e saiu. Chegou em casa em poucos minutos. Entrou, acendeu a luz e correu para o quarto. Olhou para o canto e sorriu.

— Olair ainda tem de me agradecer. Eu fiz as suas malas. Não vai sair da casa só com a roupa do corpo.

Em seguida, ela se deitou na cama, esticou o braço até o criado-mudo e ligou o rádio. Começou a cantarolar uma música muito em voga na época, na voz de Barros de Alencar:

Eu sei que um homem não deve chorar
Por uma mulher que o abandonar
Já não me interessa mais o teu amor
Pois todo meu pranto um novo amor secou

Olair entrou no quarto e perguntou, com um sorriso estampado no rosto.

— Bonito ver você cantar assim, querida.

— Gostou? — Gisele perguntou ao mesmo tempo em que desligava o rádio.

— Gostei. E estou fervendo de vontade de tê-la.

Olair falou, tirou a roupa com rapidez e jogou-se de cuecas e meias sobre Gisele. Ela virou o corpo e saiu da cama. Pulou para fora e Olair caiu sobre o colchão.

— Danadinha! Quer brincar com o papai, quer?

— Não.

Gisele mudou o tom. Passou a falar de maneira ríspida. Estava cansada de fingir. E mais cansada ainda de se deitar com aquele porco.

— O que foi?

— Nada. Vista-se e prepare-se para ir embora.

Olair não entendeu. Sentou-se na cama e passou a mão pelo rosto.

— Não me lembro de marcarmos viagem. Para onde vamos?

— Melhor mudar a pergunta. Para onde *você* vai? — ela indagou, dando ênfase ao você.

— Não compreendo.

— Olhe para o canto do quarto — Gisele apontou.

— Fez as nossas malas? Vamos viajar, é isso? E eu aqui pensando em nossa viagem para Bariloche. Você é mais rápida que eu. Danada!

— Não, Olair. Pare de ser idiota, homem. Não vê que são as suas malas? Quero que saia desta casa imediatamente.

— Como assim, sair de casa?

— Além de idiota é surdo? — Gisele estava irritada. — Acabou a farra. O casamento de fachada também. Não te quero mais.

— Assim, sem mais nem menos? — Olair estava tentando concatenar os pensamentos. Estava difícil de ordená-los. Era informação demais para ser processada em tão pouco tempo.

— Quero que saia da minha casa.

— Nossa casa. Aliás, minha casa. Fui eu que comprei. Você é quem deve sair.

Gisele gargalhou.

— Eu, sair?! Não. Quem vai sair é você. Agora.

Olair irritou-se com a insistência da mulher. O rosto começou a ficar vermelho de ódio.

— A casa está no nome do Rodinei, sua estúpida. Eu faço assim — ele fez um estalo com os dedos — e ele passa a casa para mim. Claro, depois que eu me separar de você, sua ordinária.

Ele falou, levantou-se de um salto na cama e pulou com as mãos cravadas no pescoço de Gisele. Ela arregalou os olhos. Sentiu a fúria do homem. Tentou se defender, unhando as costas de Olair, enquanto suplicava mentalmente que Rodinei chegasse.

Rodinei apareceu acompanhado de dois homens, bem fortes e com cara de meter medo. Ordenou:

— Parem com isso, vocês dois.

Olair continuou preso ao pescoço de Gisele. Rodinei fez um sinal com a cabeça e os dois brutamontes aproximaram-se e o arrancaram à força. Jogaram o homem sobre a cama.

Olair resmungou e encarou Rodinei.

— Não sei o que o fez vir até aqui, mas foi por Deus. Se não viesse, eu juro que iria matar essa cadela.

— Não vai ser necessário — tornou Rodinei, voz calma, porém fria como gelo.

— Agora, por favor, Rodinei, leve essa ordinária para fora da minha casa. Da *minha* casa — enfatizou.

— Ela já vai — respondeu Rodinei. — Antes, preciso que você pegue suas malas e saia.

— Hã? — Olair não compreendeu.

— Pegue suas malas e saia, Olair. Você tem um minuto para deixar esta casa, antes que meus homens tomem as devidas providências.

— É Gisele quem tem de sair — falou Olair. — Esta casa é minha.

A loira interveio, nervosa:

— Idiota. Acreditou no Rodinei? Acha que ele foi seu amiguinho e lhe fez um favor? Acha mesmo que ele vai te devolver a casa? Acorda, homem! Você foi *lubidriado.*

— Ludibriado — consertou Rodinei. Enganado, mesmo.

Olair passou o olhar de Rodinei para Gisele e voltou para Rodinei. A ficha havia caído.

— Você usou da minha boa-fé para ficar com a minha casa?

— Sim.

— Quer ficar com a casa que tanto me sacrifiquei para quitar antes do tempo junto ao banco?

— Exato.

— Eu vou na Justiça. Esta casa é minha.

— Não adianta, Olair. Você foi muito idiota. Fez a sua esposa assinar o contrato de venda.

— Foi um contrato de gaveta. Posso me desfazer dele a qualquer momento.

— Negativo, meu amigo.

— Não me chame de meu amigo! — vociferou Olair.

Rodinei sorriu e prosseguiu:

— Fui até o cartório e passei a escritura em meu nome. Esta casa é minha e ninguém tasca. Agora poderei pensar em casar e ter um lar, constituir família. Este sobrado não é lá um palacete, mas é arrumadinho, de bom tamanho. Depois de uma boa reforma, vai ficar um brinco — disse, enquanto prendia o polegar e o indicador na orelha.

— Isso não pode ser verdade.

— Claro que é, imbecil — gritou Gisele. — O Rodinei te fez de palhaço. Agora pegue suas malas e vá embora. Vai sair daqui da mesma forma que fez com as suas filhas.

Olair sentiu o sangue subir. Os olhos estavam injetados de fúria. Nunca sentiu tanta raiva na vida, nem mesmo quando batia em Josefa ou puxava a cinta para as meninas. Ele até sentiu uma ponta de prazer. Um prazer sádico. Teve vontade de matar o casal bandido. Mas aqueles brutamontes eram sujeitos muito encorpados e, fatalmente, ele levaria a pior.

Olair pensou e pensou. Parecia estar perdido. Mil cenas perpassaram sua mente confusa e impregnada de ódio. Ele se levantou e ia falar alguma coisa, mas não teve tempo. Sentiu uma forte pontada e levou as mãos ao peito.

— Vocês me pagam... — balbuciou.

E caiu duro sobre o chão. Olair teve um enfarto fulminante. Morreu na hora.

Gisele olhou para o corpo e o tocou com a ponta dos pés.

— Está morto?

— Parece que sim — afirmou Rodinei.

Ele abaixou-se e colocou dois dedos sobre o pescoço de Olair.

— O velho não aguentou tamanha emoção.

— O que devo fazer?

— Chamar a polícia, oras. Seu marido estava alegre demais. Quis amá-la, excedeu-se nas brincadeiras sexuais e teve um ataque. Acontece todos os dias. Coisa normal.

— Tenho medo da polícia.

— Você é casada, quer dizer, foi casada com o defunto. Olair não está machucado.

— Está com as costas arranhadas.

— Mais um motivo para acreditarem que Olair morreu enquanto vocês namoravam — tornou Rodinei.

Gisele concordou. Foi até o corredor e pegou o telefone. Discou para a polícia.

Depois que assinou os papéis e o corpo de Olair foi encaminhado para o Instituto Médico Legal, Gisele correu até a casa de Célia e Ariovaldo, para informá-los da morte dele. Pediu, fingindo melancolia, que ligassem e avisassem as filhas.

Célia e Ariovaldo receberam a notícia com certa tristeza. Não eram amigos de Olair, mas sentiam compaixão por ele. Sabiam que ele havia metido os pés pelas mãos e estava completamente mergulhado no mar das ilusões do mundo.

Depois que ela se foi, Célia fechou a porta e sentiu um calafrio pelo corpo.

— O que foi, meu amor? — indagou Ariovaldo, preocupado.

— Nossa, tem alguma coisa ruim grudada na Gisele. Não consegui identificar.

— Deve ser por causa da morte do Olair. Ela deve estar perturbada.

— Perturbada? A Gisele? Nem pensar. Eu não senti uma gota de tristeza vinda dela. Ela não está sentindo nada pela morte do Olair.

— Será?

— Pode apostar. No entanto, não nos cabe aqui julgar os outros. Vamos nos sentar no sofá e fazer uma prece pelo espírito de Olair. Sinto que ele não está bem — finalizou Célia.

Gisele fechou o portãozinho da casa de Célia e gargalhou.

— A encomenda saiu melhor do que o esperado. Eu tinha medo de que Olair pudesse vir atrás de mim, me importunar e fazer da minha vida um inferno. Mas o otário tinha o coração fraco e — pluft — morreu. Pobrezinho. Preciso me arrumar para o velório e fazer cara de viúva triste para aquelas meninas intragáveis. Faço tudo pelo homem que amo e pela casa que herdamos — falou entre dentes.

Gisele dobrou a esquina e não percebeu um vulto enegrecido de ódio praticamente colado nela. Olair desencarnara e seu perispírito desgrudara-se imediatamente do corpo físico. Seu espírito, cheio de rancor e ódio, iria ficar na cola de Gisele por muito tempo.

— Pobrezinha — ele disse, num tom raivoso e soturno. — Prepare-se porque, a partir de hoje, vou transformar a sua vida num mar de infelicidades. Pode apostar!

Alzira foi convencida por Eugênio a alugar um pequeno salão próximo de casa, numa avenida movimentada, a fim de montar seu estabelecimento comercial, fabricando e vendendo doces e tortas salgadas.

— Sinto um frio no estômago só de pensar em ter meu próprio negócio — disse ela, emocionada.

— Você é competente, sabe o que faz.

— Não entendo de administração.

— Aprenda. Vá fazer cursos a respeito. Sua tia Lurdes vai muito ajudá-la e tenho certeza de que a loja será um sucesso — tornou Eugênio, sorridente, enquanto abraçava-a pelas costas e escolhiam, alegremente, o nome do empreendimento.

Marion percebeu o interesse de Tomás por Valéria. Ficou furiosa.

— Agora que o pai do Tomás vai me conseguir uma entrevista com produtores americanos? Eu não posso perder esse homem agora. Não agora! — bradou em alto som, enquanto formulava uma maneira de reconquistá-lo e tê-lo pelo tempo que desejasse.

Assim que Valéria embarcou para a Itália, Marion correu para dizer a Tomás sobre a gravidez da amiga.

— Valéria está grávida de Dario. Eu sempre soube que ela o amava — disse, num tom repleto de fingimento.

Tomás escutou tudo calado e, quando ia pensar em ficar só e repensar sua vida afetiva, Marion veio com uma surpresa daquelas de fazer perder o rumo: estava grávida e eles deveriam se casar. Imediatamente.

No finzinho daquele ano, Valéria deu à luz um lindo menino, de nome Frederico. Dois anos depois, Arlete e Osvaldo casaram e, no verão de 1980, nasceu a filha deles, Olívia.

O tempo passou e a vida, tecendo a teia de suas coincidências de maneira inteligente, fez com que, muitos anos depois, Olívia e Frederico se encontrassem. Ou melhor, se reencontrassem.

A rejeição entre pais e filhos

1995 – 1999

capítulo dezenove

Alzira terminou de assinar alguns cheques e entregou-os para Lurdes.

— Pronto, tia. Esses são os últimos cheques da compra do ponto no *shopping center.* Mais uma loja Olhai os lírios! — exclamou, com prazer.

— Fico preocupada. Não acha que está dando um passo maior que a perna? — perguntou Lurdes, aflita.

— Sei que está nervosa por conta das escorregadas que demos no começo. Mas aprendemos a duras penas.

— Depois dos cursos que fizemos no Sebrae[9] tornamo--nos empresárias de sucesso. Falhamos principalmente em duas questões fundamentais: planejamento prévio e estruturação e gestão do negócio. São aspectos para os quais não podemos deixar de dar bastante atenção. Todos os esforços que fizemos para aprender, e não foram poucos, sustentaram até o momento a viabilidade do nosso negócio.

— E por que o medo? — indagou Alzira, sorridente.

---

9 O Sebrae faz parte de um sistema criado em 1972 — Centro Brasileiro de Apoio à Pequena e Média Empresa (Cebrae) — vinculado ao Governo Federal. A partir de 1990, a entidade transformou-se num serviço social autônomo, denominado Serviço Brasileiro de Apoio às Micro e Pequenas Empresas — Sebrae. Mais informações, acesse: www.sebrae.com.br

— Tem razão. Eu nunca pensei que teríamos mais de uma loja. Eu me contentei em ter somente a loja de São Bernardo do Campo.

— Essa nova loja no *shopping* vai nos trazer mais prosperidade. Continuaremos num caminho ascendente, de progresso.

— Você está correta — anuiu Lurdes. — Eu me aposentei e jamais pensei que teria uma vida tão agitada. É bom sentir-se útil e fazer o que gosta, mesmo estando velha.

Alzira levantou-se da cadeira e abraçou-se à tia.

— Imagine, velha! Você está muito bem para quem passou dos sessenta. Ainda tem chance de arrumar um companheiro.

— Eu? Isso não é para mim. Sou muito independente.

— Você deixou de jogar cartas e frequenta os jantares dançantes às sextas-feiras. Tem um punhado de homem no seu pé.

— Tenho muito trabalho.

— Trabalho, sei... Vejo como alguns clientes vão ao nosso estabelecimento só para vê-la.

Lurdes corou.

— Não diga bobagens.

— Verdade, tia. O seu José do empório, por exemplo. Não para de lhe mandar bilhetinhos.

— Não quero saber do José, do Manuel, de ninguém. O assunto afetivo está encerrado em meu coração.

— Só porque teve uma decepção amorosa anos atrás? Acha justo fechar o coração e não ter ninguém?

Lurdes estremeceu e sentiu saudade do namorado.

— Meu Deus! Faz mais de quarenta anos e eu não consigo esquecê-lo.

— Por que não vai atrás dele? Ao menos para saber se ainda está vivo.

— Nem pensar — objetou Lurdes. — Ele é que deveria me procurar. Se não me procurou, é porque deve estar até hoje atirado nos braços da outra por quem me trocou.

Alzira deu novo abraço na tia. Entendia o porquê de Lurdes agir daquela maneira. Meio que tomada por uma sensação de amplitude da consciência, tornou, amável:

— Sabe, tia, quando se termina um relacionamento afetivo, é comum ficarmos para baixo, nos sentindo desestimulados a procurar alguém, ainda mais quando não foi você quem quis terminar. Ser trocada por outra, sentir-se abandonada, levar um fora pode nos causar um grande estrago aqui — Alzira apontou para o peito — contudo isso pode ser superado ao longo do tempo. O problema ocorre quando você se sente rejeitada e incapaz de buscar novo relacionamento e, diante de tal rejeição, surge o medo de ficar sozinha para o resto da vida.

— De certa forma, é o que aconteceu comigo — disse Lurdes, chorosa.

Alzira balançou a cabeça para cima e para baixo e prosseguiu:

— A rejeição está direta e profundamente ligada à baixa autoestima.

— Não é fácil superar o abandono.

— Como você se viu totalmente insegura, sentiu-se rejeitada e esse sentimento afetou sobremaneira o modo como você escolheu se relacionar durante todos esses anos. Procurou afastar-se dos homens, colocando uma cerca em volta de seu coração, como se essa cerca imaginária fosse capaz de fazer você parar de sentir.

Lurdes estava profundamente tocada. Uma lágrima escapou pelo canto do olho.

— As pessoas conseguem lidar melhor com a rejeição quando são muito seguras — falou, tentando se sentir forte.

Alzira concordou com a cabeça e continuou:

— Quando são muito seguras e possuem diversos pilares de sustentação, como uma boa estrutura familiar, um trabalho prazeroso e, acima de tudo, confiança em si mesmo. Você tem todos esses pilares, e muito bem estruturados, diga-se de passagem.

— Sei, mas...

— Tia, eu aprendi isso ao longo dos anos. Quanto mais baixa a autoestima e maior a insegurança, mais difícil será lidar com o sentimento de rejeição. E isso pode se repetir por vidas a fio.

— Passei da idade de me relacionar.

— Quem disse que há limite de idade para se relacionar?

— Adquiri muitas manias. Não tenho mais o sonho de amor. No fundo, gostaria de encontrar um companheiro, alguém para conversar, namorar... mas casar está fora dos meus planos. Tenho a minha casa, o meu dinheiro e sou dona do meu trabalho e do meu nariz. Vou arrumar casamento? Encrenca? Para quê?

Alzira riu. Lurdes continuou:

— A sociedade também não aceita que uma mulher na minha idade possa amar. Meu corpo pode ter envelhecido, mas a minha alma ainda é jovem.

— Não podemos ligar para a sociedade, tia. Eu sei o que é receber os dedos acusadores das pessoas. Lembra quando voltamos de nossa viagem de lua de mel em Buenos Aires? O mundo esperava que eu estivesse grávida.

— Se me lembro!

— Eu e Eugênio optamos por não ter filhos e somos crucificados por muitas pessoas. É como se, escolhendo não ser mãe, eu estivesse cometendo um grande pecado.

— Não é porque nasceu mulher que é obrigada a ter filhos.

— Graças a Deus que você me entende. Até cogitei a possibilidade de ter um filho. Entretanto, depois que Olívia nasceu e passou a frequentar minha casa, não senti mais essa necessidade.

— Você é mais mãe de Olívia que Arlete.

— Não fiz por mal. É pura afinidade. Arlete não entende a filha e vice-versa. Vivem nesse conflito desde sempre. Arlete quer tudo do seu jeito e Olívia é turrona, igualzinha à mãe. Procuro, à minha maneira, fazer com que Olívia aceite a mãe com maior naturalidade.

— Por que será que elas são tão ariscas uma com a outra?

— Só se explica entendendo que nascemos e morremos muitas vezes, tia. A reencarnação explica perfeitamente o caso de minha irmã e minha sobrinha. Sei que há um sentimento de amor que uma nutre pela outra, mas, por outro lado, percebo certo estranhamento entre as duas, um forte sentimento de rejeição.

— Arlete nunca rejeitou a própria filha — protestou Lurdes.

— Olívia sempre rejeitou a mãe, desde que abriu os olhinhos. Lembra-se como ela chorava toda vez que Arlete a pegava nos braços?

— Isso é verdade — concordou Lurdes. — Olívia só sossegava nos braços de Osvaldo, nos meus ou nos seus. E nunca notei nenhum comportamento de Arlete que causasse essa repulsa da filha pela mãe.

— Faço o possível para que ambas se deem bem. Acredito que esse estranhamento vem de vidas passadas.

— Pensando assim, é natural que esse sentimento de animosidade entre ambas seja algo relacionado ao passado.

A conversa tomou esse rumo e logo foi interrompida com um estrondo na porta da sala. Alzira e Lurdes arregalaram os olhos ao ver Olívia entrar afobada, em prantos. A menina correu até Alzira e a abraçou.

— Tia, não quero mais voltar para minha casa. Nunca mais.

— Por quê?

— Minha mãe... eu não aguento mais a minha mãe! — exclamou, entre soluços.

— O que aconteceu? — indagou Lurdes. — Brigou com sua mãe mais uma vez?

Olívia fez sim, enquanto fungava e continuava com a cabeça encostada no ombro da tia.

— Briguei. Ela quer que eu faça um curso de computação. Disse que quando era moça fez um curso de datilografia e graças a ele conseguiu emprego. Eu não preciso e não quero trabalhar, ainda.

Lurdes interveio, amável:

— Seu pai não lhe prometeu que iria fazer intercâmbio na Inglaterra semestre que vem?

— Pois é, tia. Depois que minha mãe me sacaneou com aquele concurso, também está fazendo a cabeça do meu pai para eu não ir para a Inglaterra. Falou que inglês se aprende na esquina de casa.

— Chi! — disse Alzira, enquanto afagava-lhe os cabelos sedosos. — Ainda bem que não precisa trabalhar *ainda* — ela frisou bem a última palavra — contudo, sua mãe se preocupa com seu futuro e bem-estar.

— Ela quer que eu faça o que ela quer. Estou cansada de ser um joguete em suas mãos.

— Não exagere — remendou Lurdes. — Arlete se preocupa verdadeiramente com você. Quer que desenvolva suas habilidades.

— Fazendo computação?

As duas não responderam.

— Quero fazer intercâmbio e depois um curso de teatro na Inglaterra. Eu quero ser atriz!

A menina falou e voltou a chorar nos braços de Alzira. Enquanto Olívia se debulhava em lágrimas, Alzira olhou para Lurdes e ambas fizeram sinal negativo com a cabeça. A história era sempre a mesma e parecia que jamais teria fim...

Desde que começara a balbuciar as primeiras palavras, Olívia batia na mesma tecla: quando fosse adulta, seria atriz. O pai achava a ideia ótima e se gabava todo. Arlete não se conformava com o desejo da filha.

— Filha minha não nasceu para o palco. Olívia vai ser moça direita.

— O que é isso? — perguntava Osvaldo. — Estamos quase no século vinte e um e você fala como se estivéssemos vivendo duzentos anos atrás.

— Você faz todos os caprichos dessa menina — Arlete rangia os dentes.

— Faço e farei sempre que puder, desde que os caprichos a façam feliz.

Para agravar a situação, Olívia nascera com um leve estrabismo convergente, uma das formas mais comuns de estrabismo. Seu olho esquerdo tinha um leve desvio para dentro, como se o olho desviado olhasse o próprio nariz. Resumindo, Olívia era vesga de um olho.

Como a visão se desenvolve por completo por volta dos sete ou oito anos de idade, o diagnóstico precoce ajuda bastante para se ter um resultado altamente satisfatório, chegando praticamente à cura. Osvaldo logo tratou de consultar um estrabólogo, médico oftalmologista especializado em estrabismo. Olívia usou tampão no olho e, aos quinze anos de idade, ainda usava óculos. Seu estrabismo havia melhorado sobremaneira, embora ainda houvesse pequeno desvio do olho.

A visão não fora comprometida, mas a aparência, sim. A menina sofria com as brincadeiras de mau gosto na escola. Zarolha, vesguinha, olho torto e outros apelidos infelizes foram comuns em sua infância e adolescência. Olívia tinha certeza de que um dia seria "normal" como as outras amiguinhas.

Passado o tempo, ela quis porque quis ser uma Paquita[10]. Ninguém conseguia demovê-la da ideia. Quando soube que as assistentes de palco haviam atingido a maioridade e que uma nova leva de meninas na faixa dos quinze anos substituiria as antigas, Olívia azucrinou a família. Fez o pai levá-la até o Rio de Janeiro para participar da audição. Eram centenas de candidatas ao posto.

Arlete alterara as datas da inscrição e, quando Olívia chegou à cidade, as inscrições haviam se encerrado.

— Você fez isso de propósito — vociferou ela para a mãe, ao chegar em casa.

— Não fale com sua mãe assim — solicitou Osvaldo. — Ela trocou as datas. Confundiu-se.

— Mentira! Mamãe fez isso porque não gosta de mim.

— Imagine, Olívia. Arlete a ama mais que tudo nesta vida. Você é nossa princesinha.

— Sou a *sua* princesinha. Ela não gosta de mim — repetia.

— Tenho certeza de que sua mãe fez isso pelo seu bem.

— Ela não quer que eu seja uma estrela, papai. Ela quer que eu faça computação, estude contabilidade. Disse que uma carreira sólida é que põe dinheiro na mesa.

— Ela tem razão.

— O pai do Netinho que estuda comigo no colégio ficou desempregado. É formado em ciências contábeis. Foi despedido por conta de contenção de gastos. De que adianta ter uma carreira sólida? Aliás, papai, o que é uma carreira sólida?

---

10 As Paquitas faziam parte do programa *Xuxa Park*. As meninas eram assistentes de palco dos programas de televisão de Xuxa Meneghel, nascida em 1963 e considerada uma das apresentadoras de maior sucesso da TV brasileira até os dias de hoje. A atração foi ao ar nas manhãs de sábado pela Rede Globo entre 1994 e 2001.

Osvaldo não soube o que responder. A filha tinha razão. Ele sempre foi da opinião de que uma pessoa deveria fazer o que gosta, o que lhe dá prazer. Ele, desde pequeno, era fissurado pelo estudo e compreensão das leis. Formara-se advogado, passara no exame da Ordem e no concurso para oficial de justiça.

Passados alguns anos, depois de noites e noites mal dormidas, debruçado sobre apostilas e devorando livros de direito, conseguira passar num concurso para Procurador do Trabalho. Osvaldo adorava o que fazia e ganhava bem. Sentia-se realizado.

Se a filha queria saber do palco e dos holofotes, por que não deixá-la seguir a vontade de seu coração?

Ele alisou os cabelos castanhos e compridos de Olívia. Abriu um sorriso.

— Você poderá ser o que quiser.

— Sempre soube disso. No entanto, mamãe diz que pelo fato de ainda eu ser um pouquinho estrábica e usar óculos jamais serei atriz. Diz porque diz que atriz famosa não usa óculos. Ora, eu posso usar lentes de contato, não posso?

— Pode. Claro que pode.

— Existem atrizes meio vesgas. Elas fazem sucesso. O estrabismo pode ser um charme, concorda?

— Concordo.

— Papai, deixe-me fazer intercâmbio e conhecer a Inglaterra.

— Por quê? Quer se separar de mim? — perguntou Osvaldo, sorridente.

— De maneira alguma. Depois que mamãe fez essa sacanagem comigo...

Osvaldo a cortou:

— Olhe o tom. Sua mãe não fez *sacanagem*.

Olívia assentiu:

— Pois é, depois que mamãe *sem querer* trocou as datas da inscrição para a audição no *Xuxa Park*, eu bem que poderia fazer um ano de intercâmbio. Depois, se eu gostar de lá, poderei repensar o meu futuro profissional.

— Temos bons cursos aqui. Para que fazer fora?

— Porque dá mais prestígio, pai! — Olívia exclamou, de maneira divertida.

Osvaldo riu e a beijou no rosto.

— Vamos pensar.

— Me promete uma coisa, papai?

— O que é, meu bem?

— Você tenta convencer a mamãe para eu fazer um ano de intercâmbio?

— Se é o que você quer.

— É tudo o que mais quero.

— Está bem. Juntos, vamos convencer sua mãe.

Chegando do Rio, depois de ter absorvido melhor a sensação de derrota e não ter chegado a tempo de se inscrever para o teste de Paquita, Olívia impôs à mãe o desejo de fazer intercâmbio.

— Muito nova para sair de casa — foi a resposta seca.

— E se eu fizesse um curso de teatro?

— Nem pensar! — objetou Arlete. — Artista na família? Jamais. Mil vezes jamais.

— Você fez eu perder o teste de Paquita. Agora vai me proibir de fazer intercâmbio ou um curso de teatro?

— Vou.

— Que vida é essa? Como pode ser tão má?

— Estou fazendo isso pelo seu bem.

— Meu bem? — Olívia estava estupefata. Arregalou os olhos e disse: — Você sempre arruma uma maneira de me sacanear!

Arlete odiava que Olívia usasse essa palavra. Levantou a mão e chegou perto do rosto. A menina a desafiou:

— Reclamava que apanhava do seu pai, mas está louca para descer a mão em mim. O que foi? Quer também aproveitar e me botar para fora de casa?

Arlete caiu em si e lembrou-se de Olair e das surras. Abaixou imediatamente a mão.

— Você me tira do sério! — bradou.

— Eu só quero o melhor para mim. Quero conhecer o mundo, fazer intercâmbio, ser atriz.

— Você vai estudar computação — repetiu Arlete. — Eu fiz datilografia e consegui trabalho por conta disso. Claro, depois que seu pai passou no concurso para Procurador do Trabalho eu pude deixar meu emprego na montadora e me dedicar à casa e a você.

— Só se dedicou à casa. Nunca deixou eu fazer nada que quisesse.

— Como não? Corri com você de consultório em consultório para que tivesse seu estrabismo curado. Fiz de tudo para que você não tivesse problemas de visão.

— Consertou meu olho, mas não me deixa fazer nada que gosto.

— Filha, esse negócio de atriz não me cheira bem. Você tem vocação para as artes, mas também tem bom senso de organização. Você é adolescente e cheia de sonhos. Logo isso passará e você vai encontrar alguma profissão e...

— Por que não? O que tem de mais? Ser atriz é uma profissão como outra qualquer.

— Não é!

— Não entende que eu não sou você? Não entende que nossos gostos não batem? — protestou Olívia.

— Chega de chorumelas! — gritou Arlete. — Sou sua mãe e você me deve o respeito. Vai estudar computação.

— Não vou!

— Então não vai fazer curso nenhum e intercâmbio nenhum.

— Ao menos o intercâmbio...

— Não, Olívia. Para que gastarmos uma fortuna para você aprender inglês no exterior? Tem uma escola de línguas na esquina de casa.

Olívia enfureceu-se:

— Não é a mesma coisa! E tem mais: eu quero conhecer outras pessoas, outras culturas. Não aguento mais ficar presa em São Bernardo.

— Eu adoro morar aqui. Agora vai dar para reclamar da cidade onde nasceu?

— Você deturpa tudo! — respondeu tristemente Olívia. — Não é que eu não goste daqui, mas há um mundo aí fora para ser explorado. Eu quero conhecer o mundo, mãe.

— Melhor conhecer o mundo com um curso de computação. Vi uma matéria no *Fantástico* que dizia que a computação vai dominar o mundo daqui uns anos. Viu como penso no seu melhor?

— Não preciso que pense por mim. Eu tenho cérebro!

Arlete estava perdendo a paciência.

— Chega! E sem televisão por uma semana.

— Não vou ficar de castigo.

Arlete aproximou-se e a fulminou com os olhos.

— Não me desafie, garota. Sou sua mãe.

Olívia engoliu em seco. Rodou nos calcanhares e saiu correndo. Bateu a porta de casa com força. Atravessou a rua e minutos depois chegou ao destino. Precisava conversar com sua tia.

"Só a tia Alzira me entende" — disse para si enquanto dobrava o jardim e entrava na casa da tia.

Arlete levou as mãos ao rosto.

— Não sei mais o que fazer, Osvaldo.

Ele abraçou a esposa por trás. Cochichou em seu ouvido.

— Deixe-a fazer o intercâmbio.

— Olívia é muito novinha.

— Tem quinze anos. Está no segundo colegial. É boa aluna.

— Sozinha no mundo?

— E criamos nossa filha para quê? Para o mundo, oras!

— Estou insegura, querido.

— E quanto ao curso de teatro? Ela gosta.

— Tenho medo.

— De quê?

— Aquela salafrária da Gisele era modelo e atriz.

Osvaldo riu alto.

— A Gisele?

— Era o comentário que faziam lá no bairro.

— Bobagem. Gisele nunca foi atriz ou modelo. Era pura invenção.

— Não sei, Osvaldo.

— Ela é jovem e tem sonhos. Se sua alma tiver inclinação para o teatro, ela será uma ótima atriz. Caso contrário, vai conhecer outras pessoas, de outras culturas e talvez se interesse por outra profissão. Poderá expressar-se artisticamente de outra forma. Tudo é possível.

— Tenho medo de que Olívia se perca na vida.

— Nossa filha tem o nosso sangue. Ela nunca daria um passo maior que a perna. Nasceu para sonhar, assim como eu nasci para as leis e você nasceu para mim!

Arlete sorriu e o beijou nos lábios.

— Eu o conheço há quase vinte anos e continua galante! Você é o amor da minha vida.

— E você é o meu — respondeu ele, com amabilidade na voz. — Não queira impor regras rígidas demais à nossa filha só porque você e Alzira sofreram nas mãos de seu pai.

— É difícil.

— Por qual motivo?

— Não quero que nossa filha sofra.

— Não podemos impedir que isso aconteça, meu amor. Olívia está crescendo, logo vai se tornar uma mulher e terá de encarar o mundo. Vai sofrer decepções amorosas, vai aprender a ouvir "não", vai ter de conviver com piadinhas sobre seu leve estrabismo e vai ter de se virar. Nós sempre fomos cúmplices e decidimos criar nossa filha para o mundo, e não para nós. Eu e você a amamos demais e queremos ser amigos dela. Cada discussão que você tem com ela a afasta mais do nosso convívio.

— Tem razão. Vou ligar para Alzira.

— Por quê?

— Porque Olívia sempre vai para a casa da tia quando briga comigo.

capítulo vinte

Frederico espreguiçou-se gostosamente na cama. Estava radiante e feliz com a viagem para a Inglaterra.

"Estou morrendo de saudades da Europa" — disse para si, enquanto se levantava. Ele calçou os chinelos e caminhou até o banheiro. Abriu a ducha e tomou um banho demorado. Depois de se vestir e perfumar-se, desceu para o café. Encontrou Américo sentado à mesa, tomando seu desjejum e lendo o jornal.

Frederico contornou a mesa e abaixou-se.

— Bom dia, vovô — cumprimentou, depois de beijá-lo na testa.

Américo abaixou o jornal e sorriu.

— Bom dia.

— Que tal as notícias?

— A economia parece ter entrado nos eixos.

— É, vovô. O Plano Real[11] está dando certo. Também pudera. Contou com a contribuição de vários economistas, reunidos pelo Ministro da Fazenda Fernando Henrique Cardoso. Sabe que foi por causa do plano que decidi estudar economia?

---

11 Plano Real foi um programa brasileiro com o objetivo de controlar a hiperinflação que castigava o país. Iniciado em 1994, criou uma nova moeda, o Real. Mostrou-se, nos meses e anos seguintes, o plano de estabilização econômica mais eficaz da história, reduzindo a inflação, ampliando o poder de compra da população e remodelando os setores econômicos nacionais.

— E vai tomar conta das minhas empresas.

— Não sei. Talvez eu queira ter as minhas.

— É meu único herdeiro. Quero que administre as minhas, perdão, as nossas empresas.

— Você fez a sua parte. Criou e administrou as empresas. Elas são suas.

— Mas um dia serão suas também. Para quem vou deixar meu patrimônio?

— Para sua filha.

— Valéria não gosta de lidar com os meus negócios. Sua mãe sempre foi boa em decoração — resmungou. — Tornou-se uma profissional altamente reconhecida no mercado. Você tem afeição pelos supermercados. Natural que administre os negócios.

Frederico abriu largo sorriso. Sentia-se muito bem ao lado do avô. Respondeu com sinceridade:

— Pode contar comigo, vovô. Serei seu braço direito.

— E braço esquerdo também — disse Américo, rindo.

— Quando se aposentar...

Américo o cortou com doçura.

— De maneira alguma. Só vou me aposentar quando morrer. Vou trabalhar até meu último suspiro. Se eu parar de trabalhar, morro.

— Melhor aproveitar a vida. Você fez muito. Criou esse império. Poderia deixar os negócios um pouco de lado e dedicar-se mais à sua vida afetiva.

— Eu?! — indagou Américo, surpreso.

— Claro!

— Passei da idade de namorar.

— Para cima de mim, vô? Você pode enganar minha mãe e meus tios, mas a mim não engana.

— Não sei do que está falando — dissimulou Américo.

— Eu o vi outro dia passando a mão sobre uma foto antiga, bem antiga. E, curioso que sou, depois que você se deitou fui espiar a tal foto. Não era a minha avó Amélia quem estava no retrato.

Américo remexeu-se na cadeira. Sua respiração ficou alterada, por ora. Ele pigarreou e mudou completamente de assunto.

— Como passou a noite?

Frederico meneou a cabeça e sorriu. Conhecia bem o avô e sabia quando Américo não queria dar continuidade a um assunto que lhe causava incômodo. Tomou um gole de café com leite e, enquanto passava requeijão sobre uma torrada, respondeu:

— Bem. Dormi bem.

— Nada de pesadelos?

— Esta noite não tive nada. Ontem fui com a tia Natália até o centro espírita.

— Como anda seu tratamento espiritual?

— Acabou ontem.

— Graças a Deus! — disse Américo, levantando as mãos.

Frederico prosseguiu:

— Os médiuns me disseram que estou praticamente livre da obsessão. E, obviamente, o resultado positivo do tratamento a longo prazo depende só de mim.

— Eu não entendo muito do assunto, mas seu tio Adamo me disse que é um espírito que o atrapalhava. Então, o sucesso do tratamento não depende só de você.

— Tenho de mudar meu jeito de ser — falou o rapaz, enquanto bebericava sua xícara de café com leite. — Na verdade, tenho conversado muito com tio Adamo e sei que há algo em meu comportamento que atraía esse espírito.

— Por que será que ele atormentava você? Você é um rapaz tão doce, tão bom.

— Os espíritos se aproximam de nós pela afinidade de pensamentos, vô. Se eu estou bem, atraio bons espíritos ao meu redor. Se não estou bem comigo mesmo, acabo atraindo os espíritos perdidos ou desafetos do passado.

— O que fazer? — perguntou Américo, sério. — Parece que você fica sem saída para melhorar.

— Absolutamente! — disse Frederico, enquanto balançava a cabeça para os lados de maneira negativa. — A lição para se livrar da obsessão é cuidar melhor da nossa mente — apontou para a cabeça — e cultivar bons pensamentos.

— Está vendo como é inteligente? Você é o meu orgulho.

Frederico riu.

— Você é meu avô e é suspeito para falar.

— De forma alguma. Você é um rapaz doce, meigo, inteligente e muito bonito. Diga-se de passagem, puxou a mim.

— Vejo as fotos antigas e realmente me pareço com o senhor quando jovem.

— Há um pouco de sua avó também. Você tem os olhos de Amélia.

— Quisera ter alguma semelhança com minha mãe — Frederico falou e entristeceu-se.

— Não fique triste. Você é esperto como Valéria.

— Esperto, sei... — Frederico pigarreou. — Ela não gosta de mim.

Américo pousou o jornal na mesinha de apoio. Entendia o sentimento do neto. Frederico sentia uma grande rejeição da mãe. Não compreendia se o sentimento dela se devia ao fato de ele ser filho de Dario ou ou de ela ter tido de mudar o curso de sua vida quando descobriu-se grávida.

Antes de responder, Américo mordiscou o lábio e fechou os olhos. Voltou rapidamente a um passado não tão distante...

A gravidez da filha pegara-o de surpresa. E, ao descobrir que Dario era o pai da criança, Américo sentiu-se tomado por total impotência. Queria que o rapaz assumisse o filho e casasse com Valéria. Américo era homem criado em outros tempos. Ele mesmo engravidara Amélia e tivera de sufocar seu amor por outra mulher para assumir o compromisso do casamento, mesmo não amando a esposa.

"No meu tempo a gente casava por obrigação" — ele disse em pensamento.

— Sei o que se passa na sua cabeça — falou Adamo.

— Não sabe.

— Claro que sei. Aconteceu o mesmo com você.

— Comigo? — indagou Américo.

— Sim — respondeu Adamo. — Você engravidou Amélia quando estava apaixonado por outra.

— Foi um deslize. Estávamos numa festa, bebemos além da conta. Fomos tomados pela emoção do momento.

— E deu no que deu.

— Perdi meu amor, mas ganhei outro — resmungou Américo. — Valéria é tudo o que tenho. Eu a criei sozinho.

— Deve se orgulhar do feito.

— Muito pelo contrário. Hoje, sinto-me fracassado.

— Só porque sua filha engravidou antes de casar?

— Pois claro!

— Ora, Américo, você se deu conta de que tudo o que idealizou para sua filha não condiz com a realidade. Não é isso?

— Eu sonhei outra vida para a minha filha. Agora ela está grávida e eu nem posso exigir que o pai assuma a criança e se case com ela.

— Isso você não pode mesmo fazer. Infelizmente Dario morreu naquele acidente. Valéria vai ser mãe solteira, assim como você foi pai solteiro.

— Ser pai solteiro é uma coisa. Ser mãe solteira... bom, a sociedade não perdoa e faz comentários maledicentes nas costas da gente.

— E o que temos a dever à sociedade? — indagou Adamo. — Os tempos são outros e não importa o que as pessoas pensem, mas o que você pode fazer pela sua filha. Dar-lhe apoio nessa hora é o melhor.

— Sei disso. Eu nunca deixaria de apoiar minha filha. Jamais a colocaria no olho da rua por conta dessa gravidez.

— Não entendo a sua preocupação.

— Eu desfiz meu noivado e casei com Amélia. Não esperava que ela fosse morrer após o parto. É diferente.

— Diferente é a maneira como aconteceu, mas o resultado é o mesmo para ambos. Depois da experiência que você teve nesses anos todos, melhor aceitar a gravidez de sua filha e ajudá-la no que for possível.

— Acho melhor Valéria não embarcar para a Itália.

— Pois creio que o melhor a fazer é deixá-la partir.

— Eu sou o pai dela. Não posso permitir que minha filha embarque para um país desconhecido e sem a minha presença para ajudá-la. Você bem sabe que eu não posso deixar os negócios.

— Compreendo. Eu e Natália estaremos ao lado de sua filha. Vamos enchê-la de mimos e cuidados. Essa criança vai nascer num ambiente repleto de amor, carinho e compreensão. Depois, Valéria poderá retomar o curso de decoração e formar-se. Você vai ver, tudo vai dar certo, meu irmão.

Américo quis acreditar nessa história com um provável final feliz. No entanto, a história seguiu outro rumo, porque, durante a gravidez, Valéria entrava em crises depressivas e batia contra a própria barriga. Por milagre, não perdeu a criança.

Quando Frederico nasceu, ela não quis pegá-lo nos braços. Depois, na hora de amamentar o rebento, ficou tão assombrada que seu leite empedrou e ela preferia sentir as dores horríveis a tentar dar de mamar ao filho.

Os anos foram passando e a distância dela em relação ao filho foi ficando nítida. Valéria terminou o curso de decoração, voltou ao Brasil e Américo lhe deu o ateliê como prometido. Ela associou-se a Natália e, com o tempo, o estabelecimento tornou-se um conhecido e respeitado escritório de arquitetura na cidade.

Valéria sentia-se realizada como profissional, mas um fracasso como mãe. Reconhecia que olhar para o filho era ter de relembrar a sua recaída pelo resto de sua vida. Aquela manhã em que se deitara com Dario em Guarujá repetia-se na sua mente dia após dia. Ela bem que tentou fazer análise, entretanto a cena se repetia.

Ela pensou, pensou e decidiu: o melhor a fazer era ficar longe do filho. E assim fez. Valéria evitava ficar em casa. Mergulhara no trabalho e pegava um projeto atrás do outro. Não parava nem mesmo para se divertir. Tinha medo de se envolver com outro homem e engravidar.

Tudo bem que Valéria se sentira atraída por Tomás, anos atrás. Depois que Frederico nasceu, ela bem que tentou um contato com o rapaz. Descobriu que Tomás casara-se com Marion e eram, segundo as revistas de celebridades, muito felizes.

"Perdi a única chance de ser feliz" — dizia para si repetidas vezes.

Decidida a não se envolver com mais ninguém e evitar o contato com o filho, Valéria viajava constantemente para fora do país, pretextando que as viagens, feiras internacionais e contatos com fornecedores estrangeiros eram importantes para ela se manter atualizada e se tornar cada vez mais respeitada na profissão.

Frederico cresceu envolvido pelo amor de Natália, de Adamo e do avô. Assim que casaram, Natália descobriu que não podia ter filhos. Também não tinha vontade de adotar uma criança e cuidou do sobrinho como se fosse seu filho.

O rapaz às vezes a chamava de mãe. Natália sentia um frêmito de emoção e, em seguida, mudava a atitude.

— Eu sou sua tia. Valéria é sua mãe — dizia sempre, mesmo a contragosto.

Natália não queria que Frederico se afastasse da mãe por completo. Entretanto, foi o que aconteceu. Ele e Valéria mal se falavam.

Frederico era um bom rapaz, contudo, quando sentia a rejeição da mãe, era obsediado pelo espírito de Tavinho.

Impossibilitado de se aproximar de Valéria, Tavinho passou a vagar pelo mundo e alimentar-se da energia de pessoas que sentiam alto grau de rejeição, visto que ele sentia-se profundamente rejeitado, acreditando que Valéria o trocara por Dario.

Depois do nascimento do filho, Valéria mudou muito a sua postura e, por conseguinte, o teor de seus pensamentos. Tavinho não conseguia mais aproximar-se dela, mas descobriu em Frederico uma fonte nova de energia para se manter no mundo terreno. Quando o menino tinha recaídas por conta do sentimento de rejeição, Tavinho aproximava-se e sugava as energias dele.

Quantas vezes Natália teve de levar o sobrinho ao consultório médico, acreditando que a fraqueza e mal-estar do garoto fossem fruto de alguma doença! Adamo a alertava de que o problema de Frederico era espiritual. Levaram o garoto com regularidade ao centro espírita e Frederico foi melhorando, porém, quando o sentimento de rejeição aumentava por algum motivo, Tavinho "encostava" no garoto.

Até o dia em que Frederico fez um tratamento complexo de obsessão e os laços energéticos entre ele e Tavinho foram desfeitos.

— Ele vai ter nova recaída e vou voltar — vociferou Tavinho, durante a sessão de desobsessão.

Eliel, espírito amigo e protetor da família, meneou a cabeça para os lados:

— Não vai. Frederico está mudando o teor dos pensamentos. Está se tornando um rapaz mais equilibrado emocionalmente e vai aprender a lidar com o sentimento de rejeição de maneira que não se machuque mais e, consequentemente, não abra espaço para você aproximar-se dele de novo.

— Um dia ele vai mudar, baixar o padrão e...

Eliel o cortou:

— Aqui nesta família você não tem mais vez. Acabou.

Os olhos de Tavinho estavam injetados de fúria.

— Não quero morrer. Quero ficar aqui.

— Você desencarnou há mais de vinte anos. Por que insiste em ficar e não aceitar os desígnios da vida? Por que não faz como Dario?

— Ele foi um fraco! Morreu e aceitou naturalmente a nova condição.

— E vive muito bem. Dario aprendeu a ser menos estouvado, aprendeu a equilibrar o emocional. Trabalha num posto de socorro próximo do planeta, especializado em acolher jovens que desencarnam em acidentes de carro e de moto.

— Ele é um bobo. Não quis mais saber da Valéria. Nem quis conhecer o filho.

— Porque não era para conhecer, oras.

— Tenho medo de partir. Ir para onde?

— Há inúmeros locais para você viver.

— Posso escolher? — indagou Tavinho, curioso.

— Não. Os lugares no mundo astral não são escolhidos pela vontade, como ocorre na Terra, mas pela afinidade energética. O teor da sua aura é que vai determinar os lugares que pode frequentar.

— Estou cansado — Tavinho estava sendo sincero. — Eu ainda sou gamado na Valéria.

— Está ligado nesse sentimento por causa do passado. Você já se relacionou afetivamente com Valéria, assim como Dario e Frederico. No momento, o que importa para o crescimento espiritual dela é tentar conviver de maneira harmoniosa com Frederico.

— É verdade que eu poderei reencarnar? Voltar ao planeta?

— Sim. Todos nós nascemos e morremos muitas vezes.

— Eu queria voltar. Gosto daqui.

— Então venha comigo. Eu vou levá-lo para um lugar bem interessante, cheio de jovens como você. E há outras gatinhas para você se interessar. O que me diz?

Tavinho abriu um largo sorriso.

— Hum, então posso conhecer uma menina e namorar?

— Pode, sim.

— Aceito!

Eliel sorriu satisfeito e, naquela mesma noite, Tavinho o seguiu até um posto de socorro próximo do orbe terrestre.

Depois dessa noite, Frederico melhorou bastante e, longe da influência de Tavinho, passou a desejar se livrar daquele sentimento que tanto o colocava para baixo e, consequentemente, empurrava-o para o contato com espíritos menos equilibrados.

Intuído por Eliel, Frederico decidiu estudar na Inglaterra. Partiria em duas semanas.

Américo relembrou todos aqueles anos num piscar de olhos. Frederico o chamou à realidade.

— Vô, não está me escutando?

— O que foi que disse? — indagou Américo, voltando ao presente.

— Que minha mãe não gosta de mim.

— Bobagem. Sua mãe o ama.

Frederico pousou a xícara sobre o pires e deu uma sonora gargalhada.

— Essa é boa! Minha mãe me ama? Acha mesmo isso?

— Claro! Pode ser que ela não seja como a maioria das mães, mas, lá no fundo, Valéria o ama muito.

— É duro sentir-se rejeitado pela própria mãe.

Américo sentia vontade de dizer que o neto, em certo ponto, tinha razão. Olhou para Frederico com sentimento de compaixão. Se ele percebia a indiferença da filha, o que dizer do sentimento de Frederico em relação à mãe? Ele não sabia o que dizer e sentiu grande alívio ao ver Natália entrar na copa.

— Bom dia a todos!

Américo levantou-se e a cumprimentou. Em seguida, Natália deu a volta na mesa e beijou Frederico.

— Como vai, tia? Dormiu bem?

— Sim. Tive uma noite de sono agradável.

— Nada de sonhos ruins?

— Não. Nem vi tio Adamo sair.

— Ele tinha alguns assuntos para tratar e saiu bem cedo — tornou Américo.

— Adamo foi até o Consulado para tratar da papelada. Estudar no exterior é ótimo, mas precisamos ter paciência e tempo para lidar com a burocracia.

— Eu disse para o tio que cuidaria de tudo — falou Frederico.

— Você fez o mais importante: estudou inglês, tirou o certificado e foi aprovado na entrevista. Conseguiu a vaga na universidade. A burocracia, nesse caso, fica por nossa conta.

— Confesso estar bastante aliviado.

— Estava conversando com um amigo e soube que não é qualquer um que consegue ser aprovado no IELTS[12] — emendou Américo.

— Precisa de muita fluência na língua, vô.

— O exame — prosseguiu Natália — é reconhecido internacionalmente como uma avaliação do nível de compreensão na língua inglesa. Desde 1989, o IELTS tem provado ser o exame mais confiável para medir a capacidade de um candidato de se comunicar em inglês. Foi desenvolvido pelo British Council em parceria com a Universidade de Cambridge após mais de quatro décadas de pesquisas.

Américo sentia um orgulho sem igual.

— Meu neto vai estudar na faculdade de economia da Universidade de Cambridge, na Ingaterra!

---

12 IELTS é sigla para *International English Language Testing System*, que em português significa Sistema Internacional de Teste da Língua Inglesa.

— Frederico é um rapaz muito aplicado. Tenho certeza de que vai se graduar com mérito — tornou Natália, enquanto se servia de uma fatia de bolo.

— Nenhuma universidade no mundo supera os mais de oitenta Prêmios Nobel ligados à Cambridge. Não é para matar um avô de orgulho? — perguntou Américo, feliz e sorridente. — Ícones da ciência como Isaac Newton, Charles Darwin e Stephen Hawking passaram por lá como alunos ou professores.

— É verdade — respondeu Natália.

— Como foi o processo de admissão? — Américo estava sinceramente interessado.

— Sabe, vô, os estudantes que desejam ingressar na universidade para obter um grau inicial têm o seu dossiê de candidatura — chamado *application* — enviado para um colégio individual de sua escolha. Em geral, a maioria dos colégios admite alunos interessados em cursar qualquer disciplina oferecida pela universidade. As entrevistas presenciais são parecidas com um exame oral e abordam questões específicas sobre o programa das matérias estudadas pelo candidato nos dois últimos anos do colegial.

— Interessante — Américo passava os dedos sobre o cavanhaque branco e bem aparado.

— Esse menino vai longe — tornou Natália.

— É, pode apostar que vou — respondeu Frederico, com um leve grau de entusiasmo.

Natália notou o semblante iluminado do sobrinho. Pousou sua xícara sobre o pires e olhou para Américo. Ele levantou os ombros e sorriu.

"Preciso conversar com Valéria" — disse em pensamento. "Meu sobrinho não pode partir assim, sem uma conversa com a mãe."

capítulo vinte e um

Valéria respondia às frases de forma lacônica e fria, sem tirar os olhos da maquete.

— Sei.

— Ele não pode embarcar assim — falou Natália.

— Assim como?

— Triste.

— Quem lhe disse que ele está triste?

— Sinto isso.

— Ele vai viver na Inglaterra. Vamos lhe pagar os estudos. De fato, Frederico tem nas mãos uma oportunidade única de crescimento e tenho certeza de que vai adorar a experiência de morar sozinho.

— Concordo. Eu e você vivemos no exterior e sabemos como a vida na Itália nos fez tremendo bem. Mas sinto que Frederico ainda está triste.

— O que eu tenho a ver com isso, Natália? Se Frederico é um rapaz triste, o que posso fazer? Já me dispus a pagar terapia. Ele se recusa.

— O problema do seu filho não é terapia, mas falta de amor.

Valéria fez um muxoxo e continuou com os olhos no desenho.

— De novo essa história de falta de amor? Vai me dizer pela enésima vez que Frederico cresceu assim por minha causa?

— E não foi? — perguntou Natália, alterada. — Você nunca gostou do seu filho.

— Não é questão de gostar ou não. Você é muito dramática — disse Valéria.

Ela terminou de fazer os retoques na maquete.

— Pronto. O cliente vai adorar. Se eu vencer com esse projeto de decoração, ficaremos ricas.

— Já somos — respondeu Natália, maneira ríspida. — De que adianta tanto dinheiro se você se sente tão triste?

— Não me sinto triste.

— Claro, me esqueci do detalhe: você *é* triste.

Valéria exasperou-se.

— Tirou o dia para me aporrinhar? O que foi? Brigou com o Adamo?

— Não, não briguei com meu marido. Está tudo muito bem. Não gosto é de ter de olhar para o meu sobrinho e ver seus olhinhos tristes.

— Não olhe para ele.

— Como pode ser tão fria, Valéria?

— Não sou fria. Frederico é praticamente um homem. Daqui a pouco vai completar vinte anos de idade. Vai conhecer um país fantástico, outra cultura, conhecer pessoas interessantes, se formar, arrumar uma boa esposa e ser feliz.

— Por que você o repele tanto?

— Fala como se eu sentisse repugnância pelo meu filho.

— E não sente?

— Não é isso. Já lhe disse milhões de vezes. Olhar para Frederico faz eu me lembrar daquela manhã, anos atrás. Fui uma fraca e me deitei com o Dario. Nunca vou me perdoar por esse momento de fraqueza. Nunca.

— Não acha que está na hora de deixar o passado para trás? E daí que você se deitou com Dario? Aconteceu e o que foi feito...

Valéria a interrompeu:

— O que foi feito não pode ser mudado. Eu não tenho o poder de voltar ao passado e mudar o curso da história.

Adamo entrou na sala naquele momento. Ele tinha acabado de escutar a resposta de Valéria e interveio:

— Não pode mudar, mas pode transformar. A vida lhe deu um filho lindo, saudável, amoroso, cheio de virtudes. Frederico é um rapaz doce, inteligente e sente muito a sua rejeição.

Quando Adamo falava, Valéria escutava. Sabia que o tio era um homem justo e impessoal. Adamo ajudava as pessoas sem se envolver emocionalmente nos problemas delas. Uma lágrima rolou pelo rosto dela.

— É mais forte que eu, tio. Não consigo tratá-lo de outra forma. Toda vez que vejo meu filho eu... eu... vejo o Dario. E agora que ele está crescido e homem feito, está a cara do pai. É muito para mim.

— Frederico não tem culpa de nada. Não importa que ele tenha sido fruto de um deslize. Importa que você teve uma criança adorável. A vida lhe deu a chance de criar um filho.

— Muitos de nós sonhamos com essa dádiva — emendou Natália.

— Fala assim porque não pode ter filhos. Não quero ser grossa ou estúpida com você — Valéria estava emocionada e abraçou-se à amiga. — Sei o quanto ama Frederico. Eu amo meu filho, mas não consigo ter uma relação melhor com ele. Não sou uma mãe perfeita. Paciência.

— Poderia ao menos tornar-se amiga dele. A essa altura do campeonato, tudo o que Frederico precisa é de pessoas que lhe deem carinho, atenção, apoio...

— Se não consegui superar essa rejeição, não vai ser agora, depois de quase vinte anos, que vou conseguir.

Natália amava Valéria. Tinha a amiga como uma verdadeira irmã. Sabia que ambas tinham sido irmãs em vida passada e que entre seus espíritos havia um forte laço de compreensão e, acima de tudo, de afeto. Sabia também que o relacionamento de Valéria e Frederico era um nó de desentendimentos criado ao longo de muitas existências que precisava ser desatado nesta vida.

Frederico fizera Valéria sofrer muito em vidas passadas. Os séculos porém foram capazes de apaziguar esse sofrimento e ele aprendeu a amá-la e respeitá-la. Não sentia raiva da mãe, mas tristeza profunda, pois seu espírito já havia desmanchado os nós dos desentendimentos.

Valéria poderia ter outro tipo de comportamento, não fossem os tropeços nos relacionamentos afetivos. Se tivesse tido um homem ao seu lado, talvez a criação do filho fosse diferente. Natália captou esse pensamento e disse, à queima-roupa:

— Se tivesse casado, seu relacionamento com Frederico seria completamente diferente.

— Não é verdade.

— Você não me engana, amiga. Sei o quanto se sentiu mal quando soube do casamento de Tomás e Marion.

— Esse casamento era fato consumado. Eu estava grávida. Acha que Tomás aceitaria casar comigo naquele estado?

— Tomás casaria com você grávida ou de qualquer outro jeito. Ele foi correto quando aceitou casar com Marion. Ela estava grávida. Se quisesse, poderia tê-lo procurado depois de alguns anos.

— Para quê? Para ele se separar de Marion e ela me infernizar? — indagou Valéria aturdida. — Posso suportar muita coisa na vida, mas não suporto mulher ciumenta e vingativa. Marion é uma pedra que não quero no meu sapato.

— Tomás separou-se dela faz algum tempo.

— E daí? Não acompanha a vida da "grande estrela" nas revistas e nos programas de televisão? Marion adora aparecer em programas sensacionalistas da TV para espezinhar alguém e, dessa forma, conseguir um pouco de ibope. Ela hoje é mais conhecida por ser barraqueira do que pelo seu talento. Quer dizer — Valéria corrigiu —, talento ela nunca teve. Sempre foi uma boa bisca, isso sim. Aproveitou o corpinho sensacional e usou dele para fazer carreira. Contudo, o tempo passa e o corpo não permanece jovem para sempre.

— Marion passou dos quarenta anos e vai posar para uma revista de nu masculino. O corpo dela ainda povoa a mente de muitos homens — asseverou Valéria.

— Ela pode até fazer sucesso no momento, mas é tudo passageiro. Daqui a pouco vai chegar a meia idade e o corpo, naturalmente, não será mais o mesmo da juventude. Marion não está pronta para envelhecer.

— Se ela está pronta ou não, o que importa é que o caminho para você retomar a história com Tomás está aberto.

— Ele nem mais se lembra de mim, Natália. Faz vinte anos que não nos vemos.

Natália sorriu.

— Não se lembra? Vamos ver.

Ela falou e saiu da sala. Em seguida reapareceu com um belo e sofisticado ramalhete de rosas vermelhas.

— Que flores lindas! — exclamou Valéria.

— São para você.

— Para mim? Como assim?

— Leia o cartão, oras.

Valéria abriu um sorriso e deu um passo à frente. Pegou o maço nas mãos e aspirou o perfume delicado das flores. Em seguida, apanhou o cartão e leu. Ela enrubesceu.

— Foram enviadas pelo Tomás!

— Não disse que ele ainda se lembra de você?

— Mas por que só agora me mandou flores? — indagou, jeito curioso.

Natália deu de ombros.

— Se eu fosse você, ligaria para ele. Tomás é empresário de sucesso. Conseguiu desassociar sua imagem do pai rico que tinha. Fez fortuna própria e ganhou maior simpatia quando se separou de Marion.

— Ele se separou de Marion faz mais de um ano. Por que só agora enviou as flores?

— Até que está bem informada a respeito dele, hein? — cutucou Natália.

Valéria fez um gesto com a mão.

— Sempre sai uma notinha aqui e outra ali nos jornais.

— Ligue para ele.

— Será?

— Claro. Ligue agradecendo o ramalhete de rosas. Quem sabe não vão jantar e poderão colocar esses vinte anos em dia?

— Você não sossega — protestou Valéria. — Quer me ver com alguém.

— Óbvio. Seu filho está crescido e logo vai ter seu núcleo familiar. Vai ficar sozinha pelo resto da vida?

— Não é isso...

— Sente-se aqui ao meu lado — convidou Adamo.

Ele fez sinal e Valéria o acompanhou. Sentaram-se num sofá e Adamo, firme, disse à sobrinha:

— Escute bem: todos sentimos rejeição, num grau ou outro.

— Eu não sinto — sentenciou Valéria.

— Pode negar, mas já sentiu rejeição, sim. Você reagiu com raiva por não ter tido mãe. Cresceu com medo de gerar um filho porque temia morrer como Amélia, logo após o parto.

Valéria nada disse. Mordeu o lábio inferior e olhou para o chão. Adamo prosseguiu:

— A rejeição, de certa forma, faz com que a gente negue nossas vontades. E, mal resolvida, traz consequências terríveis ao nosso progresso espiritual. Você criou o tipo da mulher durona, independente, que não precisa de nada nem de ninguém. Forçou um verniz que não é seu. Acabou não sendo autêntica.

— Não sou falsa!

— Não é isso que estou dizendo — continuou Adamo. — Você deixou de ser si mesma, de ser a Valéria alegre e namoradeira, por medo de atrair relacionamentos que se pareçam com os que viveu ao lado de Tavinho e Dario. Isso ocorreu quando você era muito jovem, há muitos anos. A experiência de vida a transformou em outra mulher. Você pode vencer esse medo e buscar sua felicidade.

— Não posso — Valéria estava aturdida com a conversa. — Eu me machuquei muito na vida.

— Entender a rejeição nos faz mais fortes e nos ajuda a não deixar que tal sentimento nos machuque tanto assim. Você transferiu todo seu recalque para cima do Frederico. Ele não tem culpa de ter sido gerado em um momento seu de fraqueza.

— Eu sei, mas é difícil, tio.

— Não é. Nada é difícil ou impossível. Entender e dominar a rejeição tira o medo das coisas, da vida, das situações e, ao perceber que ela não pode nos destruir, sentimo-nos fortes para compreendê-la e para lidar melhor com ela.

— O mundo é ruim.

— É uma crença ótima que adquirimos ao longo das encarnações para não fazer mudanças significativas para o nosso crescimento espiritual. É cômodo ficarmos parados numa situação e não enfrentá-la. É fácil nos sentirmos vítimas do mundo. Mas tudo não passa de ilusão.

— Nunca tive sorte de ter bons relacionamentos afetivos.

— E preferiu fechar seu coração porque não aguenta mais ouvir um "não" ou mesmo porque não quer mais ser enganada?

— Tenho medo...

Valéria estava profundamente tocada e emocionada com a conversa. Adamo sorriu e prosseguiu.

— Em primeiro lugar, precisa mudar a maneira como enxerga a si mesma. Precisa se dar mais atenção, olhar para suas necessidades e procurar supri-las. Depois disso, terá condições de avaliar melhor as atitudes que tem em relação ao seu filho.

— Creio que seja tarde para isso. Frederico já é homem feito.

— Vocês têm uma vida toda pela frente — disse Adamo, maneira empolgada. — Vamos esquecer o passado e nos concentrar no hoje, no que é possível ser mudado agora.

— Vou tentar.

Adamo falou e olhou para a esposa. Natália fez sim com a cabeça e levantou-se. Caminhou até sua mesa. Abriu a gaveta e pegou uma caixinha. Acomodou-se novamente no sofá e entregou-a para Valéria.

— O que é isso?

— Abra.

Valéria abriu e havia uma correntinha de ouro. O pingente era um ideograma japonês — o *kanji*.

— Mas é tão delicado e bonito!

— Eu e Adamo compramos para você quando visitamos Tóquio.

— O ideograma significa amor — respondeu o tio.

Adamo prosseguiu:

— Quero que você use essa corrente e, sempre que o sentimento de rejeição aparecer forte, é só segurar o ideograma com a ponta do polegar e do indicador e dizer para si mesma: "Não vou me deixar sofrer".

Valéria abraçou-se a eles.

— Não tenho palavras para agradecer gesto tão gentil.

— Não nos agradeça. Use e sinta o amor por si própria, represado há tanto tempo — concluiu Adamo.

Natália levantou-se e delicadamente colocou o colarzinho dourado no pescoço da amiga.

— Vou deixá-la refletir um pouco sobre o que conversamos — Adamo falou e beijou o rosto dela.

Natália fez o mesmo gesto e, antes de sair e fechar a porta, disse sorridente:

— Por favor, não deixe de ligar para o Tomás.

Valéria assentiu com a cabeça e ficou segurando o pingente por um bom tempo. Sentia-se amada pelo universo e tinha certeza de que dali em diante sua vida seria bem diferente.

capítulo vinte e dois

Arlete ligou para a casa da irmã e tranquilizou-se com a resposta automática:

— Fique sossegada que ela está comigo e com Lurdes. Eugênio vai chegar logo mais e vamos jantar. Depois ele levará Olívia para casa.

— Isso é demais, Alzira. Não posso permitir que Olívia corra para sua casa toda vez que temos uma discussão.

— Você é muito turrona.

Arlete fungou:

— Eu, turrona?! Está defendendo sua sobrinha?

— Estou. Você implica com a menina desde que ela nasceu.

— Não é verdade.

— É sim. Você talvez nem perceba, mas pega muito pesado no pé da Olívia.

— Ela é osso duro de roer.

— E você não era assim, quando jovem? Lembra como enfrentava o pai?

Arlete riu do outro lado da linha.

— Tem razão. Às vezes me pego pensando em nossa adolescência e como enfrentávamos o pai. Ele descia uns bons tabefes na gente e nem ligávamos.

— Não queira fazer com sua filha o mesmo que o pai fez com a gente.

— Não me compare àquele crápula. Dei umas palmadinhas na minha filha, mas nunca dei surra.

— Você precisa parar de decidir o futuro de Olívia.

— Ela só tem quinze anos. Queria ser Paquita. Pode?

— E *acidentalmente* — frisou — você errou a data da audição.

Arlete corou.

— Fiz isso pelo bem dela.

— Você não está dentro da sua filha para decidir a esse ponto. Se Olívia estivesse metida com más companhias, se ela estivesse com um namorado encrenqueiro, eu mesma lhe daria todo apoio do mundo para intervir e tomar alguma atitude. Acontece que sua filha é tão doce, tão meiga. Nunca lhe deu trabalho na escola e nunca se envolveu com um rapaz.

— É verdade. Nesse ponto não tenho o que reclamar da nossa filha. Eu e Osvaldo temos orgulho da educação que demos a ela.

— Se quer ser artista, que seja. Ainda muita água vai rolar. Olívia é novinha e as vontades mudam ao longo do tempo. Deixe ela sonhar.

— Tenho medo, Alzira.

— Medo de quê?

— De que ela se transforme numa outra Gisele.

— O que tem a ver Gisele com Olívia? — indagou a irmã, aturdida.

— Gisele se dizia artista. Dizia ser atriz e manequim.

Alzira riu ao telefone.

— Gisele inventou isso. Ela não foi atriz ou modelo nem aqui nem na China.

— Mesmo?

— Claro. Pergunte ao Osvaldo. Ele cuidou do processo que a despejou do sobradinho. No processo, além dos documentos, devia constar a ocupação dela.

— Mudando de assunto — Arlete não gostava de se lembrar do pai ou de Gisele —, o que me diz de Olívia fazer intercâmbio?

— Ideia maravilhosa.

— Tem certeza?

— Claro, Arlete. Essa viagem vai transformar positivamente a vida de Olívia. E, de mais a mais, ao retornar, tenho certeza de que a relação de vocês vai melhorar.

— Ela não gosta de mim.

— Bobagem. Sua filha a ama.

— Ela gosta do pai. É toda assim — Arlete juntou os polegares enquanto deixava o fone preso no pescoço — com o Osvaldo.

— Ele não a perturba. Osvaldo conversa com Olívia, escuta o que ela sente, é mais amigo que pai. Você deveria ser menos mãe e mais amiga da sua filha.

— Vou pegar mais leve com ela, pode acreditar.

— Fico feliz, minha irmã — Alzira falou e ouviu a voz de Eugênio. — O meu maridão acabou de chegar.

— Mande um beijo para o Eugênio. Estou com saudades dele.

— Vou mandar. Agora preciso desligar e vou servir o jantar. Assim que teminarmos, Eugênio levará seu pimpolho para casa.

— Combinado.

Arlete desligou o telefone e sentiu uma leve sensação de bem-estar.

"Alzira tem razão. Preciso ser mais amiga da minha filha."

Ela falou e levantou-se. Passou pelo corredor e esbarrou no aparador, repleto de porta-retratos. Um deles caiu e se espatifou no chão. Arlete abaixou-se para pegar os cacos de vidro que se espalharam.

— Eu já devia ter mudado esse aparador daqui faz tempo — disse em voz alta, enquanto pegava os caquinhos com as mãos.

Depois, apanhou o porta-retratos que havia caído. Era uma foto em que ela e Alzira estavam agachadas e abraçadas, ainda meninas. Atrás delas, em pé, Olair e Josefa.

Ela sorriu ao ver a foto.

— Mamãe, quanta saudade. Espero que esteja bem.

Em seguida, fixou seus olhos em Olair. Fez um muxoxo e deu de ombros. Lembrou-se nitidamente do dia em que o pai morrera e, passado o choque da notícia, Célia lera para ela um trecho do romance *Entre o amor e a guerra*, referindo-se ao destino de seu pai:

"A leis da justiça divina, imutáveis, dão a cada um segundo suas obras. E o tempo, amigo constante, encarrega-se de restaurar a verdade na intimidade do ser."

Ela repetiu a frase e concluiu:

— Espero que você esteja bem, pai — Arlete falou e sentiu um arrepio na espinha.

Afinal, o que teria acontecido a Olair e Gisele?

Se você que está lendo ainda estiver com a história fresca na memória, vai se lembrar do estado em que Olair desencarnara. O homem não morreu do coração, mas de ódio, puro ódio.

Assim que desencarnou, o espírito de Olair desprendeu-se do corpo físico. Ele olhou para seu corpo caído no chão e para seu perispírito. Viu o desdém de Gisele e Rodinei. O ódio voltou e Olair sentiu uma pontada no peito. Na sequência, ele estava atrás de Gisele.

Depois de ele gritar e ela não escutar, Olair perturbou-se. Tentou dar um tapa nela, mas sua mão passou pelo rosto de Gisele como se fosse fumaça. Olair olhou para a mão e esqueceu-se por instantes da amante traidora, retornando ao quarto onde morrera.

— O que aconteceu? — perguntou para si mesmo enquanto apalpava o próprio corpo perispiritual.

Um espírito atormentado, repleto de larvas astrais ao redor do corpo, aproximou-se dele. Olair deu um passo para trás, tamanha sensação de repugnância. O cheiro que o espírito emanava por conta dessas larvas grudadas pelo corpo era nada agradável. Lembrava cheiro de caçamba de caminhão de lixo.

— O que quer de mim? — perguntou Olair, olhos arrregalados.

— Eu não vou machucar você — falou o espírito.

— Quem é você?

— Faço parte de um grupo de vampiros astrais que sugam o pouco de energia vital que ainda sobrou do seu corpo de carne.

Olair olhou para o chão e viu a si mesmo.

— Como voltei ao quarto? Eu estava na rua e...

O espírito deu uma risadinha sinistra.

— Quando morremos podemos *andar* neste mundo de outra forma, num outro ritmo. Eu quero me alimentar disso — o espírito apontou para o cordão prateado[13] que ainda mantinha o perispírito de Olair preso ao corpo físico.

Uma claridade muito forte se fez presente e um espírito de luz surgiu na frente dos dois. O espírito com larvas deu um salto para trás enquanto Olair permanecia estático, olhos esbugalhados.

A sua voz era firme e nada amistosa:

— Não vai se alimentar de nada, por ora. Se assim o fizer, Olair vai sentir uma dor muito grande.

— E daí? — retrucou o espírito embrutecido. — A dor não vai durar muito. Eu preciso me alimentar.

— Não vai ser aqui. Se quiser, vá até algum cemitério. Há muitos recém-desencarnados neste exato momento.

— Sei, mas para entrar no cemitério eu preciso de autorização. Por isso pego um morto aqui e outro ali.

— Pode se retirar — a voz era potente.

O espírito enegrecido deu de ombros, falou alguns desaforos e partiu. Olair aproximou-se e indagou:

— Quem é você?

— Sou Lolla, amiga de Josefa.

— Não conheço nenhuma Lolla.

— Você não se lembra de mim. Não reencarnei com vocês desta vez.

A expressão de Olair era de total desconhecimento.

— Não temos muito tempo para conversar. Vim porque Josefa pediu.

— Josefa? Pediu para vir até aqui?

---

13 Cordão de prata é o laço fluídico que liga a alma ao corpo. Mais detalhes sobre o rompimento do cordão após a desencarnação, ler as questões 154 a 156 de *O Livro dos Espíritos*, bem como *O Céu e o Inferno*, Segunda Parte, Capítulo 1 — "O passamento", ambos de Allan Kardec. Utilizamos a tradução, enriquecida de notas explicativas, feita pelo professor José Herculano Pires, publicada pela LAKE – Livraria Allan Kardec Editora.

— Embora ainda esteja hospitalizada, pediu-me para ajudá-lo no processo de desencarne.

— Não estou entendendo nada.

Lolla sorriu e o encarou firme:

— Você morreu.

— Sim, mas estou conversando com você. Não estou entendendo.

— O seu corpo de carne morreu. O seu espírito continua vivo. Simples assim. A morte do corpo não é o fim da vida. A vida não se esgota jamais. É eterna!

— Se morri, o que faço agora?

— Pode me acompanhar e vamos para um posto de socorro. Você vai ser atendido por médicos dedicados e competentes. Depois conversaremos sobre a colônia em que você poderá viver de acordo com a sua vibração energética.

— Não posso ir embora. Tenho de acertar contas com Gisele e Rodinei. Eles me passaram a perna e não vou deixar que se deem bem.

— Isso faz parte do passado. Você morreu e cada um colhe aquilo que planta. Mais à frente, depois de esclarecimentos, você vai entender por que Rodinei e Gisele tiveram essa atitude com você.

— Eu nunca fiz mal a eles.

— Nesta vida. E em outra?

— Que outra?

— Nascemos e morremos muitas vezes — falou Lolla, maneira didática. — Você já viveu com Gisele e Rodinei antes. Tiveram outra vida, outro corpo, em outra época, mas as crenças e atitudes não mudaram.

— Não me lembro de ter vivido antes.

— Logo vai se lembrar. Na última vida, você ludibriou um casal de camponeses. Tirou-lhes as terras e, por conseguinte, o sustento da família. Você fez isso por ganância, e Rodinei e Gisele, depois que desencarnaram, não souberam perdoar você.

Algo dentro de Olair dizia ser aquilo verdade, contudo ele afastou a ideia com as mãos e alteou a voz:

— Eles vão viver assim, se dando bem?

— A probabilidade de eles serem infelizes é muito grande. Deixemos ambos nas mãos de Deus. Vamos seguir nosso caminho.

— Não vou. Você não pode me obrigar a ir embora. Eu quero que eles paguem pela tramoia. Não vou sossegar enquanto não me vingar.

— Nem pense nisso, Olair. A vingança é um sentimento que corrói o espírito, assim como a ferrugem corrói o ferro. Não vale a pena.

— Fala assim porque não foi ludibriada.

— Não tenho permissão para ficar mais tempo por aqui.

— Então pode ir embora. Eu vou ficar até ajustar as contas com esses salafrários.

Lolla deu de ombros e suspirou:

— Que pena. Espero poder vê-lo em breve.

Ela falou e sumiu no ar. Logo a claridade se foi e Olair se viu sozinho no quarto, ao lado do seu corpo. O espírito cheio de larvas reapareceu e, num instante, avançou sobre o cordão prateado e o rompeu com violência, sorvendo de maneira bestial o pouco líquido vital que ali jazia, tal qual urubu sobre carniça. O perispírito de Olair sentiu uma dor aguda e desfaleceu.

capítulo vinte e três

Depois do jantar, Olívia aceitou voltar para casa. No caminho, entabulou conversa com Eugênio.

— Mas tio, minha mãe é muito controladora.

Eugênio escutava a conversa e nada dizia, somente fazia movimentos com a cabeça, para cima e para baixo. Em determinado momento, perguntou à sobrinha:

— Por que há esse sentimento de rejeição pela sua mãe?

— Não entendi.

— Sinto que você sente forte rejeição por Arlete.

— Ora tio, imagine — Olívia tentou dissimular.

— Não gosto de me meter na vida de ninguém, entretanto você sempre teve um comportamento hostil em relação à sua mãe.

— Está defendendo minha mãe? — perguntou, aturdida.

— Não estou defendendo ninguém, mas estou fora da relação de vocês. Quem está fora do conflito consegue enxergar a situação com total imparcialidade. Você teve dificuldades para nascer. Arlete demorou horas num trabalho de parto difícil e que quase lhe custou a vida.

— Nunca soube disso.

— Agora sabe.

— E o que isso tem a ver com a nossa relação? Eu amo minha mãe.

— Sei que ama, mas há determinados componentes no seu comportamento que mantêm você distante dela.

— Também pudera. Mamãe sempre me poda. Não deixa eu fazer nada que eu queira.

— Não falo disso. Arlete tem esse comportamento porque quer proteger você. É comportamento de mãe superprotetora.

— Não sinto assim.

Eugênio mexeu a cabeça para os lados.

— Sente, sim. Tenho certeza de que essa animosidade entre ambas vem de outras vidas.

— Bobagem. Não acredito nisso.

— Não acredita ou tem medo de enxergar a verdade?

Olívia remexeu-se no banco do carro. Fingiu ajeitar o cinto de segurança e virou o rosto para a janela do carro. Suas tias Lurdes e Alzira estudavam e acreditavam na continuidade da vida depois da morte.

Olívia estava na adolescência e na fase em que só acreditava naquilo de que lhe mostrassem provas. Crescera escutando conversas e, falando em "provas", mantinha fresco na memória certo dia em que visitara Célia e Ariovaldo. O casal recebera Arlete e Osvaldo com extremo carinho e foram, como de costume, muito simpáticos com Olívia.

Até aí, nada de mais. Ocorre que, num determinado momento, Célia chamou Olívia para ajudá-la na cozinha e comentou:

— Continua tendo aquele sonho?

— Qual?

— O sonho em que você se vê num hospital e receia voltar ao nosso mundo.

Célia se referia ao sonho que Olívia tinha desde os treze anos de idade e que ainda era recorrente. A cena se repetia, como no início desta história. Havia, no entanto, uma parte que sempre marcava Olívia sobremaneira:

— Vai me dizer que minha mãe também vai estar lá?

— Vocês precisam se reconciliar. De nada adianta o perdão aqui no mundo astral, se o mesmo não ocorrer numa próxima etapa reencarnatória, com o véu do esquecimento sobre as memórias pretéritas. Passará por algumas experiências para que seu espírito vença essa rejeição.

A jovem abaixou a cabeça. Sabia que vencer a rejeição seria dar um passo significativo para sua jornada evolutiva. Sentia que precisava encarar situações que a fizessem confrontar esse monstro que tanto a machucara em algumas existências. Ela respirou fundo e olhou fixamente para Lolla:

— Estou pronta. Sei que sou forte e tenho amigos aqui no astral que vão me inspirar bons pensamentos. Eu vou vencer.

Ela acordava sempre depois desse trecho. Célia virou-se para ela e perguntou:

— Será que agora vai vencer?

Olívia estremeceu e indagou, suando frio:

— Como sabe disso? Nunca contei esse sonho para ninguém, nem mesmo para minha tia Alzira.

Célia sorriu e nada disse. Daquele dia em diante, Olívia passou a ler livros espíritas e interessar-se pelo assunto.

Olívia movimentou a cabeça para o lado e disse para Eugênio.

— Menti, tio. Eu acredito que a vida continue depois da morte.

— Se acredita, pode abrir sua mente e seu coração para entender melhor a relação difícil que tem com Arlete. O que custa você mudar sua maneira de ser?

— Eu?! Ela é quem tem de mudar!

— Se você mudar positivamente seu jeito de ser, garanto que as pessoas ao seu redor também vão mudar. A sua mãe é uma dessas pessoas. Por que não tenta?

— Não sei — Olívia sentia-se insegura.

— O que tem a perder? Se você passar a entender melhor a si mesma, vai entender melhor a postura de sua mãe. Arlete e sua tia Alzira tiveram uma vida difícil e têm uma visão de vida bem diferente da sua. Enquanto você pensa em fazer teatro ou ir para a Inglaterra, sua mãe, quando tinha sua idade, estava cuidando da doença da sua avó Josefa e convivendo com um pai bruto e estúpido.

Antes que ela abrisse a boca para retrucar, Eugênio complementou:

— Sei que cada um tem a vida que merece. Sei também que não há vítimas no mundo. Sua mãe e sua tia atraíram os pais que tiveram para crescimento delas. Só digo que não custa nada abrir seu coração e ver e escutar sua mãe com outros olhos e ouvidos. Você é jovem, inteligente e sabe o que quer. Tem uma mãe e um pai que amam muito você e que querem sempre o seu melhor.

Olívia assentiu com a cabeça, emocionada.

— Tem razão, tio. Preciso ser menos birrenta. Adorei conversar com você, como de costume!

Ele estacionou no meio-fio e a abraçou.

— Você tem tudo para se dar bem na vida, minha querida. Dê uma chance a si mesma para melhorar a relação com sua mãe. Arlete é uma boa pessoa. Se não fosse, eu seria o primeiro a convidar você para viver comigo e sua tia Alzira. Mas você tem pais maravilhosos. Converse com eles, fale sobre sua vontade de ir para a Inglaterra sem impor sua vontade de maneira altiva. Vá com jeito. Se tudo der certo, eu prometo que lhe dou as passagens de ida e volta, de presente.

Olívia exultou de alegria.

— Fala sério, tio?

— Hum, hum.

Ela o abraçou e o beijou várias vezes no rosto.

— Eu amo você e minha tia Alzira. Amo muito!

— Nós também amamos você. Agora entre e mostre a eles que você é uma boa filha.

Eles se despediram. Eugênio deu partida e se foi. Olívia respirou fundo e sorriu. Entrou em casa e encontrou Osvaldo e Arlete na cozinha, conversando. Ela respirou fundo e passou pelo corredor.

"Vou fazer de conta que está tudo bem. Preciso ficar amiga de minha mãe, entendê-la melhor para ganhar a viagem para a Inglaterra" — pensou.

Olívia entrou na cozinha. Beijou o pai no rosto e aproximou-se da mãe. Arlete a fuzilou com os olhos:

— Não toma jeito! Por que foi atrapalhar a vida da sua tia? Custava ter ficado em casa? Não podemos resolver os nossos problemas entre essas quatro paredes? — apontou para os lados.

Osvaldo levantou-se da cadeira e ia se posicionar entre as duas. Sabia que a filha ia rebater feio. Para sua surpresa, Olívia abriu um sorriso e meneou a cabeça para cima e para baixo. Abraçou Arlete com enorme carinho.

— Tem toda razão, mamãe. A partir de hoje, não vou mais importunar tia Alzira ou tia Lurdes com as minhas lamúrias. Como diz o velho ditado, roupa suja se lava em casa. Vou mudar meu jeito de ser e não vamos mais brigar.

Olívia falou, beijou Arlete na face e caminhou até a pia. Olhou para o lado e viu a panela fumegante sobre o fogão.

— Hum! Você fez sopa de fubá com couve picada! Como gosto disso. Pena que acabei de jantar. Você guarda um pouco para eu tomar amanhã?

Arlete não sabia o que responder. Osvaldo colocou as mãos na cintura.

— Você bebeu ou fumou alguma coisa estranha?

— Não, papai. O senhor bem sabe que não gosto de bebida, tampouco de cigarro. É que passei momentos agradáveis ao lado de minhas tias e meu tio Eugênio. Estou feliz, só isso.

Ela virou-se e abraçou Osvaldo. Beijou-o na face e tornou:

— Vou subir, me banhar e quando descer vou tomar um copo de leite com açúcar queimado, do jeito que você me fazia quando eu era pequena, lembra mãe?

— Lembro — Arlete estava monossilábica.

A menina rodou nos calcanhares e saiu da cozinha. Subiu a escada até o quarto. Arlete estava realmente surpresa. Não sabia o que dizer. Osvaldo cutucou-se e disse, boquiaberto:

— Essa não é nossa filha! Olívia foi abduzida por extraterrestres!

Ambos riram.

— É sim. Botou um pouco de juízo na cabeça. Olívia sempre volta bem da casa de minha irmã. Vai ver escutou poucas e boas da Alzira.

— Não sei — Osvaldo alisava o queixo. — Olívia mostrou outro comportamento. Eu já estava preparado para a briga entre as duas e, no entanto, o clima foi de harmonia e paz.

— Ela está nos tratando assim porque quer ir para a Inglaterra.

— Será só isso, meu bem? Não notou uma luminosidade diferente nos olhos da nossa pequena?

— Isso é.

— Quanto tempo que Olívia não lhe dava um abraço e um beijo assim tão carinhoso?

Arlete levou a mão ao rosto.

— Confesso ter sido pega de surpresa.

— Olívia está crescendo e mudando.

— Tenho medo de que ela se perca no mundo.

— Medo infundado. Olívia tem juízo. Sinto que o intercâmbio vai lhe fazer enorme bem.

— Vamos ficar sozinhos.

— Alzira convidou você inúmeras vezes para trabalhar.

— Pode ser que agora eu aceite o convite.

— Vamos confiar porque a vida sempre faz o melhor para nós.

Osvaldo falou e abraçou a esposa. Arlete sentiu um nó na garganta. Abraçou o marido com força.

— Não me deixe, querido — as palavras saltaram de sua boca, de maneira automática.

— Eu a amo — ele respondeu. — Prometo que lhe serei fiel até a morte.

— Até a morte?

— É. Depois da morte, cada um para o seu lado!

Arlete deu um tapinha no ombro do marido.

— Engraçadinho! Quer dizer que seremos casados...

— Como diz a lenda: até que a morte nos separe.

Ela riu e abraçou-se a Osvaldo, novamente. Sentia grande amor pelo marido e pela filha. Não entendia por que Olívia a rejeitava tanto, desde pequena. Mas agora parecia que tudo mudaria para melhor. Arlete tinha toda razão do mundo para acreditar nisso.

Naquela noite, depois de tomar um copo de leite morno com açúcar, Olívia adormeceu e logo se desprendeu do corpo. Abriu os olhos e sorriu ao ver Lolla ao lado da cama.

— Quanto tempo!

Olívia correu e abraçou-se ao espírito amigo. Lolla retribuiu o abraço.

— Faz um pouco de tempo. Estou muito feliz com a sua mudança.

— Meus tios me ajudaram. Hoje tive uma conversa com tio Eugênio que muito mudou minha maneira de ver a relação que eu tenho com minha mãe.

— Seu espírito desejou reencarnar como filha de Arlete.

Olívia fez sim com a cabeça e teve um lampejo de memória passada. Os seus pais haviam morrido num acidente e ela fora criada pela tia. Daí a sua afinidade com Alzira.

As cenas vieram de maneira rápida. Em uma nova cena, agora Olívia era uma moça bonita, extrovertida. Mas descobrira que sua mãe havia engravidado de outro homem antes de se casar e, pior, que ela não tinha morrido no acidente.

Arlete retornara depois de muitos anos e fora rejeitada pela filha. Olívia não queria saber dela, mas Alzira tentou contemporizar e fazer com que todas vivessem bem e em harmonia. Olívia não aceitou e mudou-se para outra cidade. Arlete foi atrás da filha e Olívia decidiu deixar o país.

Ela mudou-se para Veneza, na Itália. Conheceu um homem lindo por quem se apaixonou perdidamente. Seu nome era Frederico...

Lolla tocou em sua testa e as memórias cessaram. Olívia abriu e fechou os olhos várias vezes.

— O que aconteceu? Parece que entrei num transe.

— Você teve acesso a cenas de sua última vida na Terra.

— Agora sei o porquê de sentir tanta repugnância pela minha mãe. Ela queria o meu dinheiro. Tentou me tirar a casa onde eu e tia Alzira morávamos.

— Arlete sofrera bastante. O vapor em que ela estava com o marido afundou, e ela quase morreu afogada. Arlete foi resgatada, mas perdeu a memória. Perambulou aqui e ali até recobrar a memória. Insegura e na meia-idade, quis a todo custo que você lhe desse sustento.

— Ela tentou fraudar documentos e me tirar a casa onde vivia.

— Arlete estava desesperada. Tinha medo de morrer na rua, feito indigente, como ocorrera numa outra vida.

— Entendo muita coisa, mas antes de tocar minha testa eu vi um moço bonito. Senti um calor percorrer meu corpo e abri os olhos.

— No momento certo você vai se lembrar com mais detalhes desse rapaz. Em breve vão se reencontrar.

Olívia sentiu um frio na barriga. Não sabia o motivo de sentir amor e ao mesmo tempo medo dele. Lolla passou o braço em volta de seu pescoço.

— Fique tranquila, querida. O importante agora é que você vai para a Inglaterra e nova etapa se inicia em sua jornada.

— Não vejo a hora de voltar à Inglaterra. Quanta saudade!

— Precisa descansar. De agora em diante precisará estar em equilíbrio e em paz consigo mesma. Não esqueça de que estarei sempre ao seu lado.

— Mas como vou me lembrar? Sei que vou acordar e vou esquecer toda nossa conversa.

— O seu espírito vai me chamar. Fique sossegada.

Lolla beijou-lhe a face e Olívia retribuiu o beijo. Voltou para a cama e seu duplo[14] deitou-se alguns palmos acima do seu corpo. A garota fechou os olhos e adormeceu novamente.

---

14 Segundo Jorge Andréa, em *Psicologia Espírita — Volume II*, o duplo etérico é a parte do perispírito mais grosseira e próxima do corpo. É o reservatório de vitalidade necessário durante a vida física para a reposição de energias gastas ou perdidas. Com a desencarnação, essa estrutura se desintegra com a própria organização física. Mais detalhes, ver também *Nos Domínios da Mediunidade,* de André Luiz, Capítulo 11 — "Desdobramento em serviço", em especial as páginas 98 e 99. Utilizamos a 27ª edição da FEB.

capítulo vinte e quatro

Ainda voltando alguns anos na história, Olair acordou e percebeu não estar mais no quarto. Parecia estar em outro ambiente, mais pesado, sinistro e escuro, muito escuro.

Ele abriu os olhos e lembrou-se parcialmente da conversa com Lolla.

— Devo ter sonhado — disse para si.

Em seguida levantou-se e começou a tatear ao redor. Ouviu uma voz naquele breu:

— E aí, camarada, gostou da sua nova casa?

— Nova casa? Onde estou?

— No inferno, diriam os católicos — riu o outro.

Olair nada enxergava. Sentiu frio e sede.

— Quero beber algo. Onde tem água?

— Não faço a mínima ideia — retrucou a voz na escuridão.

— Adoraria sair daqui.

— Não é muito complicado.

— Se houvesse luz, talvez eu pudesse achar o caminho e seguir adiante.

— Vou te dar um conselho. Tem alguém por quem você sente raiva, muita raiva?

— Tem — Olair respondeu, pensando em Gisele.

— Pois pense nessa pessoa. Aproveite a escuridão do ambiente e coloque mentalmente ela na sua frente agora.

— Para quê?

— Faça isso e não me pergunte. Obedeça! — a voz era firme.

Olair assentiu com a cabeça. Nem precisou fechar os olhos. A escuridão era absoluta. Ele pensou em Gisele com tanta força e tanta raiva, que imediatamente ele se viu ao lado dela. A mudança de um local totalmente escuro para onde ela estava, com certa claridade, cegou Olair por instantes. Ele abriu e fechou os olhos muitas vezes, até sua visão acostumar-se com o ambiente.

Gisele estava se arrumando quando Olair apareceu ao seu lado. Ela passou batom nos lábios, borrifou um perfume muito doce e muito forte no colo e nos pulsos. Olhou para a imagem refletida no espelho e mandou um beijo.

— Você está linda, garota!

Ela saiu do banheiro e caminhou até o quarto. Rodinei estava deitado na cama. No princípio, ele pensara em usar Gisele para ter a casa e dar um golpe em Olair. Depois se livraria dela. Não tencionava casar ou constituir família. No entanto, com a morte de Olair, ele passou a nutrir sentimentos verdadeiros pela loira falsificada.

Ele espreguiçou-se na cama e sorriu:

— Venha, minha princesa. Está na hora de dormir.

— Dormir? — ela fez um biquinho. — Pensei que fôssemos namorar.

— Se quiser. Bem, sabe que estou sempre pronto. Ocorre que hoje trabalhei muito no bar. Teve muito freguês.

— Claro. Aprendi a fazer bolinhos de bacalhau. Não sou muito chegada numa cozinha, mas esses bolinhos eu sei fazer desde pequena. Aprendi lá em Aquidauana, com uma portuguesa amiga da minha mãe.

— Chega mais perto.

Gisele aninhou-se junto ao corpo de Rodinei.

— Por que tanto batom?

— Para marcar o corpo do meu homem.

Ela falou e gargalhou. Em seguida passou a beijar várias partes do corpo de Rodinei.

Olair olhou para aquilo tudo e sentiu uma raiva descomunal.

— Como podem se amar? Eu acabei de morrer!

Meia hora depois, estavam cansados e com muito sono. Gisele sentiu sede.

— Quer água, meu amor?

— Um pouco.

— Vou até a cozinha e volto num instante.

Ela levantou-se da cama, calçou os chinelos de dedo e foi até a cozinha, completamente nua. Gisele podia ser uma mulher venal, contudo tinha um corpo espetacular. Olair a acompanhou.

— Por que fez isso comigo, Gisele? Eu te amo.

Ela nem notou a presença dele. Pegou um copo, abriu a geladeira e apanhou uma jarra de água. Encheu o copo, bebeu e o encheu novamente. Olair continuava entre a raiva e a rejeição:

— Por que me trocou por Rodinei? Por que me deram esse golpe?

Gisele lembrou-se dele e disse em voz alta, enquanto guardava a jarra na geladeira:

— Olair morreu faz um ano e parece que morreu há séculos. Não sinto falta dele. Nada.

Olair coçou o ouvido.

— Será que ouvi bem? Ela disse que eu morri faz um ano? Mas eu morri ontem...

Gisele continuou a falar em voz alta:

— Aquele estrupício morreu tarde. Ele confiou em mim e se danou. Eu confiei no Rodinei e me dei bem. Vamos nos casar e vou ajudá-lo cada vez mais lá no bar. Vamos ter uma família, coisa que eu jamais sonharia com aquele porco sujo.

Ela falou e fez uma careta. Olair sentiu toda a raiva voltar com força. Sentiu um ódio descomunal e soltou um grito tão estridente que o vidro de uma das portas do louceiro trincou. Gisele deu um grito e correu até o quarto.

— O que foi? — perguntou Rodinei.

— O vidro do louceiro rachou.

— E daí?

— Não sei, Rodinei. Senti um frio na espinha.

Ele gargalhou.

— Acredita mesmo naquilo que o freguês te disse outro dia? Que o espírito do Olair devia estar vagando no mundo, feito alma penada?

Gisele tremeu de medo.

— Acredito. Nunca fui religiosa, nunca frequentei igreja ou culto. Mas tenho medo de alma penada.

— Olair partiu desta para melhor. O otário deve estar ao lado da esposa, de mãos dadas, sentados numa nuvem branca.

— Não sei não, Rodinei. Faz um ano que ele morreu e tive alguns pesadelos. Neles, Olair sempre gritava comigo e tentava me sufocar.

— Ficou impressionada com a maneira como o velho bateu as botas. Ele caiu mortinho na nossa frente.

— Deve ser isso.

— Melhor esquecer. O homem morreu e a casa é nossa. Vamos casar e teremos uma família linda. Quero um monte de filhos.

Gisele gargalhou alto.

— Nem tanto, Rodi. Nem tanto.

Olair estava estupefato. Não podia acreditar que aqueles dois ordinários pudessem se dar bem. Eles haviam lhe feito mal.

Um espírito aproximou-se dele. Olair tomou um susto.

— Como entrou? — perguntou, assustado.

— Do mesmo modo que você, oras.

— Conhece esses dois?

O espírito abriu um sorriso. Seus dentes eram amarelados e escurecidos pela nicotina.

— Sou desafeto do Rodinei. O cabra da peste me tirou a vida. Deixe eu me apresentar. Me chamo Evanildo.

Ele estendeu a mão e Olair fez o mesmo.

— Prazer. Eu sou Olair.

Evanildo era baixinho, mas robusto. Os olhos eram naturalmente vermelhos. Metiam medo. Ele usava roupas de cangaceiro e tinha uma peixeira de puro aço a tiracolo.

— Eu frequentava o catimbó[15] e era um homem de bem. Cultuava as ervas e atendia à população. Conheci Rodinei quando ele levou a namorada, doente. O meu grupo a curou e nos apaixonamos. Rodinei sentiu-se traído e veio tirar satisfações. Eu bem que tentei acalmá-lo, contudo ele me matou. No dia seguinte, matou a Maria das Dores. Depois fugiu para São Paulo.

— Onde está a Maria das Dores?

Os olhos de Evanildo brilharam de emoção.

— Ela está bem. Aceitou a morte e vive no Juremá.

— Onde fica esse lugar? Nunca ouvi falar. Vive onde?

— No Juremá.

Evanildo riu-se.

— Pelo jeito, não entende nada do mundo espiritual.

Olair mexeu a cabeça para os lados, de maneira negativa.

— Foi católico, pelo menos?

— Tive criação católica, mas nunca frequentei nada.

— Mas já ajuda pra entender. O universo espiritual do catimbó segue o mesmo padrão do catolicismo, cujas crenças de céu, inferno e purgatório são bastante difundidas entre os catimbozeiros.

— Hã, sei...

— A diferença é que há também para nós o Juremá, onde habitam os Mestres da Jurema e seus subordinados. O Juremá é composto de um monte de aldeias, cidades e estados, com organização hierárquica rígida, envolvendo todas as entidades catimbozeiras, como caboclos da jurema e encantados, sob o comando de um ou até três Mestres.

— E por que não vai viver lá, ao lado da sua amada, a Maria das Dores? — perguntou Olair, curioso.

— Porque depois que morri não consegui conter a minha raiva. Das Dores já tentou me convencer a mudar de ideia, contudo a raiva é muito grande.

— Mas se você era um homem de bem, por que diacho agora vai se meter com vingança?

15 O catimbó é um culto regional do Nordeste, no qual ocorrem manifestações de espíritos que viveram principalmente naquela região do Brasil e que são chamados de Mestres Catimbozeiros.

— E olha quem fala? Você não está aqui pelo mesmo motivo?

Olair espantou-se.

— Como sabe disso?

Evanildo riu-se.

— Pela cor da sua aura. Eu também consigo perceber o pensamento dos outros. Sinto que você quer se vingar dela — apontou para Gisele.

— Você era homem religioso. Eu não era. Por isso não entendo a sua vontade de querer se vingar.

— Por vontade pura. Depois que Rodinei derrubar uma lágrima de arrependimento, eu vou sossegar. Quanto a você...

Evanildo parou e fez sinal com a cabeça, aguardando por um pronunciamento de Olair.

— Ela e o Rodinei aprontaram comigo. Me tiraram a casa e a vida. Não posso permitir que eles fiquem juntos e felizes. Têm de pagar pelo que me fizeram.

— Concordo.

— O que podemos fazer? Já me joguei em cima dela, mas não sente nada. É como se eu não conseguisse atingi-los.

— Nós temos mais força que eles. Vou lhe mostrar.

Evanildo pegou a peixeira e a ergueu com o braço. Proferiu algumas palavras estranhas ao conhecimento de Olair. O ambiente foi se enchendo de parasitas astrais. Esses "bichinhos" vindos dos pântanos do umbral começaram a grudar nos corpos de Rodinei. Imediatamente ele sentiu uma coceira.

Gisele perguntou:

— Está se sentindo bem?

— Não sei — respondeu Rodinei. De repente, comecei a sentir um comichão, uma coceira pelo corpo todo, como se estivesse sendo picado.

Gisele olhou com acuidade.

— Não tem nada em você.

— Mas está coçando.

— Espere que vou pegar um pouco de álcool na cozinha.

Ela se levantou e foi buscar o frasco. Olair encarou Evanildo de maneira surpresa:

— Como tem tanta força?

— Você também pode ter. Eu posso lhe ensinar alguns truques astrais. Depois acabamos com a vida desses dois. O que me diz?

Olair estendeu a mão e assentiu:

— Combinado!

capítulo vinte e cinco

Naquele começo de noite, depois de refletir sobre a conversa com o tio, Valéria pensou na relação que tivera com o filho desde o nascimento dele. Havia, sim, uma dose de repulsa natural pelo fato de Frederico ser filho de Dario. Só de pensar no antigo namorado, Valéria sentia um remorso sem igual.

— Se não tivesse me deitado com Dario naquela manhã... Oh, meu Deus! Como pude ser tão fraca, tão venal?

Esse sentimento de amargura a acompanhava por quase vinte anos. Junto a esse sentimento, havia também a sensação de que Frederico muito a machucara emocionalmente.

— Não tem razão de ser — tentava se justificar. — Frederico nunca me machucou, foi sempre um bom filho.

Valéria não tinha ideia clara, mas seu espírito havia sofrido muito nas mãos de Frederico em outras vidas. Havia uma posse, um domínio que ele exercia sobre ela desde épocas imemoriáveis. Da Idade Média para cá, seus espíritos, por meio de sucessivas encarnações, passaram por transformações significativas. Se antes ambos eram amantes insaciáveis e destruíam tudo e todos com sua paixão doentia, depois passaram por um período em que Frederico exercia um domínio muito forte sobre os desejos e vontades de Valéria.

A vida, sempre misericordiosa, fez com que ambos fossem experimentando situações de posse e desapego até chegarem à encarnação atual. Frederico aprendera a desapegar-se dela. Valéria desenvolvera um natural sentimento de rejeição, fruto do medo de ser escravizada ou dominada novamente por ele.

A relação de ambos sofreu mudanças mais significativas quando Olívia passou a reencarnar próxima dele. E, com Olívia ao seu lado, Frederico passou a sentir amor de verdade, aquele amor puro, incondicional, sem posse ou necessidade de escravizar o objeto de seu afeto.

Frederico aprendeu finalmente que reencarnamos para mudar a personalidade e não para aperfeiçoar a essência, que já é perfeita. Ele e Valéria descobriram que a personalidade nada mais é do que a roupa da alma.

Diante desse quadro, Valéria ainda sentia essa natural rejeição por Frederico. Aceitara recebê-lo como filho a fim de despertar nela os sentimentos amorosos que só mesmo a maternidade é capaz de proporcionar.

— Eu amo meu filho. Por que não consigo me aproximar mais dele? Por quê?

A pergunta ecoou pela sala e Valéria sentiu uma lágrima quente escorrer pelo canto do olho. A partir desse momento, ela passou a amolecer as crenças arraigadas de outras existências.

Assoou o nariz com um lencinho. Levantou-se e foi até o lavabo. Lavou o rosto e olhou para sua imagem refletida no espelho. Estava com a aparência cansada.

— Estou começando a envelhecer, de fato — disse em voz alta.

Ela deu um sorrisinho, saiu do lavabo e avistou o ramalhete de rosas. Caminhou até ele, pegou o cartão das rosas e ligou para o número. Uma voz de homem atendeu:

— Alô.

— Por favor... eu gostaria de falar com Tomás.

— É ele.

— Olá, Tomás — cumprimentou cordialmente. — Sou eu, Valéria.

Do outro lado da linha, ele estremeceu e remexeu-se na cadeira.

— Você ligou! — exclamou, feliz.

— Sim. Não resisti ao lindo ramalhete de rosas vermelhas. Elas são lindas. Obrigada.

— Não há de quê. Estou muito feliz que tenha me ligado.

— Ando muito ocupada. Tenho muito trabalho, muitos projetos em andamento...

Tomás a cortou com amabilidade na voz:

— Há tempo em sua agenda para jantarmos juntos?

Valéria engoliu em seco. Foi pega de surpresa.

— Cla... claro! Quando?

— Pode ser hoje à noite?

— Hoje? — indagou, numa voz que denotava espanto.

— É. Hoje. Estou com a noite livre. E você?

Valéria fingiu consultar a agenda e respondeu:

— Também estou livre. Podemos marcar em algum lugar?

— Eu a pego no seu escritório.

— Não! Preciso me arrumar. Não estou com boa aparência.

— Você sempre foi bonita.

— Se me visse neste exato momento, tenho certeza de que mudaria de opinião.

Tomás riu.

— Vocês, mulheres! Está bem. Eu a apanho em casa às oito e meia.

— Combinado.

Eles desligaram o telefone. Tomás percebeu um brando calor tocar-lhe o peito. Valéria tremeu de emoção. Fazia anos que não saía para um encontro romântico. Sentiu-se insegura.

— Depois de vinte anos...

Ela falou e instintivamente seus dedos tocaram o pingente no pescoço. Valéria fechou os olhos e sorriu:

— Sou feliz e não vou me deixar sofrer.

Levantou-se, arrumou sua mesa. Pegou um vaso e o encheu com água. Ajeitou as rosas no vaso, colocando-o sobre sua mesa. Apanhou a bolsa e foi para casa.

Chegando no casarão do Morumbi, ela embicou o carro na garagem e uma das empregadas veio ao seu encontro.

— Seu filho partiu e lhe deixou essa carta.

Valéria olhou para o envelope.

— Onde está Frederico?

— Partiu esta noite para Londres.

Valéria saiu do carro e bateu a porta com força. Pegou o envelope da mão da empregada e foi até a sala feito um tufão. Encontrou Américo fumando seu cachimbo, trajando belo roupão e lendo um livro. Ele abaixou os óculos com os dedos e sorriu:

— Boa noite, filha.

Ela nem respondeu e emendou com outra pergunta:

— Que história é essa de Frederico ter viajado sem se despedir de mim?

— Que falta faria? Por que ele teria de se despedir de você?

— Porque sou sua mãe, oras.

Américo virou a cabeça para os lados.

— Você tem o título de mãe, mais nada. Nunca ligou para seu filho. O que deu em você? Bateu arrependimento?

— Não, é que... — Valéria não sabia o que dizer.

— Frederico partiu muito triste. Fiquei com o coração apertado.

— Pensei que ele fosse embora depois de amanhã.

— Antecipou o voo.

— Podia ao menos me avisar...

— Valéria, você está usando drogas?

Ela parou atônita na frente do pai.

— Que pergunta mais estapafúrdia! Nunca usei drogas.

— Então pare de se comportar como uma mulher alheia, sem noção das coisas.

— Não estou entendendo, papai.

— Nunca ligou a mínima para seu filho. Por que agora está melindrada com a ida dele à Inglaterra?

Antes que ela retrucasse, Américo apontou para as mãos dela:

— Frederico deixou uma carta para você. A propósito, é esse envelope que segura nas mãos.

Valéria olhou para o envelope e abriu-o. Sentou-se ao lado do pai. Tirou o papel e leu:

Mãe,

Nem sei ao menos se posso chamá-la assim... em todo caso, é por mera formalidade. Eu decidi não mais me iludir e mendigar pelo seu amor. Cresci longe de sua presença, distante de seu carinho. Consegui sobreviver e agora sou homem feito.

Não a culpo pela maneira como me tratou esses anos todos. Cada um dá apenas o que tem. Não posso exigir de você o que não tem para me dar. Espero que, ao retornar da Inglaterra, dentro de alguns anos, possamos nos tornar amigos pelo menos.

Não sei se vou superar a rejeição que você me impôs esses anos todos, mas prometo que não vou deixá-la me jogar para baixo, nunca mais. Afinal de contas, tenho meu amor-próprio e aprendi com a tia Natália: não vou me deixar sofrer. Nunca mais.

Beijos e até mais,

Frederico.

Valéria terminou de ler e não conteve a emoção. Aproximou--se do pai e abraçou-o com força.

— Papai, eu nunca fui uma boa mãe. Sinto que perdi meu filho para sempre. Ele me odeia.

— Chi! — asseverou Américo. — Frederico não a odeia. Ele conversou muito com Natália e Adamo antes de lhe escrever.

— Antes de vir para cá pensei na minha relação com meu filho. Sei que parte do distanciamento entre nós foi porque não me perdoei por ter engravidado de Dario.

— Aconteceu e pronto. Não seria mais fácil virar a página e seguir adiante? Se Frederico fosse um garoto problemático, agressivo, um mau filho, eu até concordaria com a sua postura. Entretanto, esse menino nunca lhe deu um pingo de trabalho. Sempre foi amoroso e companheiro.

— Eu sei, eu sei.

— Filha — a voz de Américo tornara-se séria — está na hora de largar essas crenças que traz de outras vidas.

— Não sei como começar...

— A sabedoria necessária para largá-las vem da alma, pela vivência do acúmulo de experiências.

— Eu amo meu filho. Só não sei como lhe dar meu carinho. Aliás, depois de todos esses anos, com o que acabei de ler, sinto que perdi Frederico para sempre.

— Está sendo dramática. Frederico desabafou por meio de uma carta, pois não havia maneira de conversar com você cara a cara. Importa o que você sente. Se ama mesmo seu filho, chegará o momento em que saberá lhe transmitir esse sentimento.

— Vou visitá-lo.

— Não faça isso, por ora. Deixe Frederico viver sozinho essa nova etapa de vida. Eu tenho certeza de que essa temporada na Inglaterra vai lhe fazer enorme bem.

— E o que faço agora?

— Vibre amor pelo seu filho para que nada de mau lhe aconteça. Pense em Frederico com amor. O resto, a vida se encarrega de fazer.

— Você é um grande amigo, papai. Eu o amo muito.

— Eu também a amo.

— Bom, preciso me levantar e me arrumar.

— Não vai jantar comigo?

— Esta noite, não. Tenho um encontro.

O rosto de Américo contraiu-se numa feição engraçada.

— Será que ouvi bem? Um encontro?

— Isso mesmo.

— Fico feliz que saia e se divirta. Você só respira trabalho.

Valéria levantou-se e beijou o pai na testa.

— Deixe eu me arrumar. A gente sempre tem que transmitir boa impressão no primeiro encontro!

Ela sorriu e subiu para o quarto. Caminhou até o *closet* e escolheu um vestido lindo na cor verde-garrafa. Apanhou os acessórios — colar, brincos, pulseiras, bolsa e sapatos — e correu até o banheiro. Tomou uma ducha reconfortante e vestiu-se. Espalhou delicado perfume sobre o corpo, escovou os cabelos avermelhados para trás e gostou da imagem que viu no espelho.

Tomás foi pontual e a apanhou no horário combinado.

— Você está linda.

— Obrigada.

— Parece que eu estive aqui ontem, visitando-a depois daquele acidente.

— Esse ontem faz vinte anos, Tomás.

— Eu sei. Perdi duas décadas de minha vida.

Ele deu partida e acelerou.

— Não diga isso. Eu achei que havia perdido anos de minha vida e, se não fossem todas essas experiências pelas quais eu e você passamos, talvez não estaríamos aqui juntos.

— Será?

— Sim. Meu tio Adamo sempre me diz que a alegria da vida se resume ao contentamento da alma em fazer o que quer, sem a interferência da mente.

— Seu tio é filósofo? — indagou ele, rindo.

— Não. Meu tio Adamo é uma das pessoas mais incríveis que conheci em toda vida. Ele e Natália, que é sua esposa e minha melhor amiga, juntamente com meu pai, são os meus alicerces nesta vida.

— E seu filho não entra na conta?

Valéria ruborizou. Estava com a mente acostumada a bloquear o filho. Mordiscou o lábio e falou:

— Desculpe-me pela franqueza, mas a minha relação com Frederico, meu filho, nunca foi das melhores.

— Aprecio a sua sinceridade. É semelhante à relação que tenho com minha filha Alice.

— Você e Marion tiveram só essa filha, certo?

— Dou graças a Deus de ter tido uma filha só. Se dependesse de Marion, nunca teríamos filhos. Ela sempre disse que a gravidez aniquila o corpo.

— Por que ela levou a gravidez adiante, então?

— Para segurar o bom partido — apontou para si mesmo. — Marion engravidou para me obrigar a casar com ela.

— Hoje em dia gravidez não segura casamento.

— Sou um homem de princípios e até antiquado. Achei justo casar com ela e constituir família, tentar formar um lar para nossa filha. Infelizmente as coisas não são como imaginamos. Alice cresceu sentindo-se um patinho feio.

— Já vi fotos de sua filha em revistas. Alice é uma moça bonita.

— Ela vive insegura. Odeia ser comparada à grande estrela Marion Krystal.

— Sinto muito.

— Não precisa sentir nada. Tentei ser bom pai, porém minha filha sempre quis superar a mãe em tudo. É como se ambas vivessem em eterna competição. Quanto a mim — ele deu de ombros — fui fraco e deveria ter seguido a vontade do meu coração.

— Marion é possessiva. Deixaria você livre sem arrumar encrenca?

Tomás riu.

— Sou figura fora do baralho faz tempo. Eu abri caminho para Marion chegar ao mercado americano de filmes. Depois que ela se firmou como grande estrela, foi me colocando para trás. Agora arrumou namoro com um produtor de filmes russos cheio de dinheiro. Ele vai transformá-la numa grande estrela na Europa. Marion pensa até em mudar de nome, novamente.

— Ela não toma jeito — falou Valéria. — Sempre a mesma. Desde sempre tem uma vaidade descomunal.

— Mas o tempo passa e a idade chega. Não sei como Marion vai suportar chegar à velhice.

Chegaram ao restaurante. Era um endereço badalado e estava apinhado de carros e gente na entrada. Tomás parou, desceu e entregou a chave para o manobrista. Deu a volta pela frente do veículo e abriu a porta para Valéria.

— Muito obrigada. Você é cavalheiro.

— Como lhe disse, tenho princípios. Podem me chamar de antiquado, mas ainda abro a porta do carro, envio flores... pequenos gestos de carinho que uma mulher merece receber todos os dias.

Valéria corou e assentiu. Não disse nada. Entraram no restaurante e o *maître,* ao reconhecer Tomás, abriu largo sorriso.

— Monsieur Tomás! É um grande prazer revê-lo. Vou levá-lo até sua mesa.

Tomás puxou a cadeira para trás e Valéria sentou-se. Em seguida ele deu a volta e acomodou-se na cadeira à sua frente. A mesa estava arrumada com extremo bom gosto e havia um castiçal com uma vela acesa, criando um clima romântico no ambiente. Tomás pediu um vinho tinto e continuaram a conversa.

— Sabe Valéria, estou com quarenta e cinco anos de idade. Construí meu pé de meia, tenho uma boa vida. Estou legalmente divorciado. Sou um homem livre.

— E sua filha?

— Alice vai completar vinte anos e, sentindo-se sufocada com o sucesso da mãe, decidiu mudar-se para a Austrália, bem longe. Minha família tem propriedades lá e Alice está bem instalada. Matriculou-se num curso de hotelaria em Sydney. Está namorando um herdeiro de famoso grupo hoteleiro.

— Realmente está livre.

— E quanto a você?

— Eu?! O que quer saber?

— Tudo — respondeu Tomás, com um lindo sorriso nos lábios. — Me fale de sua vida, dos seus projetos, de seus sonhos.

Valéria notou a beleza madura de Tomás. Ele continuava bonito. Seu cabelo estava ficando grisalho, no estilo sal e pimenta. As têmporas esbranquiçadas lhe conferiam um ar viril e charme avassalador. Os dentes alvos e perfeitamente enfileirados apareciam quando ele sorria. Ela estava encantada.

Fizeram o pedido e, quando os pratos chegaram, Valéria continuou a falar da sua vida. Contou sobre a gravidez, falou sobre os problemas de relacionamento com o filho e como estava tentando atualmente ser uma pessoa melhor, no sentido de entender melhor a si mesma e amar o filho à sua maneira.

A conversa fluiu agradável e, na hora do cafezinho, Tomás pousou delicadamente a sua mão sobre a dela. Valéria enrubesceu e ele levou o rosto para frente.

— Quer ser minha namorada?

— Assim, de supetão?

— E por que deveria demorar? Não somos mais aqueles jovens de vinte anos atrás. Passamos por sérias transformações de vida e, se gostamos um do outro, por que não tentar? Foi por esse motivo que dei o primeiro passo e lhe mandei aquele ramalhete do rosas. Fiz como seu tio Adamo lhe disse. Parei e refleti sobre minha vida, analisando o que queria e o que não queria mais. Estou certo de que quero me relacionar com você — a voz de Tomás era firme.

— Eu adoraria, mas tenho medo.

— Medo de quê? De não dar certo?

— É — disse Valéria, temerosa. — Nunca me dei bem no campo afetivo.

— E daí? A gente tenta. Tenho certeza de que, se depender de mim, você vai se sentir a mulher mais feliz do mundo.

Ela sentiu um calor invadir seu corpo. Abanou o rosto e bebericou o resto de seu vinho.

— Se é assim...

Tomás não a deixou terminar de falar. Puxou as mãos de Valéria para frente e seus rostos ficaram bem próximos. O beijo foi inevitável. O coração de ambos disparou.

— Começamos bem — tornou ela, percebendo o corpo todo tremer.

— Vamos embora daqui. Vou levá-la comigo.

— Para sua casa?

— Não. Depois da separação fui morar num *flat*, aqui mesmo nos Jardins. Quem sabe não vamos ter a nossa própria casa? Ao menos não vou gastar dinheiro contratando uma arquiteta!

Os dois riram. Tomás pediu a conta, pagou e foram embora. Ao entregar o carro para o manobrista no saguão do *flat*, Tomás passou o braço pela cintura de Valéria e sussurrou em seu ouvido:

— Vamos ter uma linda noite de amor. Eu prometo.

capítulo vinte e seis

Fazia quase dois anos que Frederico havia chegado à Inglaterra. Começara o curso na faculdade e dedicara-se com afinco aos estudos. A sua vida se resumia a estudar e estudar.

De vez em quando escrevia para Natália e Adamo. Também escrevia cartas para Américo e mandava pelos tios e pelo avô cumprimentos à Valéria. Ele aproveitara um feriado regional para passear em Londres.

Ele era um rapaz bonito, mas muito tímido, bastante reservado. Mesmo assim, conhecera e fizera amizade com dois rapazes adoráveis: Edward e Justin. Frederico tinha um pouco de dificuldade em fazer amizades com as garotas e os amigos ingleses resolveram convidá-lo para viajar no feriado. A viagem de oitenta quilômetros até a capital durava uma hora e meia.

Frederico aceitou de bom grado. Não fazia outra coisa a não ser estudar. Ao chegar em Londres, ficou encantado. Os rapazes o levaram a vários pontos turísticos da cidade, dentre eles o Palácio de Buckingham, o Big Ben, o Museu Britânico, a Catedral de São Paulo, a famosa loja Harrods. Assistiram a peças musicais em teatros localizados na agitada Piccadilly Circus, frequentaram os *pubs* — aqueles bares tipicamente ingleses.

No sábado cedo, Frederico acordou bem-disposto e os amigos o convidaram para um passeio pelo Hyde Park, um dos maiores parques de Londres, e depois caminhariam pela badalada feira de antiguidades de Portobello Road. Estavam no fim do inverno e o sol ajudava a amenizar o frio, tornando o passeio agradável.

Frederico adorava antiguidades e combinou com os amigos de se encontrarem perto da hora do almoço. Já haviam escolhido um restaurante descolado mais ao sul de Notting Hill.

Ele comprou uma caneta tinteiro para o avô. Depois comprou uma porcelana inglesa para a tia. Um isqueiro antigo para o tio e uma caixinha de joias para a mãe. Frederico pensou em todos da sua família. Sorriu ao lembrar-se de Valéria. Conforme o tempo passava, o sentimento de rejeição diminuía e ele começava a compreender as diferenças com a mãe. Estava se tornando um homem, e a distância estava sendo uma grande amiga para que ele refletisse com total imparcialidade sobre o relacionamento com a mãe.

Frederico soubera, por meio das cartas trocadas com a tia, que Valéria estava namorando Tomás, um antigo paquera do passado. O jovem sorriu feliz.

"Mamãe nunca teve um relacionamento sério com alguém. Agora chegou o momento de ela ser feliz. Espero também encontrar alguém e ser feliz" — refletiu.

O rapaz pensou e esbarrou no cotovelo de uma moça. Ela carregava um embrulho que caiu. Ela levou a mão à boca e, nervosa, falou em português:

— Meu Deus!

Ela abriu o embrulho e choramingou:

— O vaso que comprei para tia Alzira espatifou-se. E agora?

Frederico abaixou-se e ajudou a menina a recolher os cacos.

— Desculpe-me. Mil vezes perdão.

— Ainda bem que fala português. Fica mais fácil entender a minha raiva — disse Olívia, voz alteada.

— Eu não tive a intenção. Estava pensando na vida e me distraí.

— Não tem importância.

— Claro que tem. Você deve ter comprado isso para alguém especial.

— Era um vaso de murano para a minha tia.

— Vamos procurar por outro.

— Eu não tenho dinheiro para comprar outro. Gastei um punhado de libras nesse aqui — apontou desolada para os cacos.

— Vamos encontrar um vaso parecido. Esta feira é grande e tem muita coisa.

Olívia sentiu certa repulsa quando suas mãos se tocaram. Ela achou o rapaz simpático, mas algo dentro dela o repelia naturalmente. A jovem jogou os cacos numa lixeira e foi caminhando pela feira, apressando o passo. Frederico foi logo atrás. Seguiu Olívia e, quando ela parou em frente a uma barraquinha com peças de murano, na hora de escolher e abrir a bolsa para pagar, viu que o dinheiro não dava. A vendedora respondeu em inglês:

— Mesmo que quisesse o vaso, acabei de vendê-lo por um preço maior para este rapaz — apontou para Frederico.

Olívia abriu e fechou os olhos.

— O que acontece com você? Vai me perseguir e me atormentar?

Frederico agradeceu a vendedora em inglês e caminhou ao lado de Olívia.

— Toma.

— O que é?

— O vaso da sua tia.

— Não quero, obrigada.

— Eu vou me sentir melhor se você aceitar o presente. Eu fui o culpado por ter derrubado o outro.

— Não, obrigada.

Olívia falou nervosa e, quando ficava nesse estado alterado, o olho repuxava ligeiramente para dentro. Frederico notou e sorriu:

— É sempre nervosa assim? Estouradinha?

— Tenho meu jeito de ser.

— Estou aqui na paz. Amigo. Pode ser?

— Está bem. Eu me chamo Olívia.

— Eu sou Frederico.

Ele estendeu a mão e ela não o cumprimentou.

— Quanto tempo mais vai ficar nervosa comigo?

— Já passou.

Olívia sentia que conhecia Frederico de algum lugar. Ela simpatizara com ele, mas algo lá dentro do seu subconsciente rejeitava o contato com o rapaz. Era como se ela estivesse correndo algum risco. Não conseguia entender esse sentimento.

— Eu fiquei de almoçar com dois amigos da faculdade. Posso desmarcar o encontro e você almoça comigo. O que acha?

— Preciso ir embora logo. Daqui um mês eu volto para o Brasil.

— Por quê?

— Porque meu intercâmbio tem a duração de um ano. Mês que vem vai fazer um ano. Preciso voltar a São Paulo e terminar o colegial.

— Quantos anos tem?

— Eu tenho dezessete. E você?

— Tenho vinte e um. Também moro em São Paulo.

— Está aqui a trabalho?

— Não. Faço economia na Universidade de Cambridge. Tenho mais três anos de curso.

— Pretende ir ao Brasil nas férias?

— Não pretendia, mas agora que a conheci, quem sabe?

— Atrevido você, não? — resmungou Olívia. — Nem sabe se eu namoro!

— Claro que não namora. Se namorasse nem conversaria comigo.

— Tem razão. Não tenho namorado.

— Não conheceu ninguém em Londres?

— Conheci, mas os rapazes da minha idade só querem saber de farra.

— Então eu já saio na frente porque tenho mais idade, sou ajuizado, de boa família...

Olívia riu.

— Tem senso de humor. Me parece tímido, mas tem um jeito carinhoso de falar.

— Sou educado, não mordo e moramos na mesma cidade.

— Quem sabe um dia a gente se encontra por lá? Quando você terminar seu curso eu vou estar com vinte anos.

— Você me espera?

— Para quê?

Frederico era tímido por natureza, mas ao ver Olívia sentiu-se destemido, ousado. Nem parecia ser ele mesmo. Havia uma desenvoltura natural no falar, como se a conhecesse há um bom tempo. A empatia dele por ela foi instantânea. Por isso, foi categórico na resposta:

— Me espera para ser minha namorada.

— Você é muito atrevido, rapaz.

— E você fica um charme quando se irrita. Seu olho puxa para o lado.

Olívia cobriu o rosto com as mãos, envergonhada.

— Desculpe. Quando estou nervosa fico vesga. Já operei, mas ainda ficou um resquício.

Frederico levou sua mão até as dela e delicadamente colocou-as para baixo.

— Não precisa ter vergonha. Eu disse que fica um charme. Eu gostei.

— Fala isso só para fazer eu me sentir bem. Não preciso da sua compaixão.

— Não disse isso porque tenho pena de você. Jamais seria deselegante a esse ponto.

Ela sorriu sem graça. Percebeu que o rapaz era sincero. Foram caminhando pela feira e chegaram ao local de encontro com os amigos. Frederico apresentou Olívia a eles e disse que iria almoçar com ela. Encontraria os amigos no hotel, mais no fim da tarde.

Os dois se despediram dos rapazes e foram até a estação. Pegaram o metrô e desceram em Piccadilly Circus. Frederico a levou até um simpático restaurante.

A conversa fluiu agradável e Olívia ainda sentia aquele incômodo no peito.

"Ele é tão bonito, tão simpático e educado... Seria um namorado maravilhoso. O que faz eu sentir esse aperto no peito?" — perguntou para si em pensamento.

Frederico estava encantado. Achava Olívia uma joia rara, um bibelô. Era novinha, mas falava bem, era articulada, estava inteirada dos assuntos da atualidade. Quando se sentia contrariada ficava levemente estrábica e Frederico achava esse, digamos, defeito, um charme a mais no conjunto.

No fim da tarde, eles ficaram de se encontrar no outro fim de semana. Quando se despediram, seus lábios quase se tocaram e Frederico sentiu uma emoção nova, diferente, que tiraria seu sono e sua concentração dos estudos por toda a semana seguinte.

Olívia sentiu um frêmito de prazer. Estava gostando do rapaz, mas o incômodo ainda a perturbava.

"Uma hora passa" — ela disse para si, enquanto caminhava em direção à república onde estava hospedada.

Frederico chegou em Cambridge e escreveu uma carta extensa para a tia Natália. Nas linhas, escrevia com paixão. Dissera ter conhecido uma jovem encantadora e que, por mais estranho que fosse, estava apaixonado. Fora algo assim como amor à primeira vista. Salientava, nas últimas linhas, que continuaria estudando e que pediria para a garota ir até a casa da tia e do avô. Queria que sua família conhecesse Olívia de qualquer maneira.

O rapaz selou a carta com a língua e estava radiante. Os amigos brincaram com ele, dizendo que ele havia se transformado em outra pessoa. Antes reservado e tímido, agora estava mais falante, mais dono de si.

Frederico contava as horas para chegar o próximo fim de semana. Marcaram de se encontrar numa cafeteria nas proximidades de Trafalgar Square.

Olívia escreveu para a tia e para o pai. Embora estivesse a um passo de se entender melhor com a mãe, sentia um pouco de dificuldades em escrever diretamente para Arlete.

Estava feliz, havia realizado o sonho de estudar na Inglaterra e percebera que, embora fosse amante das artes, sentia inclinação para os negócios. Ela trabalhara meio período numa loja de departamentos e percebera que queria estudar administração de empresas. O teatro era coisa do passado. Agora estava amadurecida e pronta para uma nova vida.

Ela também comentara sobre o encontro com Frederico, mas sem muito entusiasmo. Embora tivesse sentido um friozinho na barriga quando seus lábios quase se encontraram, havia aquele incômodo que não a deixava em paz. Talvez daí os comentários acerca de Frederico fossem mais um dado na carta do que uma nota apaixonada.

A semana passou e Frederico viajou até Londres. Passaram o dia juntos e divertiram-se bastante. Ao saírem do Museu de Cera, Frederico foi direto:

— Por que sinto você tão distante?

— Sou muito jovem para namorar e...

Ele a cortou com amabilidade na voz:

— Não a pedi em namoro. Estou dizendo que sinto você distante. Se quero pegar em sua mão, você me repele. Por quê?

— Não sei, Frederico. Medo.

— Medo de mim?

— Acho que sim, não sei. É uma coisa que me perturba o peito — apontou. — Juro que simpatizo com você, mas sinto uma coisa estranha, esquisita, como se você fosse me fazer alguma coisa ruim.

— Não posso crer. Tenho sido tão respeitoso, tão cavalheiro.

— Eu sei — Olívia estava vermelha. — Confesso que você é um cara muito legal. Gosto da sua companhia, mas tem essa coisa esquisita. Não sei explicar.

— Talvez eu esteja indo com muita sede ao pote. Você vai embora semana que vem e não é justo partir e me esperar por três anos, se bem que eu posso visitá-la nas minhas férias.

— Não é isso. Juro que não é.

Frederico largou o protocolo e lascou-lhe um beijo cinematográfico. Olívia deixou-se envolver e, naquele momento, não sentiu repulsa, medo, nada. Muito pelo contrário. Sentiu o peito crescer e esquentar. As pernas ficaram bambas e ela teve de encostar o corpo no muro às suas costas. Estava extasiada.

— Nossa!

— Gostou?

— Se gostei? Adorei!

Ele a abraçou com ternura.

— Estou apaixonado por você, Olívia.

— Não acha tudo muito rápido, Frederico? Mal nos conhecemos. Vou voltar para o Brasil e sabe lá quando vamos nos ver de novo.

— Farei todo o possível para vê-la. Acredite.

— Não quero atrapalhar seus estudos. Você estuda numa universidade conceituada, não pode perder o foco.

— Não vou perder o foco, muito pelo contrário. Saber que tenho você ao meu lado, mesmo distante, me dando forças, me escrevendo, atendendo às minhas ligações... Puxa, Olívia, eu vou estudar com mais vontade.

— Mesmo?

— Claro. Olha, eu prometo que vou conversar com seu pai. No fim do ano vou para o Brasil passar as festas e a gente anuncia o namoro.

— Eu vou embora semana que vem. Melhor trocarmos endereço e vamos nos comunicando por carta, como bons amigos.

— Nada de bons amigos. Quero ser seu namorado. Nunca senti isso — apontou para o peito — por menina nenhuma.

— Eu também, embora não tenha conhecido muitos meninos.

— Seja minha namorada, vai?

— Só se me comprar um anel de compromisso.

Frederico exultou de felicidade.

— Eu compro! Eu compro!

Olívia riu.

— Está bem. Meu voo parte sábado à tarde.

— Virei na sexta-feira. Poderemos jantar e...

— Nada disso. Você tem aula e vai estudar. No sábado à tarde você pega um trem e me encontra no aeroporto.

Frederico enlaçou Olívia pela cintura e rodopiaram pela calçada. Ele a beijou várias vezes no rosto e nos lábios.

— Eu amo você!

Eles se despediram e Frederico voltou para Cambridge em total estado de alegria. Sentia-se o homem mais feliz do mundo.

Olívia voltou para a república e, mesmo que não quisesse, era impossível não sorrir. Encontrou uma amiga espanhola que dividia o quarto com ela.

— Oi, Mercedes. Estou tão feliz. Estou namorando um rapaz brasileiro que estuda na Universidade de Cambridge. Deve ser de boa família e...

Olívia parou de falar. Mercedes estava com os olhos cheios de lágrima.

— O que foi? Por acaso conhece o Frederico?

A menina não respondeu e abaixou a cabeça tristonha.

— Não é isso.

— Então o que é? Nós vamos comemorar! Eu vou embora semana que vem e levo na bagagem a nossa amizade, o inglês fluente e um namorado. Olha quanta coisa boa!

Mercedes fungou e uma das professoras aproximou-se de Olívia.

— Querida, recebemos uma ligação do Brasil. Seu pai está doente e sua família pede que você retorne imediatamente para casa.

Olívia levou a mão à boca.

— Meu pai? O que aconteceu com ele?

Mercedes interveio, procurando usar as palavras com cautela.

— Seu pai sofreu um ataque cardíaco e foi hospitalizado. Sua tia ligou e pede que você volte o mais rápido possível.

— Vou ligar para ela agora. Preciso saber o que aconteceu de verdade.

— Não adianta. Sua tia e sua mãe estão no hospital. Disseram que seu tio Eugênio já conversou com a escola responsável pelo intercâmbio e a passagem já foi trocada para amanhã.

A professora nada disse. Abraçou Olívia e chorou.

Alzira havia ligado uma hora antes para informar que Osvaldo tinha sofrido um infarto fulminante. Estavam esperando Olívia chegar para a realização do enterro, mas pediram para não contarem a verdade para ela.

Olívia partiu no voo do dia seguinte, só com tempo de assinar a papelada da escola de inglês e passar na agência que Eugênio lhe indicara para pegar o bilhete da volta. Embora a escola nada lhe dissesse, Olívia sentia que alguma coisa muito grave ocorrera com seu pai.

A jovem partiu e nem teve tempo de avisar Frederico. O pior é que no sábado seguinte o rapaz foi ao aeroporto com uma caixinha de joia no bolso do paletó. As horas passaram, nada de Olívia aparecer.

Ao sair do aeroporto de Heathrow, encontrou uma outra colega do curso de Olívia. A chinesinha tinha uma dificuldade enorme em se expressar em inglês e a única coisa que Frederico entendeu foi:

— Olívia viajar Brasil segunda-feira.

"Ela partiu sem falar comigo! Ela não quis ser minha namorada. Preferiu ir embora e me rejeitou" — disse para si, em pensamento, enquanto uma lágrima rolava pelo rosto.

Frederico sentiu uma dor sem igual, bem pior que o sentimento de rejeição que permeava a relação com sua mãe. Sentia-se o pior dos homens. Olívia lhe fizera de bobo e nem ao menos se despedira dele. Era o fim.

O rapaz pegou um táxi e perambulou ao longo da margem do rio Tâmisa. Tirou a caixinha de veludo do bolso do casaco e meneou a cabeça.

— Por que fez isso comigo, Olívia? Por quê? Eu nunca mais vou amar de novo. Nunca mais. O amor só machuca e destrói. Olívia não gostou de mim, assim como minha mãe não gosta de mim. Eu nasci para viver sozinho. Esse é meu destino. Ficar só.

O rapaz estava inconsolável. Num acesso de raiva, arremessou a caixinha para o rio. Enxugou as lágrimas com as costas das mãos e retornou a Cambridge sentindo-se o homem mais triste da face da Terra.

A conquista da felicidade

2005 - 2010

capítulo vinte e sete

Arlete sorriu satisfeita. O faturamento da cafeteria havia dobrado desde que assumira os negócios da irmã e da tia.

— Eu sou boa nisso — disse orgulhosa.

— Tão boa que eu penso em passar o negócio todinho para você — tornou Alzira.

— Não! — protestou. — De forma alguma. Foi você quem fez nascer o empreendimento. Começou com um salãozinho pequeno em São Bernardo e hoje possui uma rede franqueada.

— Ocorre que agora eu quero me dedicar a escrever livros de receita. É um sonho antigo, você bem sabe.

Arlete suspirou.

— Tem razão. Desde quando era jovem você tem vontade de escrever um livro de receitas. O convite da editora veio a calhar.

— Eu não terei tempo de gerenciar as lojas. Tia Lurdes vai ser minha assistente. Há receitas que só a mente dela guardou. Tem muita coisa que eu esqueci.

Arlete riu.

— Tia Lurdes tem uma memória invejável. Vai chegar aos oitenta anos mais lúcida que nós duas juntas.

— É verdade. Mas estou tão feliz por você! — Alzira estava emocionada.

— Por quê?

— Ora, Arlete. Você deixou de trabalhar para cuidar da casa, do marido e da filha. Os anos passaram, você ficou viúva de Osvaldo e Olívia vai se formar administradora de empresas. Saiu de uma depressão profunda e hoje tornou-se uma mulher de negócios.

Arlete deu meio sorriso.

— O que poderia fazer? Quando Osvaldo morreu, eu senti o chão sumir. Depois de vinte anos de relacionamento perdi meu companheiro. Entrei numa tristeza muito grande. Desejei morrer junto com ele.

— E deixar Olívia órfã de pai e mãe?

— Tirei forças não sei de onde. Pensei na minha vida e na minha filha. Obviamente o conhecimento espiritual muito me ajudou a superar toda essa dor. Confesso que penso em Osvaldo todos os dias. A saudade é imensa, você não tem ideia.

— Imagino — afirmou Alzira. — Amo o Eugênio acima de tudo, mas, se a vida desejar que ele vá embora primeiro, também percebo que vou sentir muito a falta de sua companhia, contudo, a crença de que a vida é eterna e de que esta vida é tão somente uma passagem com tempo determinado, sinto meu coração menos pesado.

— É isso que sinto hoje: um coração menos pesado. Sonhei com Osvaldo dia desses. Ele estava bem-disposto e estava trabalhando, acolhendo recém-desencarnados vítimas de acidentes.

— Eu também sonhei com ele certa vez.

— Mesmo? O que sonhou? — Arlete estava curiosíssima.

— Parece que era aquele sonho antigo, que eu tinha havia anos. Lembra-se que eu sonhava com um tal de Malaquias?

— Lembro. Esse pesadelo povoou sua mente por muitos anos.

— Depois de um tempo eu sonhei com aquela amiga — Alzira ficou pensativa por instantes — o nome dela era Lolla. Foi ela quem me esclareceu uma série de acontecimentos relacionados à minha vida passada. Malaquias tinha sido seu namorado — apontou para Arlete — e depois você conheceu Osvaldo e se apaixonou perdidamente por ele.

Arlete acenou com a cabeça e Alzira prosseguiu:

— Osvaldo era dono de terras e vocês tiveram uma filha. Algum tempo depois ambos decidiram fazer uma viagem e o navio foi saqueado. Você e Osvaldo morreram e eu cuidei da menina. Não preciso nem dizer que a menina era Olívia. Depois de uns anos você reapareceu, desmemoriada e querendo dinheiro de sua filha. Ela assustou-se com sua demência e foi embora para longe.

— Eu me recordo vagamente de quando você me relatou esse sonho.

— Malaquias, seu antigo namorado, apareceu e queria provar que a filha era dele, para ficar com as terras. Eu o desafiei e ele se afastou. Parece-me que enganou um casal de agricultores pobres e tirou-lhes as terras. Na última vez que sonhei, Lolla me assegurou que Malaquias reencarnou como Olair, nosso pai.

— Se tínhamos alguma ligação mal resolvida do passado com o pai, creio que nesta vida acertamos tudo. O meu casamento feliz me fez enxergar meu pai por outro ângulo. O pai só pôde nos dar o que tinha.

— Eu também entendi o porquê de ele nos tratar daquela forma. E mamãe contribuiu bastante para que ele tivesse aquele jeito estúpido de ser.

— Mamãe nunca se posicionou, nunca teve voz ativa. Se ela tivesse dado um grito e tivesse desafiado ele em algum ponto do casamento, talvez tudo tivesse sido diferente.

— Hoje confesso, olhando para trás — disse Alzira — vejo que tudo estava certo. Tivemos o pai e a mãe que merecíamos, tivemos a vida que nosso espírito atraiu por postura ao longo de muitas vidas.

Arlete meneou a cabeça para cima e para baixo.

— Sei que se eu tive de ficar ainda no planeta é porque o meu espírito precisa amadurecer uma série de ideias e conceitos. Hoje sou uma mulher independente, vivo com o meu salário, trabalho e me sinto útil. Ajudo minha filha...

— E por falar em filha — Alzira complementou — a sua relação com Olívia melhorou sobremaneira depois da morte de Osvaldo.

— Sem dúvida. Havia duas alternativas: ou a nossa relação iria ralo abaixo ou nos tornaríamos amigas. Venceu a segunda alternativa. O sentimento de rejeição de Olívia por mim foi superado com sessões de terapia, entendimento e respeito entre nós duas.

— E amor — finalizou Alzira.

— Sem amor não teríamos conseguido nada. Hoje sinto que amo minha filha e ela me ama do seu jeito. Olívia tornou-se uma mulher independente e é meu braço direito nos negócios.

— Por isso que me sinto tranquila em deixar as lojas nas mãos de vocês e seguir com a nova carreira de escritora de livros de receitas.

As duas se abraçaram emocionadas.

— Alzira, você é uma irmã querida, mas foi e sempre será minha grande amiga. Devo muito da minha transformação pessoal à sua amizade e ao carinho de Eugênio.

— Nós amamos muito vocês duas. Eu não tive filhos e me sinto meio mãe de Olívia. Depois da morte de Osvaldo, senti que ficamos mais unidas.

— Formamos uma bela família. E esse carinho que emana e circula entre nós não tem preço. É o nosso amor que me ajuda a superar as adversidades do dia a dia.

Alzira baixou o tom de voz:

— Pensa em namorar de novo?

— Não.

— Não sente falta de um companheiro? — perguntou, curiosa. — Afinal, você nem chegou aos cinquenta anos de idade. Tem muita lenha para queimar.

— A minha cota de lenha foi queimada com Osvaldo — disse Arlete com amabilidade na voz. — Osvaldo foi o grande amor da minha vida. Eu já vivi esse amor e não sinto falta de ter alguém. Como tenho a crença de que a vida continua após a morte do corpo, sei que vou reencontrar Osvaldo e nossos espíritos vão viver juntos, pelo tempo que o sentimento de amor nos permitir.

— Você me emociona falando assim. É uma linda declaração de amor.

— Hoje não me sinto uma mulher triste. Muito pelo contrário. Eu me sinto feliz e realizada. Eu amei e fui amada por anos a fio. Osvaldo foi um presente que a vida me deu. Não tenho do que reclamar.

— Mas tem um ou outro fornecedor que fica babando por você. Outro dia o gerente do banco ligou e pensou que eu fosse você — comentou Alzira. — Ele estava todo dengoso e, quando percebeu que eu não era você, ficou desconcertado.

— Eu me valorizo, sei que chamo atenção. Mas não sinto falta de ninguém. Vivi meu casamento dentro dos princípios do amor, respeito e fidelidade. Agora quero trabalhar e ter prazer em pequenas coisas. Quero poder ler um livro sem ser importunada, cozinhar para minha filha, esperar que ela um dia case e me dê netos...

— Depois que Olívia voltou da Inglaterra não namorou um moço sequer. Por que será que tem o coração tão fechado?

— Ué! Você não é amiga dela? Olívia não lhe confidencia absolutamente tudo? — cutucou Arlete, brincando.

— Ela conta muita coisa, e me afirma que hoje tudo o que me confidencia também conta para você. Certo dia — Alzira levou o dedo ao queixo — Olívia me disse que se apaixonou por um rapaz em Londres.

— Isso ela me contou também. Faz tanto tempo! Ela vai completar vinte e cinco anos e não quer saber de namoro.

— Será que ela ainda sonha com aquele rapaz?

— Não sei, Alzira. Nesse departamento eu não me meto. Respeito minha filha como respeito você.

— Por falar em Olívia, onde ela está?

— Na faculdade. Tem de se reunir com um grupo de alunos para entrega do trabalho de conclusão de curso.

— Teremos muitas alegrias por vir.

— Assim espero — concordou Arlete. — Assim espero.

Olair sentou na beira da calçada. Estava cansado. Fazia tanto tempo que vivia perambulando pelo planeta que até perdera a noção de há quantos anos estava desencarnado.

Evanildo aproximou-se e sentou-se ao seu lado.

— Uma peixeira pelos seus sentimentos.

Olair sorriu.

— Estou cansado. Essa vingança contra o Rodinei e a Gisele me cansou demais.

— Vai dar para trás agora? Vamos quase conseguir nosso intento.

— Eles já têm uma vida miserável. O boteco do Rodinei foi assaltado, os ladrões arrombaram o cofre e levaram todo o dinheiro que ele guardava. Rodinei não queria saber de guardar dinheiro no banco. Tinha trauma daquele governo que meteu a mão no dinheiro de todo mundo.

Evanildo passou a ponta da peixeira no queixo, pensativo.

— É, o cabra perdeu todo o dinheiro e um dos assaltantes deu um tiro na Gisele. Ela ficou paralítica. Eles têm uma vida muito difícil.

— E de que adianta a nossa vingança? Ficamos na espreita, imaginando, bolando um jeito de prejudicá-los. E, no entanto, aprendemos que a vida se encarrega de dar a cada um segundo suas obras. Ambos colheram o que plantaram. Eu e você só ficamos de espectadores.

— Só deixamos os dois com sensação de peso na cabeça e mal-estar. Mais nada.

— Para que vou continuar vendo esses dois sofrendo? Nem lembro mais das nossas diferenças, homem — Olair falava com a voz pausada.

Ele estava muito cansado. Nesses quase trinta anos desde que desencarnara, ficou parado no tempo. Vigiava a casa de Rodinei e bolava algum plano diabólico para vingar-se dele e de Gisele. Mas, por algum motivo que Olair não tinha como explicar, seu coração dizia que tudo estava certo e que ele estava sentindo na própria pele o que havia feito com Rodinei e Gisele no passado.

As lembranças da vida passada vinham de maneira espaçada, às vezes truncada. Olair tentava colocar um plano de vingança em ação, mas este não saía do "papel". Ficava só na mente.

Evanildo também tentava e não conseguia. Toda vez que pensava em prejudicar o casal, lembrava-se da sua amada,

Das Dores. É que, de onde Das Dores estava, ela enviava energias de equilíbrio e bem-estar para o amado. Evanildo não entendia como recebia essas vibrações, contudo, no momento em que elas se aproximavam de sua aura, ele deixava de pôr em prática seus inúmeros projetos de vingança.

Até que aconteceu o assalto, o roubo do cofre e o tiroteio. Esse triste episódio acontecera havia quase dez anos. Ao menos a situação do casal, ao longo do tempo, foi amolecendo o coração dos cabras-machos. Olair olhava para Rodinei e via como ele se dedicava à esposa presa à cadeira de rodas. Isso fazia ele pensar na doença de Josefa e no quanto havia negligenciado a esposa.

Evanildo acompanhava os passos de Rodinei e foi se simpatizando com o rival. Mas Rodinei e Gisele sofreram grandes transformações. Por meio da dor, ambos mudaram a maneira de enxergar a vida.

Rodinei recomeçou do zero. A sorte é que tinha a casa — a mesma casa que um dia fora de Olair e que ele tirara de maneira espúria. Rodinei penhorou a casa, pegou dinheiro na Caixa Econômica e se refez do roubo. O dinheiro do bar não era muito, mas dava para pagar as despesas e o principal: o convênio que atendia sua esposa.

Sim, depois de algum tempo ele e Gisele oficializaram a relação. Casaram e ela transformou-se numa mulher menos mesquinha e menos arrogante. O tempo a fez perder as formas voluptuosas e o rosto com pele de pêssego. Aprendera que o corpo nada mais é do que instrumento para nos guiar neste mundo e que cuidar dele é responsabilidade nossa, mas o excesso de cuidados, a vaidade descabida, são fatores que atrapalham sobremaneira o nosso crescimento espiritual.

Gisele aprendeu isso da maneira mais triste possível. A bala atingiu sua coluna e ela perdeu os movimentos das pernas. Passava o dia no caixa do bar, dentro de uma casinha de vidro blindada.

O amor que ela nutria por Rodinei era sincero. E o dele por ela também. Levavam a vida assim. Olair mascou um graveto, cuspiu no chão e comentou:

— Eles já tiveram tanta encrenca que eu não tenho mais vontade de querer me vingar. Perdi muito tempo neste mundo que não é mais meu.

— E sua família? — perguntou Evanildo.

— Nunca tive afinidade com minhas filhas. Eu as botei para fora de casa, tentei lhes aplicar um golpe e ficar com a casa só para mim. E de que adiantou tudo isso? Nada. Perdi tudo: casa, família e nem imagino se elas continuam neste mundo.

— Elas continuam vivas e muito bem — disse-lhe uma voz logo atrás.

Olair levou um susto e levantou-se de um salto. Evanildo fez o mesmo e puxou a peixeira.

— Quem é você?

— Não está lembrado de mim, Olair? — perguntou Lolla.

Ele a encarou fundo nos olhos. Coçou o queixo e disse:

— Você veio falar comigo uns anos atrás, não foi?

Lolla fez sim com a cabeça e repetiu a mesma frase dita outros tempos:

— O seu corpo de carne morreu. O seu espírito continua vivo. Simples assim. A morte do corpo não é o fim da vida. A vida não se esgota jamais. É eterna!

— Agora me lembro! Foi Josefa quem mandou você, não?

— Isso mesmo.

— Como ela está?

— Bem. Recuperou-se da doença. Aprendeu a dar mais valor a si mesma, fez cursos, participou de vivências e hoje estuda e trabalha numa colônia perto do planeta.

— Fico feliz que ela esteja bem.

— Não gostaria de ir conosco?

— Não. Não tenho afinidade com a Josefa. Não quero ir.

— E vai continuar perambulando por este mundo até quando? Já notou seu estado? Viu como está sua aparência?

Olair mexeu a cabeça para os lados.

"Ela tem razão. Eu nunca mais me vi. Será que estou tão mal-acabado?" — indagou em pensamento.

Lolla captou a pergunta e materializou um espelho ao seu lado.

— Venha Olair. Olhe sua imagem refletida no espelho.

Olair aproximou-se sem jeito e quase deu um grito de pavor ao ver sua imagem. Não era mais aquele homenzarrão encorpado e até certo ponto atraente, do tipo rústico, de anos atrás. Estava com os cabelos em desalinho levantados e esbranquiçados. A pele estava enegrecida e com várias manchas. A roupa — ou o que poderia se chamar de uma — era uma vestimenta encardida, como se ele estivesse vestindo um pedaço de trapos. E estava magro, muito magro.

— Esse não pode ser eu — falou, perturbado.

— Claro que é.

— Vai ver esse espelho está enfeitiçado — arriscou Evanildo.

— Não está — respondeu Lolla. — O espelho reflete o estado real de seus perispíritos. Quer ver a si mesmo?

Evanildo sacudiu a cabeça.

— De jeito nenhum.

Olair estava desolado. Sentia-se perdido e sem rumo. Lolla fez um sinal e outro espírito em forma de mulher se fez presente. Era uma mulher muito bonita, jovem, de pele morena e vestindo roupas do cangaço. Os cabelos curtos, pretos e encaracolados balançavam sobre os ombros. Os olhos eram duas grandes jabuticabas negras e brilhantes; a boca era carnuda e bem delineada.

A mulher aproximou-se e Evanildo arregalou os olhos.

— Das Dores!

— Sou eu, meu querido.

Evanildo sentiu um nó na garganta. Pigarreou:

— Vixe! Quanta saudade!

— Eu também senti muita saudade. Saudade do teu chamego.

Ele estremeceu. Fazia tanto tempo que não via Das Dores que mal podia acreditar na cena.

— Das Dores...

— Venha viver comigo. Chegou o momento de largar o desejo de vingança. Para que se comprometer com situações tristes no futuro? Venha comigo e vamos planejar nossa nova vida. Temos muito o que aprender e viver. Me dê a mão.

Evanildo olhou para o amigo de tantos anos e tentou uma despedida.

— Acho que o companheiro vai ficar sozinho. Não aguento mais ficar aqui, preso neste mundo.

Olair deu de ombros.

— Siga seu caminho, meu amigo. Vá com sua companheira para uma vida digna.

— Quer vir conosco? — convidou Das Dores.

— Ir embora com vocês?

— É. Sinto que vai muito lhe agradar a nossa cidade. E não carece de nenhum documento. Pode entrar comigo e viver perto de nós.

Os olhos de Olair brilharam emocionados. Ele olhou para Lolla.

— Você é um espírito livre. Pode viver onde quiser, desde que o lugar escolhido seja compatível com a sua energia.

— Eu me sinto tão sozinho que o único amigo que tenho é o Evanildo. Gostaria de partir com eles.

— Pois vá — respondeu Lolla. — Arrisque-se para o novo. Vá cuidar da saúde do seu espírito.

Olair assentiu com a cabeça e partiu com o casal. Lolla sorriu feliz.

— Agora só preciso ter um conversinha com Tavinho e depois com Olívia. De resto, tudo caminha conforme o esperado!

capítulo vinte e oito

Lolla aproximou-se de um jovem e lhe tocou o ombro. Tavinho deu um pulo de susto.

— O que faz aqui? De novo?

— É, eu de novo. Virei babá de desencarnado rebelde. Fazer o quê? Esse tipo de trabalho tem me mostrado o que um espírito não deve fazer quando vive no mundo da erraticidade.[16]

— Por que não me deixa em paz?

— Porque eu gosto de você.

Tavinho sentiu o peito se abrir.

— Por que gosta de mim?

— Porque gosto, oras. Gostar não se explica — respondeu Lolla.

— Nunca ninguém gostou de mim.

— Talvez nesta vida.

— Meu pai e minha mãe nunca deram a mínima para mim. Depois conheci Valéria. O pouco de carinho que ela me deu fez eu me apaixonar.

---

16 Erraticidade é o estado em que se encontra o espírito entre duas encarnações. Espírito errante é aquele que está desligado do corpo material e aguardando uma nova encarnação para continuar seu processo de crescimento e ampliação da lucidez. Para mais detalhes, ver *O Livro dos Espíritos*, Livro II, Capítulo VI, Parte I — "Espíritos errantes", questões 223 a 233, e Parte II — "Mundos transitórios", questões 234 a 236.

— Isso passou. Você desencarnou e Valéria continuou vivendo no planeta.

— Quero esperar pela "morte" dela.

— Vai ficar preso neste mundo por mais tantos anos? Já não chega esse cansaço, essa vida de ir do nada para lugar nenhum?

— E de que me adianta seguir você? Não me lembro de conhecidos que tenham apreço por mim.

— Não se lembra da Anita, sua babá?

Tavinho abriu a boca e sorriu.

— Como me esqueceria da Anita? Ela foi a única coisa boa que meus pais me deram. Anita cuidou de mim, me deu amor e carinho. Ela não era da família, mas gostava de mim como se eu fosse seu filho.

— Anita desencarnou há alguns meses. Não gostaria de visitá-la?

Tavinho sentiu-se tentado.

— Eu planejava usar a Marion para azucrinar a vida do Tomás e da Valéria. Não gosto de vê-la com outro.

— Não gosta porque se apaixonou por ela. Valéria lhe deu um pouco de afeto, assim como Anita.

— Anita era como uma mãe para mim. Já Valéria... era outro sentimento.

— Se Valéria despertou essa paixão em você, outra mulher poderá fazer o mesmo. O que me diz?

— Será?

— Claro. Você é um rapagão. Ainda conserva o perispírito jovem.

— Valéria está ficando velha — disse Tavinho, inconsolável. — Confesso que eu não gosto de mulheres velhas.

Lolla riu.

— Valéria está envelhecendo de acordo com os anos da Terra. Se você estivesse ainda no planeta, teria mais de cinquenta anos de idade.

— Mesmo? Tudo isso?

— Sim. Tudo isso.

Tavinho coçou a cabeça, pensativo. Lolla aproveitou o momento e arriscou:

— Deixe Valéria de lado. Ela encontrou o amor e está muito feliz. Por que não vem comigo? Posso lhe garantir que vai viver com Anita. Depois, com o passar do tempo, quem sabe não se interessa por outra?

— É. Eu não sou de se jogar fora.

— Não é. Mas, antes, precisa largar este mundo. Você não tem mais ligação com o planeta, por ora. Precisa dar um passo além para seu crescimento, para o desenvolvimento do seu espírito.

— Se for assim, eu vou. Antes, posso fazer uma coisa?

— O que é?

— Posso me despedir da Valéria?

— Hum, hum.

Tavinho aproximou-se de Valéria e lhe deu um beijo afetuoso. Em seguida estendeu a mão para Lolla e desapareceram no ambiente.

Valéria sentiu gostosa sensação de bem-estar e em sua mente veio a imagem de Tavinho.

— Meu Deus! Quantos anos! Espero que você esteja bem.

— Falando sozinha?

— Estava, querido — ela se espreguiçou e beijou Tomás nos lábios.

— Quem você espera que esteja bem?

— Nossa, eu me lembrei de um namoradinho que tive aos quinze anos de idade.

— Hum, olha meu ciúme! Que história é essa de se lembrar de namorado da infância?

Valéria riu-se.

— Não é namorado da infância. Tavinho foi um namorado da adolescência.

— E onde anda esse moço?

— Ih, pode ficar sossegado. Tavinho morreu quando eu fiz quinze anos. Faz um bocado de tempo.

— Melhor assim.

— Olha como fala! — Valéria disse e deu um tapinha no ombro de Tomás.

— Ele que fique do lado de lá e a gente do lado de cá. Bom, é um concorrente a menos.

— Que concorrente, que nada. Mesmo que Tavinho estivesse vivo, eu só tenho olhos para você. Eu te amo!

Tomás abriu os olhos e sorriu, mostrando os dentes brancos e perfeitos. Pediu:

— Repete.

— Só tenho olhos para você. Eu te amo.

Ele pulou para cima de Valéria e beijou-a várias vezes nos lábios.

— Eu sou o homem mais feliz do mundo!

Valéria desvencilhou-se do companheiro e levantou-se da cama.

— O homem mais feliz do mundo precisa ir para o trabalho.

— Queria namorar você mais um pouquinho.

— Mais tarde. Agora precisamos nos preparar para mais um dia. Tenho três clientes, uma obra que está me deixando de cabelos brancos e, mais à noite, teremos o jantar na casa de papai.

— Frederico já voltou de férias? Pensei que fosse retornar mês que vem.

Valéria assentiu com a cabeça enquanto vestia o penhoar.

— Eu também pensei. Parece que ele recebeu convite para dar uma aula na universidade. Depois que ele virou assessor do Ministro da Economia é palestra aqui, aula ali.

— Frederico é um homem inteligente. Quem sabe ainda vai galgar degraus mais altos no governo federal?

— Tudo indica que sim. Eu rejeitei esse filho e hoje eu o amo de forma incondicional.

— Fico feliz que tenha enxergado o homem bom que gerou em seu ventre.

— Nada como um pouco de terapia e tratamento espiritual. Hoje entendo muita coisa. Aprendi a me aceitar incondicionalmente e amar meu filho da mesma forma incondicional. Não temos uma relação tradicional de mãe e filho, mas o importante é que nos amamos e nos respeitamos.

Em seguida, ela foi para o banheiro. Tomás soergueu o corpo na cama, esticou o braço e apanhou o controle remoto. Foi passando os canais até chegar no de notícias. Acompanhou a previsão do tempo, a reportagem sobre os preparativos do Rio de Janeiro para receber os Jogos Pan-Americanos dali a pouco e outras notícias no país e no mundo.

Então, ele se levantou, abriu a janela e deixou o sol entrar. Sorriu e espreguiçou-se. Foi caminhando na direção do banheiro quando escutou aquela musiquinha famosa em que a emissora interrompe a programação para dar uma notícia de última hora, e geralmente desagradável, para a população. A repórter estava em frente a um belo casarão nos arredores de Los Angeles, nos Estados Unidos:

— *Confirmado. A atriz Marion Krystal foi encontrada morta por um de seus empregados em sua residência, aqui em Los Angeles. A atriz, de cinquenta e um anos, casada com o produtor russo Pavel Medved, o Urso, estava longe das telas se recuperando de um acidente que desfigurou seu belo rosto no* set *de filmagens de seu último filme. O corpo da atriz será velado...*

Valéria saiu do banho com uma toalha enrolada no corpo e outra enxugando os longos cabelos avermelhados. Viu Tomás sentado na cama, olhos esbugalhados para a televisão. Antes de perguntar o que havia acontecido, ela viu uma foto de Marion na tela e, ao lado dela, o ano de nascimento e de morte.

— Marion morreu?

— Sim. Foi encontrada morta por um dos empregados da casa.

— Será que foi ataque cardíaco? Afinal, depois daquele acidente esquisito, há dois anos, Marion sumiu dos holofotes.

— Creio que tenha sido. Vou ligar para Alice. Ela deve ter outras informações.

Tomás ligou para a filha. Alice agora vivia no Caribe com o marido e nem estava sabendo da morte da mãe. Tomás desligou o telefone.

— E aí? — indagou Valéria.

— Nada. Alice nem sabia da morte. Elas não se falavam havia um bom tempo. Depois que Marion se casou com o produtor russo, esqueceu que tinha filha. Ela sempre colocou a carreira acima de tudo.

— Isso é. Marion sempre quis ser uma estrela.

— Pois é.

— Querido, você quer ir ao enterro?

— Não. Marion e eu fomos casados por um tempo e tivemos uma filha. Passados os anos, ela não quis saber de Alice e foi atrás de sua carreira hollywoodiana. Casou-se com o produtor russo. Não temos nem bens em comum. Nada. Prefiro que você vá comigo até uma igreja. Vamos acender uma vela para a alma dela.

— Concordo com você. Uma vela e uma oração é o melhor que Marion pode receber agora.

O ato sincero de Valéria e Tomás ajudou um pouco a amenizar o drama em que Marion havia se metido. Afinal, o que acontecera com ela nesses anos todos?

Depois do casamento com Tomás e o nascimento de sua única filha, Marion investira em sua carreira internacional. Considerava o Brasil um país pequeno e a anos-luz de distância do profissionalismo que a estrutura do cinema americano oferecia. Separou-se do marido e deixou Alice aos cuidados de babás e governantas. Conheceu o produtor russo e, com ele, fez nome no cinema mundial.

Marion não era má atriz, mas tinha uma postura arrogante, era estúpida com os fãs e a beleza já não era a mesma de sua juventude. Ela se recusava a fazer papel de mãe ou de avó. Queria sempre fazer os papéis de mulher sexualmente atraente: num filme era a sedutora que destruía lares; em outro, era a executiva solteirona e bem resolvida que fazia os garotos ficarem loucos por ela. O público foi se cansando da mesmice dos papéis e sua popularidade passou a decair.

Os papéis começaram a escassear e Pavel lhe conseguiu uma espécie de "volta por cima". Marion aceitara fazer o papel de uma mãe pobre e viúva que luta para que o filho ingresse numa boa universidade.

Fez nova plástica, lipoescultura e tingiu os cabelos. Remoçou uns dez anos e ficou, de fato, muito bela. Seria o retorno triunfal às telas e até se comentava à boca pequena que ela poderia levar o tão sonhado Oscar.

Durante o início das filmagens, Marion exigiu que seu camarim tivesse dois aparelhos de ar condicionado. Os técnicos lhe informaram que o *trailer* não tinha condições de ser adaptado para receber dois aparelhos de ar. Se assim ela quisesse, teria de usar um camarim menor, ou mesmo compartilhar com outras atrizes, a fim de que o seu fosse adaptado de acordo com suas exigências.

Algo típico de seu comportamento, ela bateu os pés e exigiu que instalassem os dois equipamentos imediatamente. Assim foi feito. Dois dias depois, enquanto se preparava para filmar, um dos aparelhos deu curto e o *trailer* pegou fogo. Marion tentou sair, contudo ficou presa e sofreu queimaduras de terceiro grau, lesando os músculos e ossos da face.

Depois de três cirurgias e sabendo que seu rosto jamais voltaria a ser o mesmo, Marion engoliu uma cartela inteirinha de tranquilizantes. O marido e o médico da família deram nota à imprensa de que a morte fora ataque cardíaco.

Sua morte foi destaque nos principais meios de comunicação de todo o mundo. Fãs fizeram peregrinação na porta de sua mansão e depositaram flores e velas ao longo do portão. Por conta do rosto deformado, o velório foi feito com o caixão lacrado e ela foi enterrada num cemitério nas cercanias de Los Angeles, famoso por abrigar os restos mortais de celebridades do cinema, da música e da televisão.

Para o mundo, Marion morreu de tristeza e tinha um lugar ao sol. Seus fãs tinham certeza de que ela brilharia eternamente no céu. Ledo engano. Marion pôde enganar a mídia e os fãs. Mas não pôde enganar a si mesma.

Tão logo seu corpo de carne morreu, seu perispírito abriu os olhos e ela não conseguia mover os braços ou pernas. Queria falar, mas as palavras não saíam. Queria gritar, espernear e levantar-se, mas nada. Seu perispírito ficara preso ao corpo e, para seu despero, ela "acompanhou" o velório e o enterro. Quando o caixão foi colocado no mausoléu, ela entrou em pânico. A escuridão era total. Ela escutava outras vozes ao longe, clamando por socorro. Eram espíritos atormentados e presos ao corpo físico, assim como ela.

Os dias foram passando e o corpo de carne de Marion começou a entrar em estado de decomposição. No princípio, o cheiro insuportável a deixava nauseada. Depois, foi se acostumando com o odor pútrido. O pior ainda estava por vir. Marion sentia o corpo apodrecer e os bichos alimentarem-se de suas carnes mortas. Ainda seriam necessários alguns anos para seu cordão prateado ser desligado[17] e ela ser recolhida para um posto de socorro no astral.

Aqui no Brasil, numa pequena cidade do interior, uma senhora assistia ao noticiário e gargalhava. Presa aos acontecimentos do passado e a um par de muletas, Lina praguejou:

— Você tentou me matar. Espero que sofra e me aguarde. Quando desencarnar vou te procurar, demônio.

A cena do atropelamento, muitos anos atrás, veio nítida à sua mente e Lina sentiu raiva. Um espírito aproximou-se dela e sussurrou:

— Chega de tanta raiva. Você colheu o resultado de suas atitudes. Faz algumas vidas que você e Marion se acusam e se machucam. Mas, como temos a eternidade pela frente, um dia, obviamente, vocês vão mudar.

Lina não sentiu a presença do espírito. Vociferou alguma coisa e entornou um copo de vodca. Ainda precisaria de outra vida para limpar em seu coração a raiva que nutria por Marion.

---

17 Para entender melhor como ocorre o processo de desligamento do cordão prateado, sugerimos reler a nota de rodapé 13 na página 229 e a leitura do livro *Obreiros da Vida Eterna*, de André Luiz, em especial o Capítulo 13 — “Companheiro libertado”. Utilizamos a 22ª edição da FEB.

capítulo vinte e nove

Olívia estava radiante. A cirurgia corretiva e definitiva de seu olho fora um tremendo sucesso. Não havia mais resquício de estrabismo. Ela se tornou mais confiante e sua autoestima se elevou.

Amante das artes, percebera que levava jeito para administração de empresas e para gerir os negócios da família. Associou-se à mãe e juntas fizeram com que as cafeterias de Alzira chegassem a todas as capitais do país, pelo sistema de franquia.

— Fico tão feliz que tenha largado a vontade de ser atriz — suspirou Arlete, depois de verificar os balancetes enviados pelos franqueados.

— A fase passou, mãe. Mas continuo amante das artes. Penso em abrir uma galeria de arte.

— Uma galeria?

— Sim — respondeu Olívia, sorridente. — O meu lado artístico tem se manifestado por meio da pintura de telas. É muito difícil conseguir patrocínio e decidi que os meus quadros serão expostos na minha galeria. Assim, estarei contribuindo com a disseminação da cultura em nossa cidade. Vou dar chance para artistas que não conseguem levar suas obras às galerias já consagradas. Como vê, a arte continua alimentando meu espírito.

Arlete aproximou-se dela.

— Você amadureceu muito nesses últimos anos.

— Depois que papai morreu, percebi que precisava estar com os pés mais no chão e ajudar você.

Arlete ia falar, mas Olívia a interrompeu.

— Eu achava que só poderia ter contato com as artes se fosse atriz. Depois percebi que a arte se manifesta por outros caminhos. Eu poderia ser musicista, poetisa, atriz... Decidi aprender as técnicas de pintura e isso alegra minha alma. No dia a dia, percebi que sou meio parecida com você, tia Alzira e tia Lurdes.

— Parecida como?

— Somos empreendedoras por natureza.

Arlete sorriu.

— É verdade. Só fui perceber essa habilidade depois que Osvaldo morreu. Até então eu cuidava dele, de você e da casa. Mais nada.

— Mais nada? — Olívia perguntou, surpresa. — Você sempre foi organizada, mãe. Cuidava do orçamento doméstico, da empregada, não deixava faltar nada em casa. Eu e papai nunca precisamos fazer uma compra sequer. A despensa estava sempre cheia, a comida sempre à mesa, a casa sempre limpa e cheirosa. Você aprendeu na marra a ser organizada e transferiu esse conhecimento adquirido ao longo do casamento para os negócios. Tornou-se uma empresária de sucesso.

— Você muito me ajudou.

— Não vou tirar seu mérito. Sempre houve atritos entre nós.

Arlete ficou sem graça. Não sabia o que dizer. Olívia prosseguiu:

— Papai era quem se colocava entre nós. Ele apartava nossas brigas, aliviava o peso das discussões. Depois que ele se foi, eu passei a usar mais minha consciência. Se começávamos uma discussão, eu imediatamente tentava imaginar o que papai faria. Daí eu saía, ou ia para meu quarto e pensava. Aprendi que nunca vou mudar seu jeito de ser e tenho de gostar de você do jeito que é. Amar, mamãe, é sentir o bem pelo outro sem condições. No amor não existe "se": se você fosse mais assim, mais assada, mais isso ou mais aquilo... Você é o que é e cabe a mim entender seu jeito e aceitar conviver com você ou não. Eu escolhi estar ao seu lado e fortalecer nossos laços de afeto. Hoje, além de filha, também sou sua amiga.

Arlete deixou uma lágrima escapar pelo canto do olho. Abraçou a filha com força.

— Eu sempre a amei. Sempre. Creio que tinha um jeito autoritário e queria que você fosse tudo aquilo que eu não pude ser. Tive uma infância e adolescência marcadas pela violência e censura. Meu pai foi um homem bruto e só conversava comigo e sua tia na base da cinta e de tapas na cara. Minha mãe, infelizmente, não soube enfrentá-lo e nos proteger. Eu e Alzira tivemos de nos virar.

— Se não tivessem tido os pais que tiveram, talvez a força de ambas ainda estivesse escondida atrás de algum capricho. Vocês duas não tiveram tempo para ser mimadas. Tiveram de aprender na marra a acreditar na própria força. Olhe para você hoje: tornou-se uma mulher amada pelo marido nos anos que conviveram juntos, teve condições de aprender um ofício e realizar-se no trabalho, e tem a mim, que estarei sempre ao seu lado.

— Não. Você logo vai namorar e casar.

— Podemos sair e paquerar juntas, o que me diz?

— Isso é proposta que se faça à sua mãe? — Arlete estava estupefata.

Olívia riu.

— Está encostando nos cinquenta anos e é independente. Garanto que tem um monte de homem assim — ela fez um gesto jovial com os dedos — querendo namorar você, mãe.

— Eu não quero. Já vivi a minha cota de amor com Osvaldo.

— Ainda tem muito o que viver. Não gostaria de encontrar um companheiro para sua velhice?

— De maneira alguma. Eu amei e amo seu pai. Acredito na continuidade da vida após a morte e sei que vamos continuar juntos. Eu não sinto falta e não tenho vontade alguma de encontrar um companheiro. Tenho amigas conhecidas que ficaram viúvas e casaram de novo. Não tenho nada contra, porque sou a favor de que as pessoas sejam felizes. Elas estavam infelizes e encontraram nos novos maridos companheiros ideais para essa nova fase de vida. Eu não preciso e não quero isso. Sou feliz e me sinto realizada com você, com meu trabalho e com o convívio de minha irmã e minha tia. Eugênio é um ótimo cunhado e supre a figura de um homem na casa. Quando tenho algum problema para resolver em casa, eu o chamo. E, de mais a mais, você um dia vai casar e ter filhos. Eu quero ser uma avó presente!

— Fala com tanta convicção!

— Mas é o que sinto. Você vai se casar.

— Não sei — observou Olívia.

— Precisa sair mais. Só quer saber de trabalho e de pintar suas telas. Uma moça de vinte e seis anos precisa ter amigos, sair, ir para as baladas. É assim que dizem hoje em dia, não?

Olívia riu.

— É sim, mãe. Mas não gosto de baladas. Eu sou mais caseira.

— E acha que um marido vai cair do céu?

— E por que não? Você e papai não se conheceram de maneira inusitada?

Arlete abriu enorme sorriso.

— Foi mágico. Eu também não era namoradeira e seu pai veio até mim. Tocou a campainha de casa.

— O mesmo ocorreu com tia Alzira. Ela não encontrou o tio Eugênio assim, do nada?

— Verdade. Vai ver temos essa sorte com nossos amores. O mesmo pode ocorrer com você.

— Por isso mãe, não tenho pressa.

— Não tem pressa ou ainda não se esqueceu daquele moço?

Olívia desconversou.

— Que moço?

— Aquele que você conheceu na Inglaterra. Ele não era brasileiro? Será que não voltou?

— Não sei.

— Hoje temos a internet, temos as redes sociais. É tão fácil encontrar ou reencontrar alguém do passado.

— Eu só sei o nome dele, mãe. Frederico. Não sei sobrenome, estado civil, nada.

Arlete piscou para a filha:

— Por que não entra em contato com suas amigas da época do intercâmbio?

— Essa história faz parte do passado. A última coisa que quero agora é arrumar namorado. Vou conversar com tia Alzira sobre o projeto da galeria e também vou me inscrever naquele curso de pós-graduação.

— Para que fazer pós?

— Porque amo o conhecimento, mãe. Quanto mais eu aprendo, mais segura eu me sinto para dar quantos passos forem necessários para o meu crescimento, seja ele pessoal, emocional ou espiritual.

— Está falando de maneira diferente hoje.

— Além de estar bem comigo mesma, também estive com Célia.

Arlete mexeu a cabeça para cima e para baixo.

— Célia e Ariovaldo são dois anjos que apareceram em nossa vida. Eu e Alzira seremos sempre gratas a eles.

— Fiquei muito feliz de você e tia Alzira terem dado uma das cafeterias para os dois administrarem.

— Eles merecem muito mais. Para nós, uma loja a mais ou a menos não vai interferir no nosso medidor de prosperidade. Ariovaldo é homem honesto e competente. Sinto que esse gesto meu e de Alzira foi o reconhecimento da ajuda que sempre nos deram, durante todos esses anos.

— Você é muito generosa, isso sim. Quanto mais dá, mais a vida lhe retribui, seja em saúde, em dinheiro ou mesmo na harmonia familiar. Sinto muito a falta de papai, porém somos uma família feliz.

As duas se abraçaram e foi com grande sensação de bem-estar que Olívia foi para o quarto e adormeceu.

Ela sonhou. Abriu os olhos e viu-se ao lado de Lolla.

— Quanta saudade! — Olívia disse e abraçou o espírito amigo.

Lolla a abraçou com ternura.

— Vejo que seu progresso anda a passos largos.

— Ao menos aprendi a julgar menos. Deixei um pouco de ser crítica comigo e com os outros. Hoje entendo e aceito minha mãe do jeito que ela é. Sabe, Lolla, se minha mãe quisesse se privar da minha amizade, eu me afastaria dela sem mágoas ou rancores.

— Arlete sempre a amou. Em última vida você teve grande decepção com ela. Acreditou que sua mãe tivesse morrido no mesmo acidente que matara seu pai. Quando a viu, depois de muitos anos, não acreditou que Arlete tivesse ficado desmemoriada e perdida no mundo. A sua baixa autoestima contribuiu para que não aceitasse os fatos como eram. Colocou na cabeça que fora abandonada pela mãe e assim permaneceu, até mesmo depois de desencarnada.

— Hoje percebo que estava cega. Não queria enxergar a realidade.

— Entende por que nasceu com leve estrabismo?

Olívia assentiu.

— A reencarnação é um bálsamo para nosso espírito. Por meio dela, temos condições de encarar as mesmas situações, com o mesmo grupo de pessoas com as quais tivemos desapontamentos no passado. Conforme damos um passo maior à nossa ampliação de consciência, mais fácil fica desatar os nós de inimizades e desentendimentos passados. Cada encarnação vai clareando nossa consciência e iluminando nosso espírito.

— Hoje vejo minha mãe como uma grande amiga. Acho que os resquícios do passado desapareceram. Meu espírito aprendeu novas habilidades e hoje administro os negócios da família. O meu contato com as artes vai continuar por meio das pinturas.

— O seu progresso é espetacular, Olívia. Sinto uma felicidade sem igual em vê-la bem. No entanto...

— Quando fala assim, é porque tem alguma surpresa.

— Pois é. Você se acertou com sua mãe. E quanto ao amor de outra vida?

— Fala dele?

— Hum, hum. Vocês se reencontraram e você o repeliu. Ainda está traumatizada?

— Ele me matou. Quem mata não tem amor.

— Tem certeza de que ele a matou?

— Depois que morri, vi a cena.

— Viu a cena ou viu o que queria ver?

— Não estou entendendo, Lolla.

— Nós temos a tendência a ver somente aquilo que cremos. Por vezes, a verdade está na nossa frente, contudo, diante das nossas ilusões, não a enxergamos. Evitar contato com a verdade machuca a alma e atrasa o processo de evolução do espírito. Embora tenhamos toda a eternidade para desenvolver nossa lucidez e inteligência, não custa nada termos coragem para enxergar os fatos como eles são, sem o peso dos sentimentos e sem o véu das ilusões.

— Fala como se eu não tivesse enxergado a verdade.

— Então vamos ver. Feche os olhos.

Olívia concordou. Em instantes, viu a cena que tanto temia.

Ela e Frederico se amavam. Estavam apaixonados e se casariam dali a alguns meses. Ocorre que outro rapaz, irmão enciumado de Frederico, apaixonara-se pela jovem e, diante da recusa em namorá-lo, o rapaz desesperou-se e a empurrou. Ela perdeu o equilíbrio e caiu num canal. Sem saber nadar, começou a afogar-se.

Frederico estava longe e viu a cena. Correu e tentou salvar a amada. Ela estendeu as mãos, mas Frederico não conseguiu salvá-la.

Olívia abriu os olhos e uma fina camada de suor escorria pela testa.

— Paco a empurrou para dentro do rio. Frederico tentou salvá-la — disse Lolla.

— A impressão que eu tinha era de que Frederico me empurrava para baixo — disse, estupefata.

— Você estava morrendo. Seu corpo naturalmente começou a afundar. Frederico tentou salvar a sua vida.

Olívia levou as mãos para o rosto, envergonhada.

— Eu o amaldiçoei por anos, no Umbral. Acreditava que o perdão que ele me pedia era por ter se arrependido de ter me matado.

— Não. Frederico lhe pedia perdão porque não conseguira salvá-la. Você viu o que *quis* ver.

— Pobre coitado! Ele tentou me tirar daquelas águas e eu o acusei injustamente. Ficamos anos trocando acusações infundadas. Oh, Lolla, me sinto tão envergonhada!

— É chegado o momento de vocês se reencontrarem.

— Vamos ter nova chance?

— Depende de vocês. A vida vai fazer com que se reencontrem. Se vão ficar juntos ou não, é assunto ligado ao livre-arbítrio.

— O que seria isso? — perguntou Olívia.

— Livre-arbítrio é assumir as escolhas com lucidez.

— Lolla, e quanto ao rapaz que me atirou no rio?

— Depois dessa vida, ele renasceu e desencarnou jovem. Paco reencarnou como Dario e é o pai de Frederico.

Olívia levou a mão à boca.

— Paco deu vida ao Frederico?

— Sim. Depois que desencarnou, Paco sentiu-se muito mal em ver você e Frederico trocando acusações injustas. Sentiu-se responsável e desejou fazer algo, do fundo do coração, para ao menos ser perdoado pelo irmão. Trazer Frederico de novo à vida foi um bálsamo para seu espírito.

— Onde ele está, hoje?

— Dario desencarnou há muitos anos. Ele presta socorro num posto próximo da Terra e seu perispírito foi afetado pelo abuso de drogas.

— Oh!

— Seus pulmões foram lesionados e, numa possível volta ao planeta, vai nascer com deficiências nas vias respiratórias.

— Eu poderia vê-lo?

— Agora não, Olívia. Primeiro precisa reencontrar Frederico e acabar com essa adversidade. Se o reencontro de ambos acabar num possível acerto e decidirem seguir a vida juntos, Paco — ou Dario — terá chances de voltar como filho de vocês. Eliel, um amigo espiritual de longa data, vai fazer o convite a Dario daqui a alguns anos. Se tudo correr conforme as probabilidades, Dario voltará ao planeta por volta de 2015.

— Eu serei mãe dele?

— Será uma maneira bem interessante de acertarem as diferenças do passado. Seu espírito aprendeu a lidar com o sentimento de rejeição. Agora é chegado o momento de colocar os ensinamentos em prática. Você está aprendendo a direcionar o livre-arbítrio, fazendo escolhas cada vez melhores e direcionadas pela moral cósmica.

— Não sei o que seria da minha vida no planeta se não contasse com o seu apoio. A ajuda de Eliel também tem sido muito importante. Tenho sonhado com ele muitas vezes nos últimos anos.

Lolla sorriu.

— Fazemos parte de um grupo de desencarnados e encarnados que se ajudam mutuamente, em plena sintonia com o bem maior, sempre.

— Quando vou reencontrar Frederico?

— Tudo depende.

— Depende de que, Lolla?

— De você abraçar a verdade e aceitá-la. Se sentir no coração que Frederico estava ajudando-a em vez de machucá-la, poderá fazer uma escolha positiva para o melhor do seu espírito.

— Vou tentar. Juro.

— Confio em você, Olívia. Tenho certeza de que vai agir com clareza de ideias, sem julgamento.

Elas se abraçaram e Lolla concluiu:

— Precisa voltar ao corpo. Logo vai acordar e terá mais um dia abençoado pela frente.

— Posso lhe fazer uma pergunta? — indagou Olívia, acanhada.

— Pode.

— Como está meu pai?

— Osvaldo está bem. Demorou para aceitar o término de sua existência. Estava muito apegado a você e Arlete. Superou o apego, estudou e hoje trabalha no mesmo grupo que Dario. Em breve terei condições de promover um encontro entre ele e sua mãe.

— Mamãe ficaria muito feliz. Ela reclama que não sonha com ele.

— Porque ainda não chegou o momento de reencontro. Se sua mãe tivesse contato com Osvaldo alguns anos atrás, entraria num colapso emocional terrível. Imagine você reencontrar a pessoa que tanto amou em vida e ter consciência de que estão temporariamente separadas? É necessário muito equilíbrio emocional e conhecimento espiritual para aceitar e entender a situação.

— Tem razão. Mas saber que meu pai está bem me enche o coração de alegria. Você pode lhe mandar um abraço e um beijo?

— Por certo.

— Diga a ele, Lolla, que eu e mamãe o amamos muito.

Elas se despediram e Olívia voltou a adormecer. No dia seguinte, acordou animada e cheia de energia para enfrentar mais um dia na Terra.

capítulo trinta

Alzira era a emoção em pessoa! Havia realizado o sonho de publicar seu livro de receitas. O livro fora um estouro de vendas e ela era convidada para participar de diversos programas de culinária. A receita preferida do público era, sem sombra de dúvidas, o seu famoso bolo de cenoura. Embora a receita constasse do livro, Alzira confessara ao público que havia um pequeno detalhe que ela jamais revelava. Era segredo de estado. E essa aura de mistério em torno da receita fazia seu livro vender cada vez mais.

Cheia de carisma e simpatia, não demorou muito para um diretor de conhecida rede de televisão lhe fazer um convite para comandar um programa de culinária, todas as manhãs, das dez ao meio-dia.

Alzira aceitou e em poucos meses seu programa era o mais assistido e comentado da televisão brasileira. Eugênio andava todo prosa. Tinha orgulho em ver a esposa ser paparicada pela mídia e fazer sucesso. O mesmo ocorria com Olívia e Arlete. Elas torciam cada vez mais pelo sucesso de Alzira.

Lurdes já estava com mais de setenta anos de idade e continuava muito ativa. Ninguém diria que ela tinha tantos anos assim. Tingira os cabelos de um louro escuro que realçara os olhos esverdeados. A pele continuava sedosa, embora ela nunca tivesse enfrentando um bisturi.

Animada com o sucesso da sobrinha, estava sempre ao lado de Alzira nos programas de culinária. Não demorou muito para virar assistente de palco de Alzira e também se tornar nacionalmente conhecida. Lurdes esbanjava carisma e fazia belo par ao lado da sobrinha. O programa tornara-se líder de audiência nas manhãs de segundas às sextas-feiras.

Uma aluna do curso de pós-graduação descobriu que Olívia era sobrinha da famosa Alzira, do programa de TV. Ela procurava ser discreta e mal falava sobre a tia ou o sucesso do programa, contudo, os colegas de classe a enchiam de perguntas e um dos professores a convidou para fazer uma pequena palestra sobre a trajetória de sucesso de Alzira.

Olívia concordou e, na semana seguinte, veio novo convite: queriam que ela trouxesse a tia para dar uma aula sobre gestão de negócios.

— E eu lá sei o que é isso? — rebateu Alzira.

— Tia, é só para você ir lá falar ao pessoal sobre sua trajetória de sucesso.

— Você disse que já fez isso. Por que vou lá repetir tudo?

— Eu falei segundo o meu ponto de vista. Tia — Olívia fez voz dengosa —, você hoje é uma celebridade! Os meus colegas e as mães dos meus colegas adoram você. Que custa ir até lá e falar só um pouquinho? Meia hora, no máximo.

— Aproveite a sua maneira desinibida de se expressar — tornou Arlete.

— Eu não era assim. Mudei ao longo dos anos — replicou Alzira.

— Por isso mesmo — asseverou Lurdes. — Falar sobre a sua vida e sobre seu passado poderá ajudar muitos outros jovens a direcionar suas carreiras.

— Será? — perguntou Alzira, insegura.

— Claro, tia! Conte aos alunos sobre o exercício que a Célia lhe ensinou a fazer, anos atrás. Lembra que você queria ser professora e ela lhe mostrou que você deveria fazer doces?

— Faz tantos anos isso. Não sei se vale a pena falar sobre...

Olívia a cortou com amabilidade na voz.

— Vale a pena. Tem muita gente que estuda porque estuda, sem ânimo. Não tem consciência do que quer. A sua trajetória de vida mostra que o sucesso só acontece para quem acredita e ama o que faz.

— Todo mundo faz isso.

— Engano seu, tia. Muita gente segue o conselho dos outros, esquece de consultar o coração. A nossa sociedade valoriza as aparências e infelizmente muitos fazem o que não gostam e perdem o prazer da realização plena da alma. Daí vêm a tristeza, a depressão, a falta de ânimo...

— Está bem — concordou Alzira. — Eu vou.

Marcaram a palestra para a semana seguinte.

Américo sofrera uma crise forte de rinite e por conta da idade avançada fora hospitalizado. Nada de mais. Somente dois dias no hospital a fim de realizar exames diversos e tranquilizar os médicos e a família.

— Estou bem, oras. Só porque estou velho me tratam feito criança?

— Calma, pai — tranquilizou Valéria. — A crise de rinite foi muito forte. Você está espirrando muito e seus pulmões não podem trabalhar tão sobrecarregados.

— Estou bem. Tenho uma vida pela frente.

— Sei disso.

— Não preciso ser tratado como bebezinho. Eu gosto de trabalhar. Sou o braço direito de Frederico nas nossas organizações.

— Também sabemos disso — emendou Adamo. — No entanto, está na hora de refazer uma bateria de exames. Se tudo estiver dentro da normalidade, eu e Natália o levaremos para uma temporada em Florença.

— Não posso sair agora. Tenho muito trabalho.

— O trabalho pode esperar — interveio Natália. — Se tivesse uma esposa, estaria com outros planos na cabeça.

— Estou bem assim, sozinho.

Todos riram. Valéria tornou:

— Vou com Natália para o escritório e voltaremos logo mais, depois do almoço. Adamo vai lhe fazer companhia.

— Não preciso. Fico bem sozinho. Não estou doente.

— Se você permitir — Adamo disse — eu preciso ir até a agência de viagens para reservar nossa passagem de volta para a Itália.

— Tem certeza de que quer ir embora?

— Tenho — Adamo fez sim com a cabeça. — Eu e Natália pensamos bastante e chegamos à conclusão de que queremos viver em Florença.

— E o escritório? — perguntou Américo. — Vai largar minha filha?

Natália riu.

— Não vou largar sua filha. Agora temos internet, computador... A tecnologia está a nosso favor. Vou gerenciar os projetos a distância. E, a cada seis meses, voltaremos para uma temporada. Concorda? — perguntou Natália, passando graciosamente os dedos no queixo de Américo.

Ele riu e assentiu.

— Está certo. Vocês têm de fazer o que manda o coração.

De repente ele se entristeceu.

— O que foi, pai?

— Nada, Valéria. Estava aqui pensando se minha vida não seria diferente caso eu tivesse perseverado e ido atrás da minha namorada.

— Essa história tem mais de cinquenta anos! — exclamou Adamo. — Não acha melhor deixar para a próxima encarnação?

— Se eu pudesse, começaria tudo de novo. A idade não é fator limitante para mim — respondeu Américo, maneira enérgica.

Todos concordaram e cada um foi atrás dos seus afazeres. Américo ficou confortavelmente instalado no quarto do hospital. Uma simpática enfermeira apareceu e mediu a pressão dele. Depois outra veio e cuidadosamente tirou-lhe um frasco de sangue das veias. Américo gostou do paparico e adormeceu.

Duas horas depois, ele acordou e, sem ter o que fazer, pegou o controle remoto ao lado da mesinha e ligou a televisão. Ficou passando de um canal para outro, meio sem interesse, até que deixou num canal qualquer. Uma simpática mulher na casa dos cinquenta anos apresentava o programa de culinária.

Américo sorriu.

— Eu não sei fritar um ovo. Admiro pessoas que sabem cozinhar. Essa mulher sabe muita coisa.

Ele ajeitou os travesseiros na cama e soergueu o corpo. Ficou ali, fascinado com os ensinamentos de Alzira. A maneira como ela falava dava a impressão de que qualquer ser humano era capaz de fazer os mesmos pratos, deliciosos por sinal, que ela apresentava.

Num determinado momento do programa, Alzira chamou pela sua assistente. Lurdes entrou e, como o programa tinha plateia, foi aplaudida de pé e ovacionada. As pessoas adoravam ela.

Américo foi prestando atenção e seus olhos, num determinado momento, espremeram.

— Será que é quem eu estou pensando? — perguntou para si, em voz alta.

Uma enfermeira entrou no quarto.

— Seu Américo, o médico daqui a pouco virá para conversar com o senhor. Parece que está tudo em ordem. O senhor deverá ser liberado hoje à tarde e...

Ela percebeu que Américo não lhe dava a mínima atenção. Olhou para ele e para o aparelho de televisão.

— O senhor gosta de culinária?

— Não. Mas acho que conheço essa mulher.

— A Alzira? O programa dela faz o maior sucesso, seu Américo.

Ele não desgrudava os olhos da tela. Perguntou:

— Quem é essa senhora que está ao lado dela?

— É a Lurdes. Conhecida como tia Lurdes, a quituteira.

— Você sabe o sobrenome dela?

A enfermeira fez não com a cabeça. Em seguida, disse:

— Ah! Uma das enfermeiras trouxe uma revista de celebridades para a gente ler e passar o tempo. Acho que tem uma nota sobre a Alzira e a tia Lurdes.

— Você poderia procurar essa revista?

— Sim, senhor.

A enfermeira saiu e Américo não desgrudava os olhos da tela.

— Só pode ser ela! É a Lurdes!

A moça voltou com a revista a tiracolo. Abriu na página e mostrou para Américo. Ao ler o nome completo e a idade, não teve dúvidas: ele havia reencontrado a namorada de sua juventude.

— Preciso receber alta hoje!

— O médico já vem e...

Américo a cortou:

— Agora! Vá chamar o médico agora, minha filha. Eu preciso sair daqui.

A enfermeira assentiu e foi chamar o médico. Américo tremia feito folha ao vento.

— Lurdes! Você está viva. Será que ainda se lembra de mim?

A palestra que Alzira fizera na faculdade foi um sucesso. Ao terminar foi aplaudida em pé. Muitos dos alunos estavam com o livro de receitas sob os braços e fizeram fila para que ela autografasse.

Ela concordou e disse a Olívia:

— Vamos demorar. Ligue para o celular do seu tio. Diga a Eugênio que vamos nos atrasar.

— Pode deixar, tia. Mas terei de ir ao pátio. Aqui no auditório não tem sinal.

Alzira começou a autografar os livros e Olívia saiu. Foi até o pátio, levantou o celular para o alto com uma das mãos, à procura de sinal. Assim que o aparelho deu sinal, ligou para Eugênio. Ao desligar, foi cumprimentada por um colega do curso.

— Olívia, a sua tia foi magnífica no discurso.

— Obrigada, Ismael.

— Que história de vida! Alzira teve uma vida difícil, uma infância ruim e tornou-se uma mulher de sucesso. É um exemplo a ser seguido.

— Também acho.

— Eu adoraria conhecê-la. Você depois me apresenta a ela? Minha mãe é superfã e vai adorar ganhar um livro autografado.

— Claro. Vamos esperar as pessoas irem embora. Assim você conversa um pouquinho com ela.

— Mesmo?

— Claro, Ismael. Você é um dos melhores amigos que tenho.

— Também gosto muito de você.

Os dois se abraçaram e Ismael perguntou:

— Você viu o novo professor de economia?

— Não. Fiquei triste que o professor Durval tenha sido afastado por estar doente.

— Dizem que esse é bom. Estudou fora do país. É doutor em economia.

— Pelo preço que pagamos o curso, nada mais justo do que um profissional competente para nos dar aula. Ainda mais de economia!

— Ele é amigo do meu pai — Ismael baixou o tom de voz. — Sábado vamos dar um jantar. Quer vir e conhecê-lo?

— Não sei...

— Olívia, você não sai, só trabalha. Não vai me dizer que tem trabalho para o sábado à noite!

Ela riu.

— Tem razão. Estou me tornando viciada em trabalho, uma *workaholic*.

— Precisa dar um tempo para o lazer. Você vai jantar com a gente no sábado. É um ultimato.

— Está certo. Eu vou.

A semana correu rápida e o sábado chegou. No fim da tarde, depois de preparar alguns relatórios, Olívia fechou os olhos e suspirou. Estava um pouco cansada de só trabalhar. Mas fazer o quê? Ela não gostava de sair, era avessa a baladas e declinava todos os convites de Ismael. Preferia ficar vendo tevê ou assistindo a séries americanas em DVD. Adorava ficar em casa na companhia da mãe.

Ela chegou em casa, jogou a bolsa sobre a cômoda e sentou-se no sofá. Tirou os sapatos e começou a massagear os dedos. Arlete entrou na sala e sorriu:

— Chegou cedo.

— Resolvi parar mais cedo. É sábado e o Ismael vai dar um jantar.

— Vai sair? — indagou Arlete surpresa. — Até que enfim.

— Ah, mãe. Pare com isso. Eu gosto de ficar em casa.

— Mas ficar em casa não vai trazer namorado.

— E quem disse que eu quero namorar?

Arlete aproximou-se de Olívia e beijou-lhe a testa. Sentou-se ao seu lado.

— Querida filha, todos queremos conhecer o amor. Nascemos para viver em grupo, em sociedade.

— Não gosto de sair à noite. Essas baladas tocam uma música insuportável, irritante. As pessoas se drogam a valer. Não condeno ninguém, pois cada um é responsável por suas escolhas. Mas é um tipo de ambiente que não combina comigo. Pronto.

— Saia com suas amigas.

— Todas casaram, mãe. Não sobrou ninguém.

— Ao menos tem a amizade de Ismael.

— Não é a mesma coisa. Talvez eu termine como tia Lurdes, que renunciou ao amor.

— Sinto que sua tia fechou-se em copas por medo. Se ela se permitisse amar de novo, fatalmente a vida lhe traria alguém. Afinal, atraímos nossos pares pelo teor de nossa energia.

— Você bem que podia atrair alguém em seu caminho.

— Negativo. Já tive meu amor. Seu pai significou e significa muito para mim.

— Não sonhou mais com ele? — indagou Olívia, curiosa.

— Não. A nossa separação foi triste e sinto saudade de Osvaldo até hoje. No entanto, não posso negar que, ao ficar viúva, perdi o chão. Seu pai era tudo para mim e eu era demasiadamente dependente dele. Pedia opinião para tudo. Depois de algum tempo, aceitei a situação e aprendi a valorizar minhas qualidades, desenvolvendo a própria força. Isso fez eu me sentir mais capaz. A morte é irreversível e aceitá-la revela sabedoria.

— Eu a admiro muito.

— Obrigada, filha. E, de mais a mais, a vida só permite um encontro entre encarnado e desencarnado quando esse encontro beneficia ambos. Sinto seu pai muito ligado a nós duas, mesmo depois de tantos anos desencarnado. No dia em que o espírito de Osvaldo estiver emocionalmente equilibrado, poderemos nos encontrar.

— A morte de papai nos aproximou sobremaneira.

— Isso é fato.

Olívia respirou fundo e exalou agradável suspiro.

— A conversa está boa, mas preciso me arrumar. Tenho de estar na casa de Ismael às oito em ponto.

Ela falou, levantou-se e subiu para o quarto. Tomou uma ducha morna e refrescante. Como não havia tido tempo de ir ao cabeleireiro, Olívia escovou os longos cabelos castanhos e fez um gracioso rabo de cavalo. Maquiou-se com sobriedade e colocou um lindo vestido tomara que caia na cor verde-esmeralda, realçando o colo. Passou delicado perfume sobre o pescoço e os pulsos. Calçou um par de saltos altos e escolheu uma bolsinha. Desceu as escadas e apanhou a chave do carro.

— Está muito bonita — afirmou Arlete.

— Obrigada, mãe. Bom, não tenho hora para voltar.

— Não esquece de colocar o cinto de segurança. Dirija com cuidado. Não atenda o celular enquanto dirige e...

Olívia cortou Arlete com docilidade na voz:

— Menos, mãe. Menos.

Beijou-a no rosto e saiu. Entrou no carro, colocou o cinto, deu partida e logo seu carro sumia na curva.

Epílogo

Olívia chegou ao apartamento de Ismael às oito em ponto. Era um jantar para poucas pessoas: Ismael, a irmã e os pais deles, mais Olívia e o tal professor.

Ela foi recebida com carinho pelos pais de Ismael.

— Seja bem-vinda à nossa casa — tornou Norma.

— Obrigada.

Ismael a puxou para o lado e sentaram-se num sofá. Amelinha, irmã de Ismael, uma simpática jovem de dezoito anos, cumprimentou Olívia e sentou-se junto deles.

— Depois do jantar vamos sair para dançar. Gostaria de nos acompanhar? — perguntou Amelinha.

— Não, obrigada. Depois do jantar vou para casa descansar.

— A noite está linda. Contei até algumas estrelas no céu.

— É mesmo?

— Sim, Olívia. Ismael me disse que você é muito caseira.

— Passei da idade de frequentar baladas. Na sua idade eu saía bastante.

— Quantos anos tem?

— Vou fazer trinta no mês que vem.

Amelinha levou a mão à boca.

— Não acredito. Não parece a idade que tem. Que cremes você usa?

Os três caíram na risada e logo o convidado que faltava chegou.

Olívia estava sentada de costas e nem percebeu quando Norma tocou-lhe delicadamente o ombro para fazer a apresentação.

— Olívia, este é nosso amigo, professor Frederico Calini.

Ela levantou o rosto e congelou. Mais de uma década havia se passado, contudo Olívia teve certeza de que estava diante de Frederico. Os cabelos dele começavam a ficar prateados nas têmporas e usava óculos. No resto, ele continuava o mesmo de quando o conhecera em Londres: bonito e elegante.

Ela tentou se levantar, mas não conseguiu. Frederico aproximou-se e a beijou no rosto.

— Os anos passaram e você ficou ainda mais linda. Como vai, Olívia?

— B-bem — balbuciou. — E você?

Ismael interrompeu:

— Não acredito! Vocês se conhecem de onde?

— Eu conheci Frederico quando fiz intercâmbio, muitos anos atrás — respondeu Olívia.

— E tomei um bolo dessa menina. Inesquecível — interveio Frederico.

Ismael percebeu o clima entre os dois e foi cordial.

— Vou apanhar uma bebida e já volto.

Olívia levantou-se e sorriu.

— Ao menos se lembra de mim. Menos mal.

— Importa-se de conversarmos na varanda? — convidou Frederico.

Olívia assentiu com a cabeça. Ismael trouxe uma taça de vinho para cada um e se afastou.

Frederico ergueu a taça:

— Saúde!

— Saúde!

Bebericaram o vinho tinto e Frederico foi direto:

— Entendo que você era muito jovem naqueles tempos, mas fiquei muito triste com o seu sumiço repentino.

— Entendo perfeitamente a sua posição. Se eu estivesse no seu lugar, sentiria o mesmo. Eu bem que tentei procurá-lo, mas só sabia seu primeiro nome, mais nada.

— Por que me rejeitou?

— Eu não o rejeitei — suspirou Olívia.

— Como não? Você sumiu e me abandonou. Não deixou recado, aviso, nada.

Norma apareceu e anunciou que o jantar estava servido.

— Depois vamos continuar a conversa — sentenciou Frederico.

— Sim.

O jantar transcorreu agradável. Norma e Bonifácio, pais de Ismael, eram pessoas cultas e divertidas. Frederico falou sobre como conseguia conciliar a carreira de executivo com a de professor. Olívia falou sobre a "famosa" tia Alzira. Ao término do jantar, Amelinha despediu-se de todos para encontrar os amigos na balada. Iam dançar na Pacha.

— É um dos clubes mais descolados da cidade. Tem filial em outras metrópoles, como Florianópolis, Ibiza e Nova York — tornou, animada.

Mesmo com a animação da jovem, os dois declinaram do convite.

Frederico aproximou-se de Olívia:

— Você tem compromisso?

— Tenho.

— Ah, que pena.

— Tenho dois filmes para assistir. Mas posso deixar para amanhã.

Ele riu.

— Pensei que tivesse alguém.

— Não tenho.

— Eu também estou sem ninguém. Gostaria de ir a um bar para continuarmos a nossa conversa?

— Não gosto de bar, Frederico. Geralmente o barulho é demasiado e temos de falar gritando.

— Conheço um bistrô nos Jardins que fica aberto a noite toda. É um lugar aconchegante e não há barulho. Poderemos conversar à vontade.

— Está bem.

— Veio de carro? — indagou, atencioso.

— Vim.

— Deixe seu carro e venha no meu. Depois eu a levarei até sua casa.

— Não precisa se preocupar.

— Sou um homem moderno, mas de princípios considerados antiquados. Eu vou levá-la até a sua casa e amanhã apanho você para pegarmos o seu carro.

Olívia nada disse. Estava encantada. Eles se despediram da família e saíram. Norma cutucou o filho:

— Esses dois têm alguma coisa?

— Olha, mãe, se não tinham, pode ter certeza de que vão ter! — exclamou Ismael.

— Formam um casal tão bonito — afirmou Bonifácio.

— Concordo — respondeu Norma.

No trajeto até o bistrô, Frederico e Olívia conversaram trivialidades. Falaram da bolha americana, das eleições que se aproximavam. Nada que fosse pessoal. Chegaram e entraram no pequeno restaurante.

De fato era um lugar aconchegante, decorado no estilo provençal francês. Os móveis eram patinados na cor branca e a decoração era de extremo bom gosto. Sentaram-se numa mesa mais nos fundos do bistrô. Pediram uma torta doce, uma água com gás, dois cafés.

Assim que o garçom trouxe os doces e o café, Frederico repetiu a frase:

— Você sumiu e me abandonou. Não deixou recado, aviso, nada.

— Fiquei muito abalada. Naquele dia do nosso passeio, ao chegar na república, fui informada de que meu pai havia sofrido um infarto e estava muito mal.

— Passei anos esperando reencontrá-la e imaginei muitas respostas, centenas delas. Confesso que nunca imaginei essa resposta.

— Ao menos falo a verdade. Não tenho o que esconder.

— E como vai seu pai? Melhorou?

— Morreu.

— Sinto muito. Não imaginava...

Olívia deu de ombros:

— Quando me ligaram em Londres para avisar ele já estava morto. A família me ocultou a verdade para que eu não me desequilibrasse.

— Sinto muito, mesmo. Imagino como deve ter sido duro para você.

— Foi. Logo depois da morte de papai, eu concluí o colegial e fui trabalhar. Ajudei minha mãe e algum tempo depois me matriculei num curso de administração de empresas.

— Você queria ser artista.

Olívia riu.

— Quem sabe um dia? Eu pus os pés no chão e percebi que tinha vocação para administração. Hoje eu sou uma profissional realizada e satisfeita. Quanto a ser artista, faço aulas de pintura em tela. Sonho em montar uma galeria de arte e patrocinar artistas desconhecidos e sem recursos.

— Sua alma é de artista, não tem como negar.

Frederico falou e seus dedos se tocaram. Ambos sentiram uma pequena faísca.

— Olívia, eu tenho tanto para lhe falar! Gostaria tanto de vê-la novamente.

— Eu também.

— Agora que entendo o seu sumiço, tudo o que sentia por você voltou com mais força.

Ela não respondeu.

— Você está linda!

— Fiz uma cirurgia corretiva e não sou mais estrábica.

— Eu não me importava. Achava um charme à parte.

— Pois vai ter de encontrar outro. Esse "charme" não mais me pertence!

Eles riram e ele pousou delicadamente suas mãos nas dela. Trouxe uma delas até a boca e beijou.

— Será que você vai me dar nova chance?

— Vamos começar do zero.

Frederico não respondeu. Inclinou a cabeça e seus lábios se tocaram. Um beijo demorado e delicado.

Ambos sentiram o coração bater descompassado.

— Quer ser minha mulher?

— Não seria namorada? — perguntou, sorridente.

— Negativo. Eu a conheci há mais de dez anos e nunca a esqueci. Estou com trinta e três anos de idade. Não tenho mais tempo para brincadeiras.

— Não estou falando em brincadeiras, mas em nos conhecer melhor. Preciso saber mais de você, da sua vida. Quero conhecer sua família e quero que conheça a minha.

— Faremos tudo isso, desde que não se afaste mais de mim.

Beijaram-se novamente. Do Alto, pétalas de rosas iluminadas caíam suavemente sobre a aura do casal.

Lolla sorriu feliz.

— Eliel, meu amigo. Conseguimos o nosso intento.

— Eles se reencontraram e, pela cor de suas auras, têm um longo caminho de amor e cumplicidade pela frente.

— Vamos deixá-los a sós e partir.

— Sim — concordou o espírito. — Antes, vamos até *aquele* lugar? Gostaria de aliviar a dor de Marion.

Lolla concordou com a cabeça. Num piscar de olhos estavam na cidade de Los Angeles, no mesmo cemitério onde estavam enterradas estrelas como Natalie Wood e Marilyn Monroe. Eliel aproximou-se do espírito de Marion, ainda preso aos restos mortais. Ela continuava sem saber onde estava. Gritava pedindo ajuda, implorava por socorro. Eliel deixou que uma lágrima escapasse pelo canto do olho. Lolla tocou em seu ombro.

— Não fique assim, meu amigo. Sabemos que outros caminhos teriam dado resultados melhores.

— O suicídio[18] de Marion foi um ato de rebeldia. Entendo que ela quis fugir das situações com as quais sufocava a alma. Sei que, com os anos, vai aprender a cultivar os verdadeiros valores.

— Vamos orar por ela.

Os dois fecharam os olhos e se deram as mãos. Fizeram sentida prece e, por alguns minutos, Marion deixou de sentir dores. Serenou e adormeceu.

---

18 Mais detalhes sobre o suicídio, consultar as seguintes obras de Allan Kardec: *O Livro dos Espíritos*, Livro IV, Capítulo VI — "Desgosto pela vida", questões 943 a 957; *O Evangelho segundo o Espiritismo*, Capítulo V — "Bem-aventurados os aflitos"; *O Céu e o Inferno*, Segunda Parte, Capítulo V — "Suicidas".

Eliel agradeceu:

— Obrigado, Lolla.

— Que nada. Marion não precisa de julgamento, mas de compaixão.

— É — concordou Eliel. — Deus cuida de tudo e todos com perfeição e amor. Vamos embora.

— Daqui a um ano voltaremos — assegurou Lolla.

O reencontro de Américo e Lurdes foi comovente. Os dois, com idade bem avançada, decidiram dar nova chance ao amor represado por tantos anos.

— Vamos casar e seremos felizes — disse Américo.

— Não senhor! — protestou Lurdes. — Eu não quero casar.

— Como não? Estamos quase no fim de nossa vida! Não tenho tempo para namorar e noivar.

— Se eu me casar serei sua esposa.

— É isso o que mais desejo: que você se torne minha esposa.

— Não quero ser esposa. Quero continuar sendo a Lurdes independente e que está com você porque gosta. Não preciso do seu dinheiro. Os anos passaram e eu amadureci. Quando namorávamos, eu era uma garota ingênua e cheia de sonhos. Fui criada para casar, ter um marido, filhos e cuidar da casa. Não foi o que aconteceu.

— Eu já lhe expliquei milhares de vezes que Amélia engravidou e...

Lurdes o cortou com docilidade na voz.

— Sei disso e o entendo. Não estou aqui para julgá-lo. Somos todos responsáveis por nossas escolhas. Eu me tornei uma mulher forte, joguei as ilusões para fora, passei a enxergar a vida como ela é. Tornei-me mais segura e passei a gostar mais de mim mesma. Quando eu me aposentei, as minhas sobrinhas vieram morar comigo e a vida mudou completamente. Formamos uma família unida, permeada por laços sinceros de afeto. Montamos um negócio, prosperamos e ficamos bem de vida. Eu já passei dos setenta anos de idade e o que quero é tão somente um companheiro. Quero estar ao seu lado, Américo, porque gosto, mais nada. Sem cobranças, sem papéis.

— As pessoas vão fazer comentários.

Lurdes deu de ombros.

— Pois que façam. Passei da idade de me importar com os fuxicos da sociedade. Se quiser ficar comigo, será nesses termos. Seremos livres, porém fiéis. Mas cada um morando na sua casa. Passo três dias na sua e você passa três dias na minha.

— São seis dias. A semana tem sete. Ainda falta um dia — contou Américo.

— Eu preciso de um dia para ficar comigo mesma. Uma pessoa, quando vive sozinha, acaba adquirindo hábitos ao longo dos anos. Eu vou procurar me adaptar à nossa nova vida de casal, mas é fundamental que eu fique um dia comigo mesma, cuidando do meu jardim, das minhas plantas, lendo um livro, ou não fazendo nada, só curtindo o momento. Muita gente não tem ideia de como é bom ser seu próprio amigo. Estou feliz à beça comigo mesma.

— Mas...

Antes que ele continuasse, ela finalizou:

— Nem mas, nem meio mas. Essas são as condições. Se quiser reatar nosso namoro, ótimo. Se não quiser, não tem problema. Ficamos cinquenta anos separados. Posso ficar mais cinquenta comigo mesma!

— Você é ardida como pimenta! Que mulher!

— É por esse motivo e por muitos outros que o maior empresário do país quer ficar comigo.

Os dois caíram na risada e beijaram-se com amor.

— Prometo que serei o "namorado" mais carinhoso, romântico e companheiro que você pôde sonhar em toda vida. Eu a amo, Lurdes.

— Também o amo, Américo.

Nesse clima parecido com final de novela, Tomás pressionou Valéria:

— Vamos nos casar.

— Ora, ora. E não somos "casados"? — perguntou ela, enquanto penteava os cabelos, pronta para ir para a cama.

— Vivemos juntos há anos, mas quero me casar, no duro.

— Vamos fazer como meu pai e Lurdes. Nada de papel.

— O caso deles é diferente.

— Diferente em quê? Cada um tem seu próprio dinheiro. Cada um tem sua própria casa. O mesmo ocorre com a gente. Estou com você porque o amo, mais nada. Para que uma certidão? Acaso vamos fazer um filho nessa altura do campeonato?

Tomás riu.

— Claro que não. Deixemos esse trabalho para Alice e Frederico. Eu quero ter uma certidão de casamento, andar com aliança no dedo da mão esquerda, fazer festinha...

— Ai, meu Deus! Um homem de quase sessenta anos sonhando feito garotão.

— E não sou seu garotão? Vai, diz.

Valéria meneou a cabeça. Levantou-se e deitou-se na cama. Abraçou-se a Tomás.

— Você é meu garotão.

— Repete.

— É meu amor, é meu tudo. Agora, me faça um pedido irrecusável de casamento. Talvez eu pense com carinho na sua proposta.

— Bom, eu estava aqui pensando com os meus botões... Frederico e Olívia vão se casar daqui três meses, certo?

— Certo.

— Então, a gente bem que podia aproveitar e casar todo mundo junto. Uma mesma festa. Mãe e filho casando no mesmo dia! O que me diz?

Valéria sorriu alegre.

— Sabe que parece uma ideia muito interessante? Vamos primeiro conversar com Frederico e depois...

Tomás levou o dedo até os lábios dela.

— Tolinha. Eu já acertei tudo com o Frederico. O meu filho postiço adorou a ideia. A sua futura nora também aprovou. Natália já mandou confeccionar os convites, e Adamo vai lhe dar o vestido de presente. Será uma recepção íntima, para poucos amigos, na mansão do seu pai, no Morumbi.

— Isso quer dizer que a família toda estava conspirando pelas minhas costas?

— Ah, e a viagem de núpcias será presente de sua madrasta, a Lurdes.

— Você me pegou! Não tenho como recusar.

Tomás a abraçou e beijou várias vezes no rosto e nos lábios.

— Vamos casar! Vamos casar!

A festa de casamento de mãe e filho foi destaque na mídia. Valéria e Tomás foram curtir a lua de mel na Europa. Preferiam o charme de Paris. Olívia e Frederico foram para o paradisíaco arquipélago de Fernando de Noronha.

O casal estava deslumbrado com a beleza do local. Fizeram mergulho, apreciaram os golfinhos, as praias em geral. Ficaram especialmente maravilhados com a praia do Sancho. Desceram do barco, tiraram as sandálias e correram pela areia.

A Baía do Sancho é uma das praias mais belas do Brasil. Isolada, coberta por vegetação nativa, areia branca e mar verde-esmeralda, é local de rara beleza.

Olívia mirou o horizonte e disse:

— A vida é bela.

— Concordo.

— Desejo mostrar a beleza da vida por meio das obras de arte. Fiquei muito feliz em saber que sua mãe irá patrocinar a minha galeria de arte. Não sabe o quanto a minha alma se sente realizada. Quero também fazer exposições itinerantes, levar a arte para lugares distantes e sem acesso à cultura. Estou empolgada.

Frederico escutava a esposa e sorria. A felicidade de Olívia exalava pelos poros. Ele a virou para si e a encarou nos olhos:

— Está feliz?

— Estou.

— Tem ideia do quanto eu amo você? — perguntou Frederico, enquanto ajeitava os cabelos de Olívia, cujos fios dançavam ao ritmo do vento.

— Tenho. Muitas vezes, lá em Londres, quando você se aproximava, eu ficava dividida. Uma parte de mim queria abraçá-lo e outra parte o repelia naturalmente. Graças a Deus essa sensação passou e eu só sinto amor quando estou ao seu lado.

— Fico feliz que se sinta assim. Eu jamais faria algo que a desapontasse ou a fizesse ficar triste. Há muitas pessoas no planeta e há muitas almas afins. Eu tenho a felicidade de ter encontrado, ou reencontrado — ele sorriu —, você.

Olívia nada disse. Abraçou-o com força. Ficaram assim por um bom tempo, abraçados e quietos, sentindo o coração bater de maneira serena.

— Vamos caminhar? — ela convidou. — Logo vai anoitecer.

— Vamos, querida — respondeu Frederico.

Ambos estavam com o peito leve, uma sensação de total sintonia com o plano espiritual. Agora aceitavam e compreendiam verdadeiramente que toda essa experiência de vida fora benéfica e necessária para darem o próximo passo rumo à conquista da felicidade.

Frederico estendeu o braço para Olívia e suas mãos se entrelaçaram. Ele virou o rosto e seus lábios se aproximaram. Beijaram-se com amor e sorriram. Continuaram a caminhar pela praia, enquanto o sol se despedia. Estavam apaixonados e felizes.

Fim

Carta aos leitores

Há mais de trinta anos tenho contato com o espiritismo, e a minha vida se transformou positivamente, pois me encontrei diante da eternidade do espírito e da grandeza da vida. Os livros que psicografei me enriqueceram com valores, e sei que muitos leitores despertaram para a espiritualidade por meio desses romances.

Por intermédio dos livros, eu e você construímos automaticamente um grande elo invisível aos olhos humanos, porém forte e poderoso aos olhos espirituais. Mesmo distantes fisicamente, estamos ligados por esses laços que fortalecem nossos espíritos, unidos no mesmo objetivo de progresso e de sintonia com o bem, sempre!

Espero que, ao ler nossas histórias, você possa conscientizar-se do seu grau de responsabilidade diante da vida e acionar a chave interior para viver melhor consigo e com os outros, tornando nosso mundo um lugar bem mais interessante e prazeroso para se viver.

Eu e Marco Aurélio desejamos que você continue trilhando o seu caminho do bem e que a sua vida seja cada vez mais repleta de felicidade, sucesso e paz. Gostaria muito que você me escrevesse para contar os sentimentos que meus livros despertaram em você. Para isso, acesse o nosso site: www.vidaeconsciencia.com.br ou escreva para meu e-mail: leitoresdomarcelo@vidaeconsciencia.com.br.

Aguardo o seu contato.

Com carinho,
Marcelo Cezar

Este livro foi impresso em offset 75 g/m² pela Gráfica Vida & Consciência.
São Paulo, Brasil, outono de 2011.